S0-BTD-683

Collection publiée sous la Direction de
Guy MICHAUD,
Professeur à l'Université de Paris,
Directeur du Centre d'Etude des Civilisations

civilisation française contemporaine

NOUVELLE ÉDITION REVUE ET AUGMENTÉE

par Michel PAOLETTI

ISBN 2-218-00224-8

AVERTISSEMENT

En ces temps de mutations brusques, il est de plus en plus difficile à chacun, qu'il soit jeune ou adulte, élève, étudiant, technicien ou cadre, de se faire d'un pays comme la France une image qui ne soit pas simpliste, déformée ou dépassée. Vue de l'intérieur, elle échappe aisément au regard : les détails cachent l'ensemble et empêchent souvent de saisir les traits dominants. Vue de l'étranger, elle se réduit le plus souvent à des notions vagues ou à des images stéréotypées.

Qu'est-ce donc que la civilisation française contemporaine? Un ouvrage tel que le Nouveau Guide France *(Hachette éd.) répond déjà largement à cette question. Il permet de saisir notre pays dans sa réalité vivante et globale, en même temps qu'il renseigne de façon condensée et précise sur chacun des multiples aspects de cette réalité. Il demande pourtant à être complété par des choix de textes grâce auxquels le lecteur pourra prendre de celle-ci une vue plus directe et plus concrète.*

Tel est précisément l'objet du présent ouvrage. Textes d'écrivains, de journalistes, d'experts ou d'essayistes, choisis essentiellement pour leur valeur de témoignages, cartes, graphiques, voire dessins d'humoristes : autant d'images et de documents qui sont offerts ici pour la première fois sur tous les aspects de la France du temps présent, groupés et présentés selon un plan méthodique et reliés entre eux par un texte de présentation réduit à l'essentiel, texte qui pourra utilement être complété, pour chaque chapitre, par l'ouvrage cité plus haut.

Ce livre s'inscrit dans la perspective d'un « Cours de civilisation française » destiné avant tout aux élèves et aux étudiants étrangers, et dont l'ouvrage intitulé Découverte de la France *constitue normalement la première étape : ne convient-il pas de reconnaître l'un après l'autre, comme le ferait un touriste intelligent, les visages divers d'un pays avant de tenter d'en saisir l'unité? Comme dans ce premier volume, les professeurs trouveront ici un large choix de textes à lire et à commenter leur permettant d'illustrer de façon vivante un enseignement qui doit faire une place de plus en plus grande à la connaissance réelle et objective du pays dont on étudie la langue. On peut penser qu'il pourra aussi rendre de grands services dans notre enseignement national et, plus largement, à tous ceux qui souhaitent mettre à jour l'image qu'ils se font de notre pays.*

GUY MICHAUD

données générales

le milieu naturel

Avec 550 000 km², la France est le plus grand pays d'Europe occidentale. Mais son image sur un atlas du monde fait apparaître ses véritables proportions : la France est un petit pays qui serait réduit à l'*hexagone* si ne venaient s'y ajouter quatre départements d'outre-mer (Guyane, Martinique, Guadeloupe, Réunion) et les territoires d'outre-mer (Polynésie, Nouvelle-Calédonie, îles Wallis, Comores, territoire français des Afars et des Issas, Saint-Pierre et Miquelon, terres australes et antarctiques, condominium franco-britannique des Nouvelles-Hébrides).

L'HEXAGONE

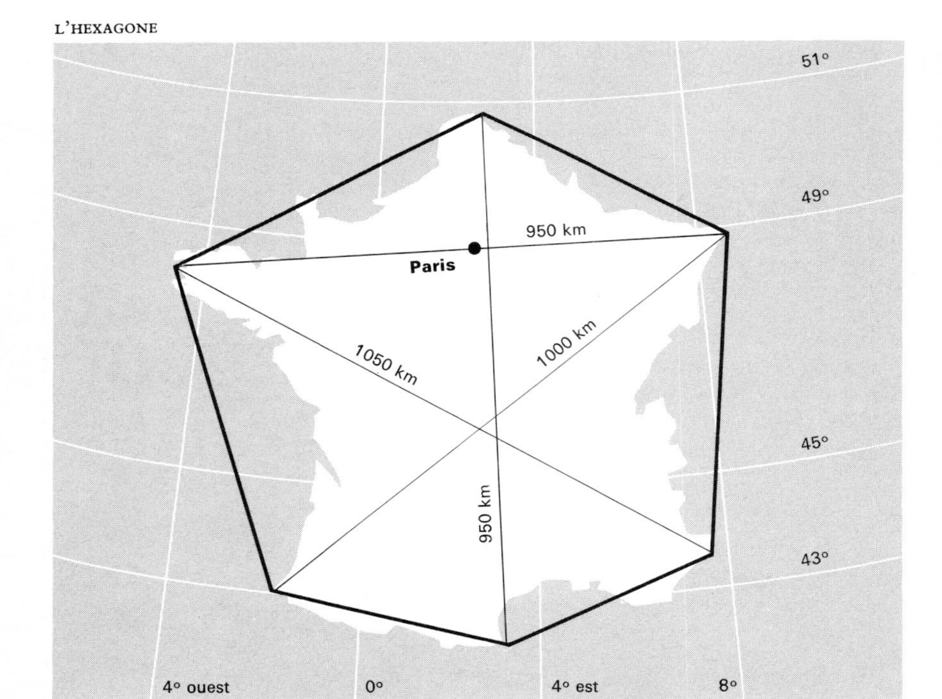

Un pays carrefour

a. Par sa position en Europe :

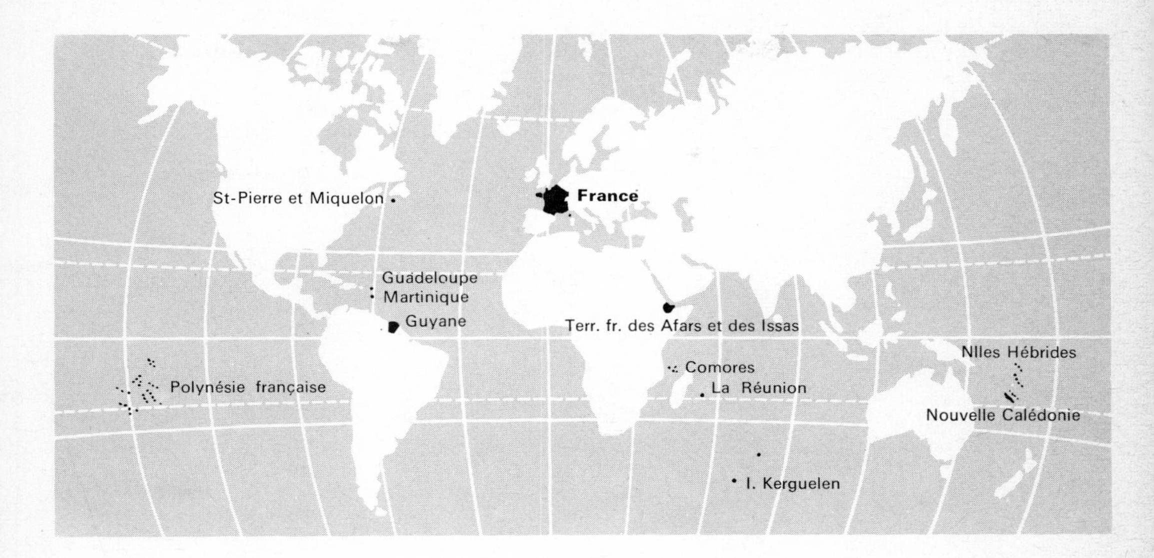

La France ouverte sur le monde

... Une quadruple façade maritime dote la France de plus de 3 000 km de côtes et lui ouvre de larges fenêtres sur tous les horizons. Par ses rivages languedociens et provençaux, elle participa de très bonne heure à la vie du monde méditerranéen d'où elle reçut les premiers éléments d'une civilisation raffinée... Puis, lorsqu'au début des Temps modernes, les grandes découvertes maritimes révélèrent à l'Europe tout un monde nouveau : l'Amérique, l'Afrique, l'Extrême-Orient, lorsque la Méditerranée fut délaissée et que les courants commerciaux eurent leur point de départ dans les ports de l'Atlantique, la façade océanique de la France prit toute sa valeur. Nous jetâmes au Canada les fondements d'une « France nouvelle », nos « flibustiers » s'installèrent aux Antilles et nos trafiquants au Sénégal. Au XIXe siècle, si les routes d'Amérique voient centupler leur valeur, la Méditerranée renaît à la vie grâce au percement de l'isthme de Suez; de nouveau, par notre porte du Midi, nous tirons un merveilleux profit de cette renaissance longuement attendue et notre France africaine remplace cette France américaine perdue au XVIIIe siècle... Enfin, l'étroite mansarde ouverte, de Calais à Gravelines, sur la mer du Nord nous donne un accès direct à ces eaux tristes et grises qui baignent les rivages des nations les plus actives d'Europe. Ainsi, de par sa seule situation maritime, la France s'est ouverte à tous les souffles venus du large...

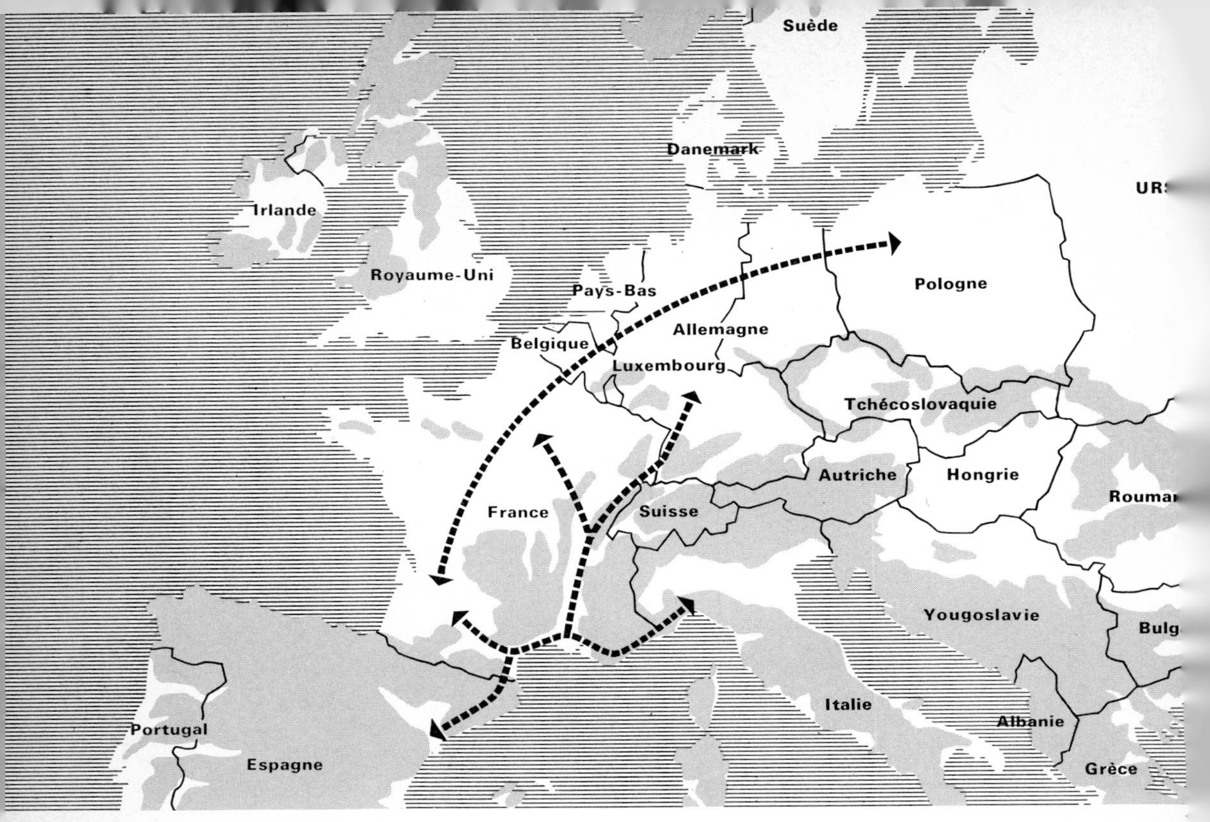

COULOIRS DE PÉNÉTRATION

Mais aux 3 000 km de côtes, s'ajoutent 2 000 km de frontières terrestres. Par sa longue façade orientale, la France est étroitement soudée au continent. Si les influences maritimes ont régi une partie de ses destinées, les influences terriennes se firent sentir avec une rigueur singulièrement plus grande. Toutes les grandes invasions, tous les mouvements de peuples vinrent déferler jusqu'au carrefour qu'elle constituait à l'extrême pointe de l'Eurasie. Son histoire fut surtout continentale. Luttant pour ses frontières naturelles, elle entra forcément en conflit avec ses voisins et rivaux. Point de guerre à laquelle elle n'ait pris part. Point de « ligue », point de coalition qui ne fussent dirigées par elle ou contre elle.

ERNEST GRANGER, *La France*.
Fayard.

b. Par ses couloirs de pénétration :

Autour du Massif central, faible obstacle lui-même, s'articulent les voies de pénétration :

- Au nord, la Flandre française prolonge sans solution de continuité la Flandre belge (et la grande plaine du Nord) et mène au Bassin parisien.

- A l'ouest, le seuil du Poitou constitue le passage naturel du Bassin parisien au Bassin aquitain.

- Au sud, le seuil de Naurouze fait communiquer le Roussillon, donc les rives méditerranéennes, au Bassin aquitain, donc aux rives atlantiques.

- A l'est enfin, le sillon Rhodanien, plaine la plus étroite, permet l'accès au Bassin parisien par le seuil de Bourgogne ou l'accès à la vallée du Rhin par le seuil de Belfort.

Un pays de diversité

a. Par ses paysages :

Paysages français

... Je suis parisien, mais je connais bien la France. J'ai parcouru le monde, de l'Extrême-Orient à l'Extrême-Occident, ce qui ne m'a pas empêché de faire, à maintes reprises, l'inventaire de mon pays. En vérité, ce mot que je viens d'introduire dans ma glose, le trouvera-t-on présomptueux ? Il est du moins chargé d'amour. Je connais de vastes contrées lointaines dont on peut, en quelques jours, prendre une idée suffisante, se composer une image valable. Ce n'est pas le cas de la France, bien qu'elle soit un pays d'étendue modérée, auprès de ces géants que nous voyons s'efforcer d'avaler et de digérer la moitié d'un continent...

Il y a plusieurs façons de connaître un pays et les habitants de ce pays. Pendant les premières années du siècle, alors que la mécanique n'était pas encore la reine toute-puissante de nos sociétés, j'ai fait partie d'un petit groupe d'amis qui trouvaient leur plaisir à marcher, sac au dos et canne en main, à travers les monts et les plaines. J'ai parcouru de cette manière une grande partie de l'Europe, et j'ai d'abord visité ma patrie. Je l'ai trouvée magnifique et plaisante. Les joies que j'ai goûtées grâce à cette découverte, elles demeurent, dans mon souvenir, comme un pur et miraculeux refuge, à l'heure de la tristesse et de l'anxiété. N'est-il pas admirable de trouver, pour un territoire dont la traversée n'excède guère un millier de kilomètres, et non d'ailleurs dans tous les sens, la plaine et la montagne, la mer et les grands lacs, l'olivier et le sapin, le palmier et le hêtre, la vigne et le houblon ? Quelle ivresse pour de jeunes hommes de saluer toutes ces merveilles et de leur rendre hommage !...

GEORGES DUHAMEL, *Les Provinces de France*.
Edit. Odé.

b. Par ses climats :

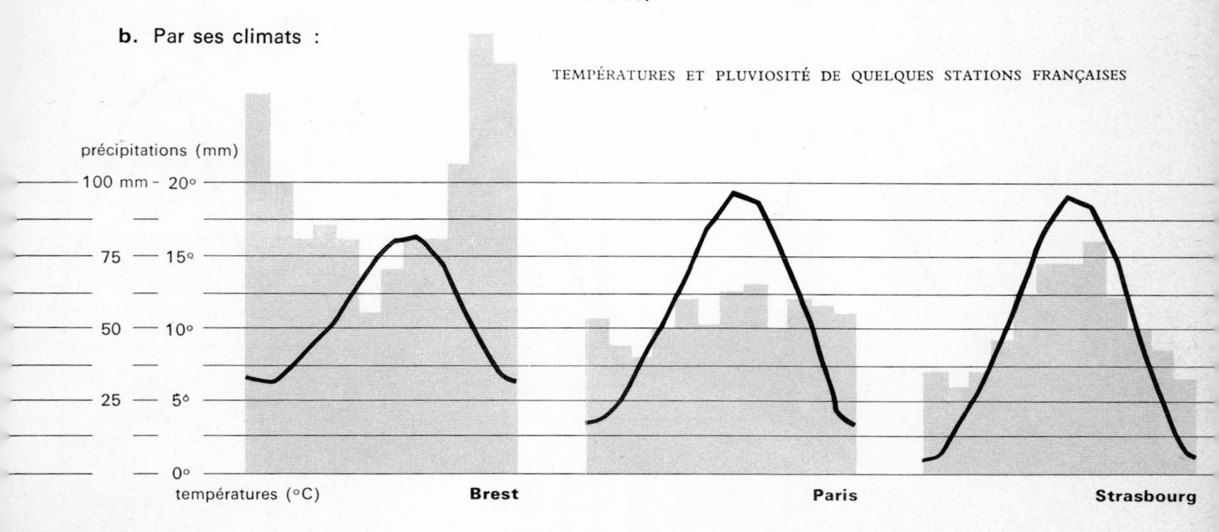

LES CLIMATS EN FRANCE

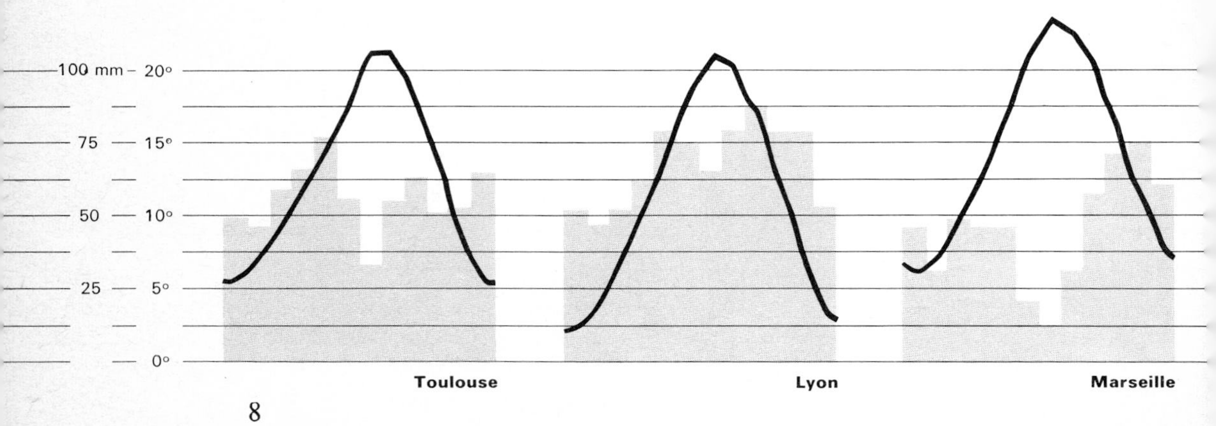

Une unité fondamentale

La différenciation ne s'oppose pas à l'unité. Pour Michelet, la France est une personne, et sa personnalité naît du fait que les différentes parties qui la composent ne sauraient vivre qu'unies tellement elles sont complémentaires. Ainsi un organisme évolué est composé de parties distinctes dont la structure et la fonction s'ordonnent en un tout harmonieux. Mais aussi, la diversité n'est-elle pas modérée ?

La France continentale est située entre 42°,5 et 51° de latitude nord, ce qui la place à égale distance de l'équateur et du pôle. Elle est ce qu'il est convenu d'appeler un pays tempéré.

Tous les contrastes nationaux sont en réalité très réduits par rapport aux oppositions intercontinentales. Aucun extrême n'apparaît sur le sol français, que ce soit dans la structure physique, l'hydrographie, le climat, la végétation.

L'harmonie dans la diversité

Cet équilibre est d'autant plus facilement atteint que la France est un pays modéré. Ses paysages sans éclat, mais pleins de séduction, procurent une impression de calme. L'eau y est partout en quantité suffisante, mais jamais excessive. Ses fleuves sont modestes comparés au Rhin, au Danube ou à la Volga. Leur débit, comme celui de tous nos cours d'eau, est constant : ils ne débordent que rarement et ne sont jamais à sec, comme en Espagne ou en Italie. Pas de vastes forêts, mais des bois, des arbres disséminés à peu près partout. Comparez la Beauce, la Champagne et le Poitou aux plateaux désolés de la Castille : ils sont couverts de verdure. Le paysage français est un paysage moyen, légèrement ondulé, avec au lointain un horizon de montagnes verdoyantes. La nature est chez nous raisonnable, trop raisonnable même pour atteindre souvent au pittoresque, qui exige une brusque rupture de lignes. La France ne présente guère de sites sauvages. Elle n'a pas les montagnes les plus hautes du monde, ni les plaines les plus étendues, ni les fleuves les plus larges, ni les terres les plus fertiles...

La France est, aussi bien, un pays de petites cultures, de petites propriétés, de petites parcelles, au contraire des États-Unis et du Canada. Quand le Français dit que son pays est une terre de milieu, il n'énonce pas autre chose, mais il se réfère à la maxime antique qui enseigne que la sagesse est un milieu entre deux extrêmes. Il confère à cette expression une valeur morale qui l'apparente à la mesure.

Diverse et admirablement équilibrée dans sa modération, la France est de tous les pays, je ne dirai pas le plus uni, mais le plus un. Ses divergences se fondent en une vaste synthèse dont, bien qu'ayant leur vie propre, les divers éléments qui la composent gardent une commune empreinte. C'est ainsi que nos provinces, tout en conservant leur physionomie, se sont amalgamées en un tout. La France a retenu ce qui unit et oublié ce qui divise au point que l'affinité de nos provinces les unes pour les autres a atténué les particularités d'autrefois.

PAUL GAULTIER, *L'Ame française*. Flammarion.

données ethniques et population

Un creuset

L'unité française s'est réalisée par le mélange et la fusion d'éléments ethniques différents. C'est le cas de nombreux pays, mais grâce à sa position géographique, la France a connu ce phénomène avec une particulière intensité. L'empreinte des groupes qui se sont succédé sur son territoire se retrouve dans les noms de lieux et la diversité des parlers régionaux.

Le peuplement de la France

Le vent vivant des peuples, soufflant du Nord et de l'Est à intervalles intermittents, et avec des intensités variables, a porté vers l'Ouest, à travers les âges, des éléments ethniques très divers, qui, poussés successivement à la découverte des régions de l'Extrême-Occident de l'Europe, se sont enfin heurtés à des populations autochtones, ou déjà arrêtées par l'Océan et par les monts, et fixées. Ils ont trouvé devant eux des obstacles humains ou des barrières naturelles, autour d'eux un pays fertile et tempéré. Ces arrivants se sont établis, juxtaposés ou superposés aux groupes déjà installés, se faisant équilibre, se combinant peu à peu les uns aux autres, composant lentement leurs langues, leurs caractéristiques, leurs arts et leurs mœurs. Les immigrants ne vinrent pas seulement du Nord et de l'Est; le Sud-Est et le Sud fournirent leurs contingents. Quelques Grecs par les rivages du Midi; des effectifs romains assez faibles, sans doute, mais renouvelés pendant des siècles; plus tard, des essaims de Maures et de Sarrasins. Grecs ou Phéniciens, Latins et Sarrasins par le Sud, comme les Northmans par les côtes de la Manche et de l'Atlantique, ont pénétré dans le territoire par quantités assez peu considérables. Les masses les plus nombreuses furent vraisemblablement celles apportées par les courants de l'Est.

Quoi qu'il en soit, une carte où les mouvements de peuples seraient figurés, comme le sont les déplacements aériens sur les cartes météorologiques, ferait apparaître le territoire français comme une aire où les courants humains se sont portés, mêlés, neutralisés et apaisés, par la fusion progressive et l'enchevêtrement de leurs tourbillons.

VALÉRY, *Regards sur le monde actuel*.
Gallimard.

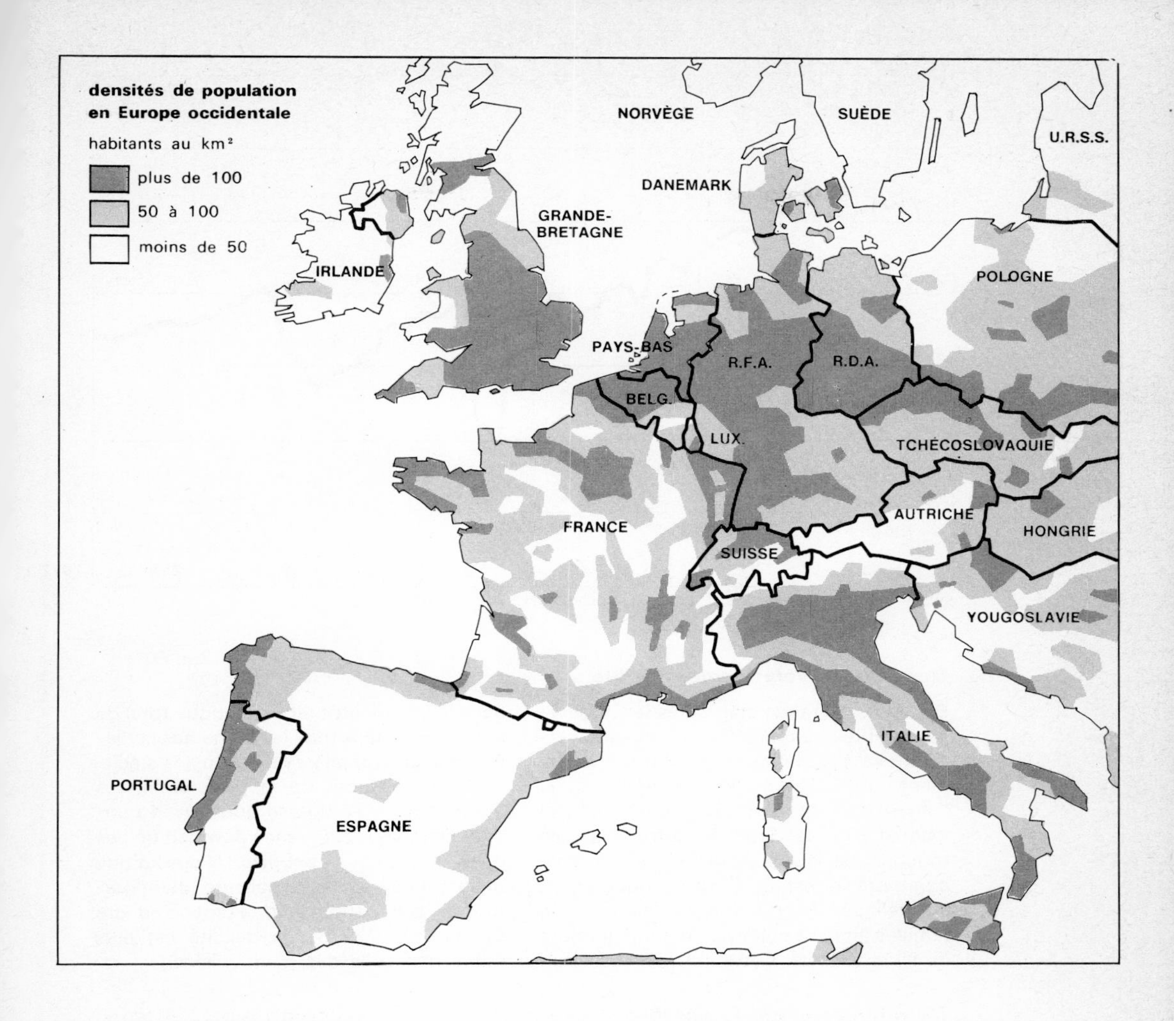

évolution de la population française en millions d'habitants

1800	1851	1911	1921	1946	1968	1973
28	**36**	**42**	**39**	**40**	**50**	**52**

Aujourd'hui encore, alors que l'émigration des Français est très faible, l'immigration reste importante. Il s'agit souvent de déplacements temporaires de personnes attirées par la possibilité de trouver un travail en France, mais décidées à retourner dans leur pays après un temps de séjour déterminé. Certains travailleurs étrangers s'installent cependant en France définitivement et y fondent un foyer.

Près de trois millions de personnes, venues principalement d'Afrique du Nord, d'Italie, d'Espagne, du Portugal, de Pologne, de Turquie et maintenant d'Afrique Noire, occupent en général des emplois non qualifiés (mines, terrassement...).

Leur intégration dans la société française est quelquefois difficile. Celle de leurs enfants par contre est très rapide et certaines réussites sociales particulièrement brillantes (sports, spectacles) en attestent.

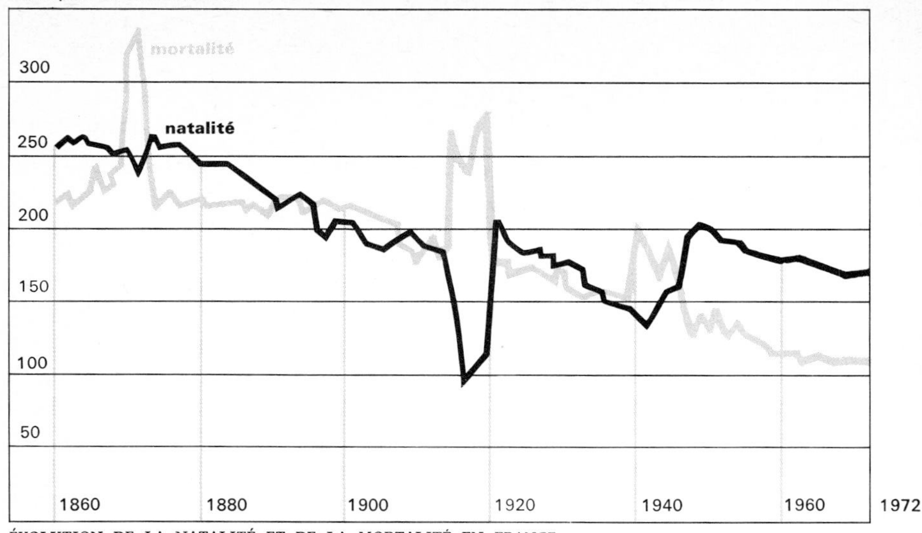

ÉVOLUTION DE LA NATALITÉ ET DE LA MORTALITÉ EN FRANCE

Une densité relativement faible

En 1800, la France était après la Russie le pays le plus peuplé d'Europe ; jusque vers 1860, sa population s'est accrue rapidement, mais à partir de cette date, l'accroissement s'est ralenti. De 1860 jusqu'à 1945 les Français, à trois reprises touchés par la guerre, restent en nombre à peu près constant. C'est l'époque qu'on a qualifiée de « malthusienne » : les familles limitent volontairement le nombre de leurs enfants. Cette attitude se traduit dans les mentalités, et un manque total de dynamisme dans tous les domaines caractérise ainsi la première moitié du XXe siècle.

L'accroissement de la population des autres pays d'Europe se poursuivait pendant ce temps et la France devenait un des pays les moins peuplés. Aujourd'hui, malgré la nouvelle expansion démographique qui permet aux Français d'être 52 millions (1973), la densité est plus faible que celle des pays voisins.

Un renouveau par la natalité

Le taux de natalité était tombé de 40 pour 1 000 vers 1800 à moins de 15 pour 1 000 en 1938 : la natalité ne compensait pas les pertes dues aux guerres.

Mais à partir de 1946, le nombre des naissances a augmenté considérablement, et, bien que la fécondité ait quelque peu diminué depuis la période d'après guerre, le nombre des naissances atteint chaque année environ 850 000.

Tout semble indiquer que le comportement sexuel et familial des français se modifie de manière fondamentale : les anciens tabous disparaissent, particulièrement chez les jeunes, dont les attitudes sont plus naturelles et simples que celles de leurs aînés ; les enfants qui naissent semblent avoir été plus souvent vraiment souhaités par les parents. Le vote d'une loi, en décembre 1967, permet le recours aux procédés anticonceptionnels modernes, tels « la pilule ».

Le nombre moyen d'enfants par famille est aujourd'hui de 2,4. Sous ce chiffre qui paraît découper les êtres humains en petits morceaux se cache une réalité variable qui va des ménages sans enfant aux familles très nombreuses. Celles-ci sont aujourd'hui, malgré la survivance d'encouragements officiels (le prix Cognacq pour les plus nombreuses, ou le parrainage du petit quinzième par le Président de la République...) plutôt objet de curiosité que d'admiration.

Les familles tendent donc aujourd'hui à être d'importance moyenne.

L'accueil des jeunes

Autrefois, toute naissance était considérée comme une marque de bienveillance de la Providence, comme une revanche contre le destin cruel; d'un côté la mort, de l'autre la vie. A ce désir traditionnel se mêlèrent des raisons économiques, car l'enfant paysan travaillait de bonne heure. A l'intérieur de la grande, large famille, au stade patriarcal, la mère sentait que son enfant était accueilli par le milieu social.

Écoutons la Fanny de Marcel Pagnol :

« Mon enfant est né dans un grand lit de toile fine, entre la grand-mère et les tantes. Et il y avait deux grandes armoires pleines de langes et de robes et de lainages tricotés par les cousines de Martigues et les grand-tantes de Vaison et la marraine de Martigues. Et mon beau-frère de Cassis, il était venu tout exprès pour entendre le premier cri. Et de Marseille jusqu'à Arles, partout où vivent les parents de mon mari, il y avait une grande joie dans trente maisons, parce que dans le lit de maître Panisse, un tout petit enfant venait de naître... »

Cette évocation idéalisée et surannée nous suggère ce que pouvait être l'accueil familial.

Dans la société individualiste du début du XXe siècle, tout se passait comme si l'enfant était, pour la société, un indésirable, un intrus. « Ni chiens ni enfants », écriteau symbolique, apposé sur certains immeubles, à la maudite « belle époque ».

La peur inspirée par le n° 2 ou le n° 3 était devenue suffisamment vive pour l'emporter très souvent sur les forces adverses : instinct sexuel, désir ou besoin de descendance, imperfections de la contraception, réticences devant l'avortement, moments d'attendrissement.

La politique familiale a modifié légèrement cette situation. Voir ce changement sous le seul angle financier, c'est se condamner à un jugement brutal, insuffisant, et même trompeur. Notablement atténué certes, le handicap de la famille chargée d'enfants subsiste. Mais l'enfant n'est plus, au même degré qu'avant, l'intrus, l'indésiré. L'allocation prénatale et les consultations organisées suivant un savant calendrier donnent une impression d'accueil par la société, assez vague peut-être, mais efficace. En outre, au lieu d'être méprisée, sinon raillée, la famille est désormais considérée. Ennemi des privilèges en général, le Français en est friand en particulier. La mère de cinq enfants qu'avant-guerre les ménagères montraient du doigt au marché fait aujourd'hui quelquefois un peu envie. Le ridicule ne risque plus de la tuer. Non seulement elle reçoit des versements en espèces qui lui confèrent une sorte de promotion et des égards, mais elle monte dans l'autobus avant les autres qui attendent sous la pluie, avec la même autorité qu'un haut fonctionnaire de la préfecture de police.

A. SAUVY, *La montée des jeunes.*
Calmann-Lévy.

La jeunesse, réalité nouvelle

Le nombre des passants jeunes frappe l'observateur de la rue française : les jeunes sont partout ; disposant d'un pouvoir d'achat suffisant, ils imposent leur mode, que celle des adultes suit quelquefois. Après avoir bouleversé les données de l'enseignement traditionnel (cf. chapitre « Recherche et enseignement »), ils commencent à modifier le marché de l'emploi.

Une soirée à l'Olympia

Ils sont là deux mille.

Ils ont, pour la plupart, quinze ou seize ans. En attendant que ça commence, ils ne s'ennuient pas : ils parlent à voix basse avec leur sœur, leur amie, leurs copains de classe. Certains d'entre eux se rongent les ongles. D'autres aplatissent leur mèche avec leur main bien à plat. Mais ils sont détendus, patients. Quand j'avais leur âge, dans les années 37, par là, nous ne nous tenions pas si bien.

Nous n'étions pas si forts, il faut vous l'avouer : jamais nous n'aurions pu, comme ils le font ces jours-ci, occuper à nous tout seuls une salle comme l'Olympia. Nos parents, quelquefois, rarement, nous emmenaient au music-hall. Nous n'aimions pas beaucoup ça. Nous trouvions les chanteurs trop vieux, trop sentimentaux ou trop cyniques. Même les acrobates nous semblaient vulgaires. Nous étions, en sortant de là, un peu écœurés. Nous en voulions à nos parents. Rentrés à la maison, nous nous passions les premières chansons de Trenet sur des phonos à manivelle. Les disques n'étaient pas à nous, ni les photos : réservés aux grandes personnes.

Revenons à eux. Ils sont entre eux, leurs parents ne sont pas là. Ils occupent des fauteuils qui coûtent plutôt cher. Tout à l'heure, pendant l'entracte, ils achèteront le dernier 45 tours de Sylvie Vartan ou de Claude François, s'ils ne l'ont pas encore. C'est-à-dire que leurs parents leur ont donné, pour passer l'après-midi, un billet de 50 F. C'est beaucoup.

Quand la France était puissante, quand elle possédait une partie du monde, quand on parlait sa langue à l'O.N.U. de l'époque, quand elle arrivait régulièrement en finale sur les terrains de l'Histoire, nos Français de parents n'auraient pas pu nous donner ça pour sortir avec notre sœur. Aujourd'hui la France est en seconde division, elle s'est repliée sur un mouchoir de poche, mais l'argent roule. Pas chez tout le monde, je sais, mais les enfants de l'Olympia n'ont pas l'air tellement plus bourgeois que d'autres.

Le rideau se lève tout de même, et en sifflant avec deux doigts ils remercient la Direction. Ils font cela avec gaîté, avec confiance et courtoisie, ce qui nous était défendu.

« Tu n'es pas un charretier, nous aurait-on dit, tu n'es pas à l'écurie. » Leurs parents, s'ils étaient ici ce soir, ne le diraient plus.

L'EXPRESS, *11 avril 1963.*

Cette jeunesse nombreuse et tumultueuse, après avoir manifesté son existence par le phénomène « yé-yé », se présente aujourd'hui sur le plan politique et social comme une force sur laquelle il faut compter.

Après avoir rejeté les relations d'autorité à l'intérieur de la famille, les jeunes les ont également remises en cause dans la société. Les étudiants ont même fait descendre le changement dans la rue : récréation, illusion lyrique, révolution manquée ou première phase d'une révolution culturelle en cours, mai 1968 est passé dans l'histoire, comme sont restés dans les mémoires les slogans qu'inscrivaient sur les murs les contestataires de l'époque :

« *prenez vos désirs pour des réalités* »
« *il est interdit d'interdire* ».

Mai 1968

Le 2 mai 1968, le doyen Grappin annonçait que la faculté des lettres de Nanterre serait fermée, la journée « anti-impérialiste » préparée par le « mouvement du 22 mars » ayant dégénéré en incidents. Ce même jour, M. Pompidou, Premier ministre, s'envolait vers l'Iran en compagnie de son ministre des Affaires étrangères, M. Couve de Murville. Dans ce petit noyau de faits - qui l'eût cru? - il y avait en germe l'incroyable série d' « événements » qui feront de « mai 1968 » une des pages les plus curieuses de l'histoire de France. Des étudiants « contestent », comme d'autres l'avaient fait déjà à l'étranger, et notamment aux États-Unis, en Allemagne occidentale et au Japon. Mais les nôtres entraînent dans leur sillage le monde ouvrier, et une étrange « mayonnaise » prend couleur d'anarchie mais non de sang. Pas une révolution, mais une sorte de faille dans la société française, encore éberluée aujourd'hui de ce qui s'est passé alors.

De l'autre côté, un gouvernement qui met un temps considérable à se rendre compte que l'ébranlement de mai 1968 n'est pas qu'une « péripétie » de la Ve République. Non seulement M. Pompidou quitte Paris pour l'Iran au début des troubles, mais le 14 mai, en pleine effervescence, le général de Gaulle part pour la Roumanie. Il n'écornera que de douze heures son voyage de quatre jours, et dès son arrivée à Orly il aura ce mot : « La récréation est terminée. » A la mi-mai, les « événements » n'apparaissent encore au pouvoir que comme un vaste chahut de printemps.

(...) Il peut sembler « trop beau » et en tout cas arbitraire de les faire tenir dans le seul mois de mai. Pourtant, quelles qu'aient été les suites, on se rend mieux compte aujourd'hui que tout s'est vraiment joué entre le 2 mai, date de la fermeture de Nanterre, et le 31, qui vit, le lendemain du défilé des gaullistes sur les Champs-Élysées, le départ de centaines de milliers de Parisiens pour le week-end de la Pentecôte, les pompes à essence étant de nouveau approvisionnées.

Cette « folie » d'un mois n'a pourtant pas fini de faire sentir ses conséquences.

LE MONDE, *3 mai 1973.*

la langue

Une sonorité faite de douceur

Avant même d'être familiarisé avec un langage étranger, c'est à sa sonorité qu'on est sensible. La langue française apparaît paisible, presque atone, malgré de grandes disparités de prononciation régionale.

Cette douceur résulte-t-elle des conditions de formation de la langue, comme le suggère Valéry ?

Harmonieux résultat d'une fusion

... Si la langue française est comme tempérée dans sa tonalité générale ; si bien parler le français c'est le parler sans accent ; si les phonèmes rudes ou trop marqués en sont proscrits, ou en furent peu à peu éliminés ; si, d'autre part, les timbres y sont nombreux et complexes, les muettes si sensibles, je n'en puis voir d'autre cause que le mode de formation et la complexité de l'alliage de la nation. Dans un pays où les Celtes, les Latins, les Germains ont accompli une fusion très intime, où l'on parle encore, où l'on écrit, à côté de la langue dominante, une quantité de langages divers (plusieurs langues romanes, les dialectes du français, ceux du breton, le basque, le catalan, le corse), il s'est fait nécessairement une unité linguistique parallèle à l'unité politique et à l'unité de sentiment. Cette unité ne pouvait s'accomplir que par des transactions statistiques, des concessions mutuelles, un abandon par les uns de ce qui était trop ardu à prononcer pour les autres, une altération composée. Peut-être pourrait-on pousser l'analyse un peu plus loin et rechercher si les formes spécifiques du français ne relèvent pas, elles aussi, des mêmes nécessités ?

La clarté de structure du langage de la France, si on pouvait la définir d'une façon simple, apparaîtrait sans doute comme le fruit des mêmes besoins et des mêmes conditions ; et il n'est pas douteux, d'autre part, que la littérature de ce pays, en ce qu'elle a de plus caractéristique, procède mêmement d'un mélange de qualités très différentes et d'origines très diverses, dans une forme d'autant plus nette et impérieuse que les substances qu'elle doit recevoir sont plus hétérogènes...

VALÉRY, *Regards sur le monde actuel.* Gallimard.

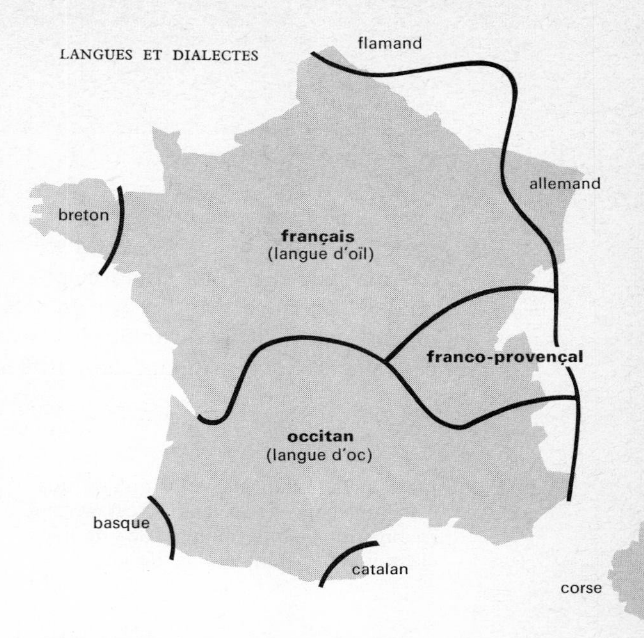

Le français, langue codifiée

Lorsque l'on passe de l'examen de la langue parlée à celui de la langue écrite, on constate qu'il existe une différence sensible entre les deux, tant au point de vue du vocabulaire que de la syntaxe. Cette différence est particulièrement nette lorsque l'on considère, plutôt que la langue des journaux ou revues, la langue littéraire. Celle-ci est en effet liée à la tradition grâce à la codification qu'entretiennent l'Académie Française et de nombreuses publications linguistiques. Un certain nombre de journaux, d'ailleurs, consacrent une rubrique à une sorte de « défense et illustration de la langue française » assurée par des spécialistes.

Langue claire,
le français se prête à l'abstraction...

Le français a la réputation d'une langue claire aussi bien en France qu'à l'étranger (Pouchkine écrivait, dit-on, en français chaque fois qu'il voulait mettre de l'ordre dans ses idées). Cette clarté est fort bien exprimée par l'exigence de l'ordre direct, c'est-à-dire le fait de nommer tout d'abord le sujet du discours, ensuite le verbe, qui est l'action, et enfin l'objet de cette action. Or, dit Rivarol [1], « cet ordre, si favorable, si nécessaire au raisonnement, est presque toujours contraire aux sensations qui nomment en premier l'objet qui frappe le premier ». C'est donc un ordre raisonné.

L'ordre direct, expression de la clarté

... La clarté dans le discours est la marque d'une pensée bien construite et parfaitement au point; elle est le fruit d'une discipline dont on ne saurait trop souligner tout ce qu'elle coûte de peine. Car Rivarol a raison : la logique, autant dire le bon sens, est beaucoup plus une conquête sur la nature qu'une donnée de la nature. L'ordre direct est loin d'être celui que chacun suivrait spontanément pour s'exprimer, il est le produit d'un effort méthodique et prolongé que connaissent bien les éducateurs. Il suffit pour s'en convaincre d'observer les débuts du langage chez l'enfant, lequel en effet, tout à ses sensations ou à ses désirs, nomme en premier ce qui le premier le frappe ou l'intéresse, et qui ne se soucie guère de présenter ce qu'il a à dire dans un ordre logique. Les mots pour lui s'arrangent comme ils peuvent, comme ils viennent, à la manière de ces « phrases louches » qui désolaient le bon

1. « Discours sur l'Universalité de la Langue française », 1784.

Vaugelas : « Va-t'en chercher mon oie chez le rôtisseur que j'ai fait cuire », et qui fourniront à Dorvigny, à la fin du XVIIIe siècle, les traits les plus risibles du personnage de Janot, « tenant un os dans sa bouche de poulet - qui fit trois taches à sa veste de graisse ». Que de « janoteries », précisément, dans le parler enfantin ! Que de « perles scolaires » à base de construction vicieuse, comme celle-ci : « Ma grand-mère vit toute seule à la campagne, elle a une poule et un chien. Montée sur un escabeau, elle glousse toute la journée » ; ou cette autre, plus savante, plus savoureuse aussi : « Le madrigal est un petit poème galant traitant de sentiments dont la forme n'est pas fixe »...

JACQUES DURON, *Langue française, langue humaine.* Larousse.

Mais la clarté française, plus qu'une qualité intrinsèque de la langue, est surtout l'expression d'une culture de tradition classique, insistant sur la rigueur de la formulation, et entretenue avec soin par les nombreuses institutions éducatives et culturelles que tout Français rencontre de sa naissance jusqu'à sa mort.

La clarté, plutôt que l'abondance

... En vérité, ce n'est pas au nombre de mots que se mesure la richesse d'une langue - « l'abondance n'est pas toujours la marque de la perfection des langues », disait Pouchkine -, mais aux moyens qu'elle a de les arranger entre eux jusqu'à exprimer l'inexprimable. Plus restreint que celui d'aujourd'hui, le lexique du français classique a-t-il rendu Molière moins direct ou Racine moins pénétrant ? A-t-il gêné Saint-Simon dans le portrait ? Lesage dans le récit, Buffon dans la description ? Sans doute notre langue offre-t-elle moins que d'autres des matériaux tout prêts pour rendre des ensembles concrets, mais cette condition même s'est révélée merveilleusement efficace pour l'esprit : en l'obligeant à un incessant va-et-vient entre le sensible et l'intelligible, elle l'a exercé à un travail d'analyse et de synthèse sans lequel rien ne peut être clairement saisi ou compris. D'autres langues sont peut-être plus « existentielles » ; la nôtre, comme le grec de Platon, va d'instinct aux formes et aux essences : au lieu de subir les faits, elle les domine. L'art classique est en germe dans ce principe d'économie, que vient encore renforcer la règle de la propriété des termes, plus impérieuse en français que partout ailleurs. Car la convenance du mot va chez nous jusqu'à la tyrannie. « Quelle que soit la chose qu'on veut dire, il n'y a qu'un mot pour l'exprimer, qu'un verbe pour l'animer et qu'un adjectif pour la qualifier. Il faut donc chercher, jusqu'à ce qu'on les ait découverts, ce mot, cet adjectif et ce verbe, et ne jamais se contenter de l'à-peu-près, ne jamais avoir recours à des supercheries, même heureuses, à des clowneries de langue pour éviter la difficulté » : ce précepte de Maupassant est la règle d'or de tout bon auteur français de quelque matière qu'il traite.

JACQUES DURON, *Langue française, langue humaine.* Larousse.

Et pourtant le français peut être concret

Le foisonnement des langues et des patois, prolongé par celui des argots, tous langages susceptibles de décrire parfaitement les situations concrètes, témoigne de l'ingéniosité des Français dans ce domaine. Certaines tendances de la langue française littéraire vont d'ailleurs dans ce sens.

Richesse du français concret

... Concret, le français l'était de la façon la plus naturelle à sa naissance et il l'est demeuré, bien plus qu'on ne le pense, sous les formes qu'il prend dans la conversation. Là, libéré des ordres et des tours dits « logiques », il dispose et assemble les termes selon les exigences de la sensibilité qui ne coïncident pas souvent avec celles de la raison.

Le besoin de décrire trouve dans la morphologie tous les moyens de figurer ce qu'il veut mettre en relief : l'achèvement, par le passé surcomposé absolu (je l'ai eu vite fini, mon devoir!), les premiers pas dans le durcissement d'un caractère (il s'enmalice tous les jours, cet enfant-là). Et si l'on vous enseignait, par malheur, que le français répugne aux suffixes, si pittoresques et parlants, écoutez avec politesse, mais croyez-en plutôt vos yeux et vos oreilles. Toutes les mines affectées, tous les propos vains et creux, toutes les tares de la misère passent dans ces mots-construits que les écrivains n'hésitent pas à recueillir de la bouche d'un parleur ironique. Le bigotage d'une femme hypocrite est ancien, mais classique, puisque Grenaille l'emploie dans son *Traité de l'Honneste Fille* au début du XVIIe siècle. Sur son modèle, Hugo flétrira le parlage des orateurs de la Chambre en attendant que Péguy fouaille les « intellectuels politiques parlementaires, politiquant, politicaillant, parlant, parlementant, parlementaillant, parlementarisant ». Une force destructrice en puissance émane aussi bien du séchard (ce mauvais vent que Rousseau nomme dans *La Nouvelle Héloïse*) que de ces crevards de la faim sans pudeur heureusement évoqués par E. de Goncourt.

R.-L. WAGNER, *France d'aujourd'hui*.
Hatier.

Une langue à vocation universelle

Langue raffinée, le français a été longtemps la langue commune des salons européens. Aujourd'hui, bien que son empire ne soit pas établi sur des réalités matérielles, telles que l'influence économique, il reste une des langues les plus parlées du monde et permet l'expression de cultures variées. Comme l'explique J. Duron, l'originalité de la langue française, que d'autres surpassent quant à la musicalité, tient aux moyens qu'elle offre aux hommes de s'exprimer, et surtout de communiquer : elle veut être un instrument pour « ce grand dialogue où l'homme occidental est engagé au nom de l'homme universel ».

D'ailleurs la France n'a plus le monopole du français. Déjà, avant les années soixante, un certain nombre de pays avaient le français comme langue officielle (ou l'une de leurs langues officielles). L'entrée sur la scène internationale des pays africains de la communauté est venue accroître l'importance de la langue dans les relations mondiales, et lui a donné une sorte de nouveau statut. De nombreux organismes ou associations internationales se sont donné pour but de défendre ou de promouvoir la langue française : association des universités, des journalistes, des parlementaires, les exemples ne manquent pas. L'agence de coopération culturelle et technique, créée par une convention signée à Niamey le 20 mars 1970 par 21 états, à l'initiative d'un certain nombre de pays africains, est venue compléter, par une action à caractère général, l'ensemble des organismes spécialisés.

La communauté francophone

Du Québec au Niger, des Mascareignes à la Wallonie, existe-t-il vraiment un dénominateur commun assez fort pour fonder une entreprise solidaire au-delà des simples déclarations dominicales des nouveaux Rivarol sur « *l'universalité* » de leur langage? Un témoin de plusieurs récentes réunions « francophones » ne peut qu'être frappé par de grandes absences, comme celle de l'Algérie, mais aussi par la cohésion et par la vigueur sentimentale de la commune appartenance. A Niamey, lors de la création en mars dernier de l'agence de coopération, tout un petit monde illustrait cette solidarité de fait. On y sentait, au-delà d'une simple communauté de langue, une sympathie et une parenté dans la façon d'aborder les problèmes et d'envisager le monde entre tous les partenaires : hommes politiques africains en boubous, grands polisseurs de motions; Québécois batailleurs et frustrés; Belges toujours en avance d'un compromis; et les quelques « figures » du monde francophone : Louisianais en costume blanc de planteur et portant nœud papillon, ministre mauricien extravagant en veste cintrée et cravate à ramages, mais redoutablement précis dans les débats, Acadiens à l'accent pittoresque.

Ce regroupement d'hommes aussi différents autour d'une idée commune est l'aboutissement des efforts d'un « lobby francophone » international qui, au début de la décennie, ne comptait pas plus d'une vingtaine de membres. Avant qu'un numéro spécial de la revue *Esprit*, en novembre 1962, lui ait assuré un certain retentissement, l'entreprise paraissait entièrement irréaliste. L'engagement sans équivoque de deux chefs d'État, MM. Bourguiba et Senghor, devait seul lui donner une caution et un lustre. Le président du Sénégal, en faisant de la culture française l'un des éléments, avec la négritude, de son « *métissage culturel* », lui donnait ses lettres de noblesse en Afrique, tandis que le chef de l'État tunisien, soucieux à l'époque d'améliorer ses relations avec Paris, préconisait un « *Commonwealth à la française* ».

P. J. FRANCESCHINI,
Le Monde, 14-15 juin 1970.

la mentalité

Un abîme de contradictions

Chaque peuple paraît plein de contradictions, et cela illustre dans une certaine mesure la difficulté de déterminer une mentalité nationale au-delà de l'enchevêtrement complexe des attitudes individuelles plus ou moins perceptibles suivant les observateurs. Pourtant, nombreux sont les auteurs à remarquer la particulière complexité de la mentalité française.

« ... *Comment définir un Français?* »

La rituelle définition du Français qui mange du pain, ne connaît pas la géographie et porte la Légion d'honneur, n'est pas tout à fait inexacte...

Mais elle est insuffisante.

Je suis effrayé à la pensée que si mon ami ouvrait un Français, il tomberait, saisi de vertige, dans un abîme de contradictions.

Vraiment... Comment définir ces gens qui passent leurs dimanches à se proclamer républicains et leur semaine à adorer la Reine d'Angleterre, qui se disent modestes, mais parlent toujours de détenir le flambeau de la civilisation, qui font du bon sens un de leurs principaux articles d'exportation, mais en conservent si peu chez eux qu'ils renversent leurs gouvernements à peine debout, qui placent la France dans leur cœur mais leurs fortunes à l'étranger, qui sont ennemis des Juifs en général, mais ami intime d'une Israélite en particulier, qui adorent entendre leurs chansonniers tourner en dérision les culottes de peau, mais auxquels le moindre coup de clairon donne une jambe martiale, qui détestent que l'on critique leurs travers, mais ne cessent de les dénigrer eux-mêmes, qui se disent amoureux des lignes, mais nourrissent une affectueuse inclination pour la tour Eiffel, qui admirent chez les Anglais l'ignorance du « système D », mais se croiraient ridicules s'ils déclaraient au fisc le montant exact de leurs revenus, qui se gaussent des histoires écossaises, mais essaient volontiers d'obtenir un prix inférieur au chiffre marqué, qui s'en réfèrent complaisamment à leur Histoire, mais ne veulent surtout plus d'histoires, qui détestent franchir une frontière sans passer en fraude un petit quelque chose, mais répugnent à « n'être pas en règle », qui tiennent avant tout à s'affirmer comme des gens « auxquels on ne la fait pas », mais élisent d'autant plus vite un député qu'il leur promet la lune plus vite, qui disent : « En avril ne te découvre pas d'un fil », mais arrêtent tout chauffage le 31 mars, qui chantent la grâce de leur campagne, mais lui font les pires injures meulières, qui ont un respect marqué pour les tribunaux, mais ne s'adressent aux avocats que pour mieux savoir comment tourner la loi, enfin qui sont sous le charme lorsqu'un de leurs grands hommes leur parle de leur « grandeur », de leur « grande » mission civilisatrice, de leur « grand » pays, de leurs « grandes » traditions, mais dont le rêve est de se retirer, après une bonne « petite » vie, dans un « petit » coin tranquille, sur un « petit » bout de terre à eux, avec une « petite » femme qui, se contentant de « petites » robes pas chères, leur mitonnera de bons « petits » plats et saura à l'occasion recevoir gentiment les amis pour faire une « petite » belote?...

DANINOS, *Les carnets du major Thompson.* Hachette.

A partir d'une analyse sociologique et historique, il est possible de trouver deux aspects essentiels du tempérament français, le fonds paysan et l'esprit chevaleresque.

Le fonds paysan

Il correspond à un caractère homogène et s'explique par la prépondérance de fait, au long de l'histoire, de l'agriculture et des modes de vie qu'elle implique.

L'attachement au sol

... L'idée française de civilisation est étroitement liée aux sentiments qui unissent le Français à sa terre. On a dit de cette civilisation qu'elle était, comme le vin, un produit du sol. Semblable au défrichement et au labourage, ses origines remontent à la première humanisation de la nature. Elle est la racine qui nourrit de sa sève la tendresse profonde du Français pour son pays. En France, le sentiment national s'est caractérisé, dès ses débuts, par l'amour du sol natal. C'est l'attachement fidèle d'un peuple sédentaire. Sans doute les tribus celtes ont-elles parcouru presque toute l'Europe au cours des Vᵉ, IVᵉ, IIIᵉ siècles avant notre ère; elles ont même poussé leurs avant-gardes jusqu'en Asie Mineure. Mais les Gaulois n'ont gardé aucun souvenir de ces expéditions lointaines. Nous ne retrouvons aucune trace de cette époque primitive dans l'héritage spirituel que les Français ont recueilli de leurs ancêtres gaulois; - rien qui soit comparable aux épopées germaniques, dans le souffle desquelles revivent les migrations des peuples.

« *Et où en êtes-vous de votre procès ?* » En Avant - *Dessin de Sempé.*

L'âme française n'a guère de place pour la nostalgie des départs; elle est sourde aux appels mystérieux de l'horizon. Elle reste intimement attachée à la glèbe ancestrale, par un sentiment semblable à l'amour du paysan pour ses sillons. Ce que le Français aime avant tout, c'est la terre fertile et nourricière.

« Cybèle a plus d'adorateurs en France que le Christ », nous dit un poète catholique contemporain, François Mauriac. Le culte de la terre se confond avec l'antique religion paysanne de la France. Lorsque le Français évoque la nature c'est avec la pieuse dévotion du jardinier et du travailleur agricole, tandis que l'Allemand lui demande avant tout de satisfaire sa passion pour les forces élémentaires.

CURTIUS, *Essai sur la France.*
Trad. par Benoist-Méchin, Grasset.

L'esprit chevaleresque

L'influence d'une classe sociale qui fut longtemps dominante, la noblesse, issue d'une seigneurie tumultueuse, se manifeste encore aujourd'hui dans l'attrait des Français pour certaines valeurs morales. Ainsi s'expliquent d'autres traits du tempérament français, qui sont en contradiction avec les précédents.

Nation brave, spirituelle, inquiète et légère

... Nation brave, spirituelle, inquiète et légère, ses malheurs viennent de ce mélange de bonnes et de mauvaises qualités; elle a le pouvoir avec la volonté, elle ignore souvent ce qu'elle peut, et plus souvent encore elle présume par-delà ses forces; elle entreprend inconsidérément, elle poursuit ses desseins avec impatience; elle se lasse de ses propres succès et se décourage par le premier échec; on la compare à ces enfants qui courent après un papillon, qui l'attrapent et le laissent aller. L'intervalle est court entre les plus grandes preuves du courage et les effets de notre mollesse; nos chefs sont français comme nous, nous nous accommodons mal du ministère ou du commandement des étrangers.

... Notre imagination est amie des excès plus que notre tempérament; on ne voit chez nous que des saints ou des athées, peu d'hypocrisie, nulle constance dans les rôles simulés; la naïveté nous est naturelle et la fourberie étrangère : un fond de bonté répare les actions les plus criminelles. Dieu nous pardonne les mauvais traits par la connaissance qu'il a des cœurs. Les têtes s'échauffent, puis se refroidissent, comme le fer qui rougit au feu et qui devient ensuite froid et poli. Légèreté partout, et plus encore dans les grandes choses que dans les petites.

MARQUIS D'ARGENSON, *Journal et Mémoires* (1744).

Astérix gladiateur - Dargaud éditeur.

Une personnalité où apparaissent certaines constantes

Mais d'autres traits de caractère, relevés par de nombreux écrivains ou essayistes, viennent offrir la possibilité d'un accord entre les tendances opposées. Malgré les contradictions, en effet, on ne trouve nul déchirement. Le secret de la personnalité française c'est peut-être l'équilibre.

L'intelligence, la vivacité d'esprit sont souvent mises en avant. Ces composantes intellectuelles de la mentalité française peuvent dans une large mesure amorcer son explication : la raison laissée à la disposition de l'individu impose le goût de la clarté, de la mesure, de la forme. La réconciliation du fonds paysan et du fonds chevaleresque est peut-être opérée dans l'aventure intellectuelle qui consiste à « cultiver son jardin » comme on organise la nature (et l'on sait que le Français est un jardinier) et à pratiquer un art de vivre humaniste. Mais surtout c'est grâce à la pensée raisonnable que l'individualisme traditionnel dépasse ses limites par la démarche de l'esprit et atteint l'universel.

Un individualisme universaliste

... Jamais je n'ai éprouvé autant de surprise à voir la France. Cette révélation du règne en France de la petite propriété, qui laisse les banquiers américains sans voix aux fenêtres de l'express de Cherbourg, je le ressens devant les âmes des Français. Chacun a la sienne et conduit des disputes de murs mitoyens avec les âmes voisines. Chacun a sa loyauté, son mensonge, sa mort à soi. Toutes les machines modernes à ensemencer ou à moissonner les peuples sont chez vous inutilisables. Jamais nation n'a eu moins de risque de disparaître que la tienne, avec ses quarante millions de lots étanches, et il faut bien avouer qu'aucune jamais ne l'égalera en sagesse et en équilibre, puisque chacun de vous, atrocement isolé des autres, arrive d'instinct aux mêmes conclusions, qui sont l'amour de la paix, du bien-être, et d'une éternité mitigée. De là vient que toutes les familles étrangères adorent avoir, comme un pot de fleurs à leur fenêtre, un ami français, plus sûr qu'un géranium. Mais, débarqué d'un pays où l'âme ne fut jamais morcelée, ni le mensonge, ni le vice, ni la mort, je vous découvre, chacun avec votre canon pare-à-grêle pour détourner jusqu'à l'ombre d'un nuage nouveau, privés de tous les sens. Un visage français est un masque contre tous ces fluides qui inondent l'univers, et plus ils sont nocifs, comme aujourd'hui, et abîment des peuples entiers, plus votre sourire et votre teint intérieurs fleurissent. Mais le système a ses inconvénients. Dès que les lois morales du monde ne se développent plus parallèlement au germe qu'on enferme à chacun de vous à sa naissance, vous n'en êtes plus avertis, et, comme un pêcheur après un long sommeil qui retrouve les raies longues de vingt mètres et les requins gros comme des maquereaux, quand vous vous décidez à sortir de votre monade pour les guerres rhénanes ou les congrès de parasitologie, vous retrouvez les âmes des autres peuples composées d'éléments différents de la vôtre et d'une échelle différente...

GIRAUDOUX, *Siegfried et le Limousin.*
Grasset.

la vie religieuse

La fille aînée de l'Église

Il n'est guère de village qui ne soit dominé, en France, par un clocher, attestant la présence d'une église. Celle-ci est le plus souvent chargée d'histoire et constitue un élément du patrimoine architectural et spirituel du pays. La prépondérance de bâtiments élevés à la foi catholique montre combien celle-ci a été, et est encore présente : l'organisation de l'Église comprend 40 000 paroisses regroupées en 87 diocèses, son clergé comprend 35 000 prêtres séculiers et 25 000 prêtres réguliers ; quatre-vingt-dix pour cent de la population est baptisée par elle.

Des minorités importantes

L'essor rapide du protestantisme a été arrêté par la révocation de l'Édit de Nantes (1685) qui a assuré à la foi catholique sa prépondérance. Cependant, la liberté des cultes une fois reconnue, et le souvenir des Guerres de Religion quelque peu atténué, le protestantisme calviniste s'est reconstitué dans le sud du Massif central et les grandes villes, tandis que les luthériens se maintenaient essentiellement dans les provinces de l'est (Alsace, environs de Montbéliard). Au total quinze régions comprenant chacune plusieurs consistoires regroupent les 800 000 protestants français. Le petit nombre de ces derniers est compensé par une influence intellectuelle importante. De nombreux protestants ont de hautes fonctions dans divers domaines de l'activité du pays, et des journaux de grande qualité, comme l'hebdomadaire *Réforme*, attestent la vigueur et la personnalité du protestantisme français.

Un phénomène, dans une certaine mesure analogue, se retrouve pour les israélites, dont le nombre a été récemment renforcé par l'arrivée des rapatriés juifs d'Afrique du Nord. Plus de 500 000 israélites vivent en France, dans l'Est, le Midi et quelques grandes villes (Paris essentiellement).

Enfin, les musulmans forment une importante communauté (1 million et demi) constituée pour la plus grande part de travailleurs immigrés.

Un athéisme en progrès

La libre pensée, héritière d'une longue tradition qui remonte à certains humanistes de la Renaissance et a trouvé son véritable fondement dans la philosophie des lumières, s'est exprimée alternativement par l'indifférence ou par l'hostilité vis-à-vis de la religion et de l'Église.

Après la prépondérance de cette dernière attitude, au cours de la IIIe République radicale, les temps sont revenus à l'indifférence et à la tolérance. Mais en même temps, il semble que l'ignorance à peu près totale de la religion soit en voie de se répandre.

La société nouvelle se construit sans la religion

L'évolution sociale elle-même paraît travailler à soustraire les âmes à l'influence de l'Église. Le phénomène qui suscita au siècle dernier la formation de la classe ouvrière en dehors de la civilisation chrétienne se reproduit sous nos yeux avec des effets différents, mais une ampleur accrue : l'urbanisation croissante, la multiplication des grands ensembles, le développement de certaines formes de loisirs collectifs posent à la pénétration religieuse des obstacles que la seule raison incline à juger insurmontables. Dans toutes nos grandes villes le nombre de mariages civils, des unions libres, la proportion de non-baptisés augmentent rapidement : une société païenne grandit à côté de nos structures chrétiennes. Le mouvement des idées autant que celui des formes sociales tend à dissocier religion et société et à soustraire une part croissante de l'humanité à l'influence religieuse. Le phénomène n'est pas proprement français, il n'affecte pas le seul catholicisme. Toutes les religions le connaissent dans tous les pays du monde. L'inquiétude religieuse que l'on croyait une disposition naturelle de l'âme humaine, et où l'apologétique décelait un signe de l'existence de Dieu, paraît s'être éteinte chez des millions d'hommes, ou avoir reçu d'autres réponses. Naguère encore on pensait que l'extrême misère était la principale responsable de l'indifférence religieuse, le dénuement étouffant les aspirations spirituelles... Mais l'élévation du niveau de vie, les progrès sur la voie d'une répartition plus équitable des ressources n'ont amené dans nos sociétés aucun changement appréciable. Demain le péril viendra peut-être de l'enrichissement : la recherche du bien-être, l'habitude du confort menacent d'être pour nos sociétés occidentales des obstacles plus redoutables que la pauvreté ; elles risquent d'étouffer au cœur des hommes la soif d'absolu et de tarir la générosité.

A. LATREILLE - J.-R. PALANQUE - E. DELARUELLE - R. RÉMOND
Histoire du catholicisme en France. Spes.

C'est ainsi que si 90 % de la population est baptisée, seulement 21 % va à la messe assez régulièrement. Les véritables pratiquants, observant les fêtes religieuses, ne sont que 10 à 15 %.

De grandes différences apparaissent suivant les catégories sociales : si le catholicisme reste vivant dans les milieux bourgeois (encore que certains milieux, professeurs, fonctionnaires, soient souvent irréligieux), il est à peu près absent de la classe ouvrière longtemps abandonnée par l'Église.

L'observance religieuse varie également de façon considérable suivant les régions.

Régions françaises et observance religieuse

Il existe trois grands blocs de pratique majoritaire :

- Le bloc de l'Ouest qui comprend la Bretagne avec une partie de la Normandie, du Maine, de l'Anjou et de la Vendée, soit treize départements dont six en totalité. A noter une enclave assez déchristianisée dans le Finistère et les Côtes-du-Nord.

- Le bloc du Massif central, avec des fragments de l'Auvergne, du Lyonnais, du Languedoc et de la Guyenne, soit quinze départements dont huit en totalité.

- Le bloc de l'Est, avec l'Alsace, presque toute la Lorraine et la Franche-Comté, soit sept départements dont trois en totalité.

Il faut aussi noter d'autres régions, moins étendues, de pratique majoritaire, en particulier la Flandre et une partie de l'Artois, le pays de Caux, le pays basque et le Béarn que rejoint un prolongement du Massif central.

Les régions d'observance minoritaire, c'est-à-dire de faible pratique, forment trois zones qui séparent les blocs d'observance majoritaire. La première, très vaste, recouvre une partie du nord et du centre de la France. La seconde, qui la continue, est constituée par la majeure partie de la Guyenne et de la Gascogne. La troisième, avec la Provence et une fraction du Dauphiné, s'étend par le Languedoc méditerranéen jusqu'au Roussillon.

Les pays de mission forment deux régions importantes, l'une avec l'Aube, autre avec une partie de la Creuse, de la Haute-Vienne et de la Corrèze. Il existe aussi quelques zones moins étendues, dispersées à travers la France. Alors qu'en Franche-Comté, en Haute-Savoie, en Ardèche, en Vendée, on trouve des villages où la pratique est nulle, dans l'Aube ou dans la Haute-Vienne par exemple, on cite cette paroisse de la Creuse où depuis vingt ans le registre de catholicité est resté en blanc : pas un baptême, pas un mariage religieux, pas un enterrement à l'église.

ADRIEN DANSETTE, *Destin du catholicisme français, 1926-1956.* Flammarion.

La séparation de l'Église et de l'État

La Révolution abolit la position de religion unique qu'avait le catholicisme. Si le concordat de 1801, toujours en vigueur en Alsace, lui accordait la place de religion de la majorité des Français, la séparation entre les Églises et l'État est complète dans tout le reste du pays depuis 1905. Cela signifie qu'il n'y a entre les institutions religieuses et l'État aucun lien mais aucune hostilité et que cette neutralité est garantie par une vie autonome de chacun, compte tenu du fait que l'Église ne saurait s'arroger quelque compétence temporelle que ce soit.

Les Pouvoirs publics peuvent cependant avoir une attitude très différente envers l'Église, qui va de l'anticléricalisme des radicaux sous la IIIe République à une certaine coopération aujourd'hui : cela se traduit par la possibilité pour les cultes d'utiliser radio et télévision, et par les fastes officiels accordés à certaines cérémonies religieuses.

Le point de vue d'un laïc

La laïcité d'un État n'exige nullement que cet État ignore les religions pratiquées sur son territoire (on peut envisager des laïcités concordataires), mais elle exige d'une manière péremptoire que cet État, par sa législation ou les actes de ses représentants, s'abstienne de toute participation soit à un culte, soit à une manifestation délibérément antireligieuse. Par une telle démarche il engagerait en effet la totalité de la nation, y compris ceux que cela blesse et qui ont droit au respect de leurs convictions. Que les catholiques célèbrent une joie nationale par un Te Deum, c'est fort bien, que les protestants, les juifs, les francs-maçons organisent les cérémonies d'actions de grâce au temple, à la synagogue, à la loge, c'est très naturel, mais qu'un seul représentant du pouvoir soit présent ès qualités à l'une quelconque de ces manifestations, cela est parfaitement inadmissible car cette présence engage à côté des croyants tous les citoyens qui refusent de rendre hommage à un dieu ou à un être suprême et qu'offensent de telles cérémonies autant que pourrait offenser un chrétien le blasphème ou le sacrilège.

Beaucoup de hauts personnages, qui, sans penser à dieu ni à diable, assistent en simarre, toge ou uniforme, à des messes du Saint-Esprit, à des pardons de terre-neuvas ou à des bénédictions de premières pierres, feraient bien de songer à ceux qu'ils offensent inconsciemment. S'il en est qui pensent que la tranquillité vaut bien une messe, il en est d'autres qui sont d'un autre avis et, même s'il la trouve excessive, un laïque doit respecter cette opinion et lui donner le même poids qu'aux exigences des croyants. Il doit la respecter d'autant plus qu'un vrai incroyant n'a aucun moyen de rendre la pareille à ceux qui lui imposent cette participation importune à des cultes qui l'offensent. En effet l'incroyant, lui, ne dispose pas de cérémonies propres à ses opinions et exclusives des autres, il n'a ni messes ni prônes où il puisse inviter quelques képis et quelques jaquettes afin d'engager officiellement l'ensemble de la collectivité au service de ses idées.

ROBERT ESCARPIT, *École laïque, école du peuple.* Calmann-Lévy.

L'Église dispose de nombreuses institutions

Autour de l'Église s'est constitué un ensemble d'institutions spécialisées dans tous les secteurs de l'activité : c'est ainsi qu'il existe une presse, des éditeurs, des hôpitaux, des œuvres sociales, des associations professionnelles, et même un syndicat (cf. chapitre « Opinion et information » et chapitre « Travail »).

Mais c'est essentiellement dans le domaine de l'éducation que l'Église a fait porter son effort : la liberté de l'enseignement est assurée en France depuis la loi Falloux de 1850, et de cette disposition légale c'est l'Église qui a le plus profité : elle possède des écoles, des collèges et des universités, ou instituts catholiques, dans lesquels elle dispense l'enseignement qu'elle souhaite. L'enseignement public est en effet laïque : il n'est chargé d'aucun message religieux ou antireligieux, et c'est ainsi que les tenants des religions minoritaires ou de l'athéisme l'acceptent pour leurs enfants sans aucune gêne, de la même façon d'ailleurs que de nombreux catholiques. Dans cette optique l'enseignement religieux est assuré en dehors de l'école publique.

L'importance, pour la paix religieuse du pays, de l'équilibre ainsi obtenu est apparue au moment du vote de la loi de 1959 accordant une aide à l'enseignement religieux ; un brusque réveil laïque, sinon anticlérical, a abouti à la signature d'une pétition par 11 000 000 de personnes réclamant l'application stricte de la séparation selon le slogan : « à l'école publique, fonds publics, à l'école privée, fonds privés. »

A la recherche d'une action nouvelle

Devant un monde qui évolue et qui souvent ignore ou repousse le message qu'elle veut transmettre, l'Église oscille entre le maintien des traditions et une transformation de son action. La France se trouve, dans ce domaine, portée à des solutions nouvelles, en particulier à un effort de dépassement du cadre paroissial.

En liaison avec le clergé, tout d'abord, l'Action catholique est composée de chrétiens convaincus mais non prêtres, bénéficiant de l'expérience déjà ancienne des jeunesses agricoles chrétiennes et des jeunesses ouvrières chrétiennes. Elle cherche à introduire l'influence de l'Église dans les milieux ruraux (mouvement familial rural) et ouvriers (action catholique ouvrière).

En second lieu, sous l'impulsion d'un cardinal archevêque de Paris, un nouvel apostolat a été recherché : il s'est traduit par la création de la Mission de France et de la Mission de Paris (1944) destinées à agir suivant un mode missionnaire sur la masse déchristianisée. L'expérience des prêtres ouvriers, attachés à la Mission de Paris, interrompue en 1954 sous sa première forme par Rome, a montré les difficultés de concilier l'évangélisation des ouvriers et le maintien de l'Église dans sa forme actuelle. Après le Concile, les prêtres ouvriers subsistent, mais, rattachés à une paroisse, ne peuvent occuper qu'un emploi professionnel à mi-temps.

Église : la nostalgie de l'avant-garde

Interrogés sur les institutions ou les groupes dont l'évolution actuelle est la plus spectaculaire, les Français sont quasi unanimes : ils rangent l'Église aux tout premiers rangs. Non sans manifester un certain désarroi. Dans un monde mouvant, beaucoup comptaient encore sur l'Église comme sur un pôle de stabilité, un des rares points fixes où s'accrocher et chercher quelque sécurité.

Mais voilà que les prêtres portent pantalon et les religieuses jupe courte, que l'on bannit le latin, que l'on supprime, ici ou là, des rites aussi enracinés que la communion solennelle, que le catéchisme enseigné aux enfants n'a plus aucune forme commune avec celui qui était ânonné autrefois sur les bancs inconfortables des tristes salles paroissiales, que des évêques défilent avec des ouvriers grévistes et que les jeunes catholiques fournissent au gauchisme quelques-unes de ses recrues les plus militantes. Surprenantes images, que les futurologues les plus hardis - à supposer qu'ils eussent alors existé - n'auraient guère osé prédire voilà quelque vingt ans. Elles ne sont pourtant que des conséquences : en réalité, l'Église de France a accompli sa mue depuis longtemps, de façon souterraine, à une époque qui se prêtait aux bouleversements silencieux, celle de l'Occupation.

JACQUES DUQUESNE,
L'Express n° spécial, 1970

Les catholiques dans la société

L'Église, et avec elle l'ensemble des catholiques français, a été longtemps assimilée aux forces de la droite et de la réaction. De fait, nombreux furent au cours des années les affrontements dans lesquels on discernait, d'un côté la gauche, de l'autre la droite appuyée apparemment par l'Église. Si cette tendance apparaît encore aujourd'hui et s'exprime dans un certain nombre de publications comme *Défense du foyer*, une tendance opposée connaît à notre époque une grande extension ; trouvant son expression dans *Témoignage chrétien*, elle est résolument progressiste, tandis que le quotidien à grande diffusion *La Croix* affiche des positions modérées.

La pensée française a reçu et reçoit une importante contribution de la part des catholiques, qui s'efforcent d'intégrer les grands mouvements que connaît notre monde dans des constructions intellectuelles où règne la foi : Simone Weil après sa conversion, Gabriel Marcel, Teilhard de Chardin.

Des champs d'étude nouveaux ont été défrichés : la sociologie religieuse, notamment, est née des efforts de Gabriel Le Bras.

Ainsi existe à côté d'une France laïque une France croyante, animée de courants multiples, mais toujours enrichissants. La paix dans les esprits et l'entente entre les courants de pensée apportent au pays la possibilité d'un renouveau spirituel.

la vie politique

les institutions politiques

LES PRINCIPES

L'histoire constitutionnelle de la France est riche et mouvementée : depuis 1789, seize constitutions se sont succédé (encore celles qui sont mortes en naissant ne figurent-elles pas dans ce total), accordant de manière presque alternée la prépondérance au pouvoir législatif ou au pouvoir exécutif. Aussi a-t-on pu dire que la France avait fait l'expérience de tous les régimes politiques. Et pourtant, par-delà cette diversité, se dégage une fidélité permanente à de grands principes dont l'évolution est plus lente. Elle s'exprime dans les préambules qui précèdent traditionnellement les dispositions proprement constitutionnelles.

De la liberté pure...

Fondement de la démocratie, l'exigence de la liberté s'est trouvée affirmée au cours du XVIIIe siècle, en même temps que triomphait la raison. Le citoyen défini dans l'abstrait possède une volonté autonome et égale en puissance à celle des autres. Il existe des conflits de volonté, bien sûr, mais ceux-ci se règlent harmonieusement dans la vie économique, puisque la société dans son ensemble est régie par l'*Ordre naturel*, et sont éliminés dans la vie politique par le consentement des individus au pouvoir grâce au *Contrat social*. Deux conséquences essentielles en découlent : la loi est l'expression de la volonté générale; la liberté n'est limitée que par celle des autres : c'est la Déclaration des Droits de l'Homme et du Citoyen de 1789.

Déclaration des Droits de l'Homme et du Citoyen

... L'Assemblée nationale reconnaît et déclare, en présence et sous les auspices de l'Être suprême, les droits suivants de l'homme et du citoyen :

ARTICLE PREMIER Les hommes naissent et demeurent libres et égaux en droits. Les distinctions sociales ne peuvent être fondées que sur l'utilité commune.

ARTICLE II Le but de toute association politique est la conservation des droits naturels et imprescriptibles de l'homme; ces droits sont la liberté, la propriété, la sûreté et la résistance à l'oppression.

ARTICLE III Le principe de toute souveraineté réside essentiellement dans la Nation : nul corps, nul individu ne peut exercer d'autorité qui n'en émane expressément.

ARTICLE IV La liberté consiste à pouvoir faire tout ce qui ne nuit pas à autrui. Ainsi, l'exercice des droits naturels de chaque homme n'a de bornes que celles qui assurent aux autres membres de la société la jouissance de ces mêmes droits. Ces bornes ne peuvent être déterminées que par la loi.

ARTICLE V La loi n'a le droit de défendre que les actions nuisibles à la société. Tout ce qui n'est pas défendu par la loi ne peut être empêché, et nul ne peut être contraint à faire ce qu'elle n'ordonne pas.

ARTICLE VI La loi est l'expression de la volonté générale. Tous les citoyens ont le droit de concourir personnellement, ou par leurs représentants, à sa formation. Elle doit être la même pour tous, soit qu'elle protège, soit qu'elle punisse. Tous les citoyens, étant égaux à ses yeux, sont également admissibles à toutes dignités, places et emplois publics, selon leur capacité et sans autres distinctions que celles de leurs vertus et de leurs talents.

ARTICLE VII Nul homme ne peut être accusé, arrêté ni détenu que dans les cas déterminés par la loi, et selon les formes qu'elle a prescrites. Ceux qui sollicitent, expédient, exécutent ou font exécuter des ordres arbitraires, doivent être punis; mais tout citoyen appelé ou saisi en vertu de la loi doit obéir à l'instant; il se rend coupable par la résistance.

ARTICLE VIII La loi ne doit établir que des peines strictement et évidemment nécessaires, et nul ne peut être puni qu'en vertu d'une loi établie et promulguée antérieurement au délit, et légalement appliquée.

ARTICLE IX Tout homme étant présumé innocent jusqu'à ce qu'il ait été déclaré coupable, s'il est jugé indispensable de l'arrêter, toute rigueur qui ne serait pas nécessaire pour s'assurer de sa personne doit être sévèrement réprimée par la loi.

ARTICLE X Nul ne doit être inquiété pour ses opinions, même religieuses, pourvu que leurs manifestations ne troublent pas l'ordre public établi par la loi.

ARTICLE XI La libre communication des pensées et des opinions est un des droits les plus précieux de l'homme : tout citoyen peut donc parler, écrire, imprimer librement, sauf à répondre de l'abus de cette liberté dans les cas déterminés par la loi.

ARTICLE XII La garantie des droits de l'homme et du citoyen nécessite une force publique; cette force est donc instituée pour l'avantage de tous et non pour l'utilité particulière de ceux à qui elle est confiée.

ARTICLE XIII Pour l'entretien de la force publique, et pour les dépenses d'administration, une contribution commune est indispensable; elle doit être également répartie entre les citoyens, en raison de leurs facultés.

ARTICLE XIV Les citoyens ont le droit de constater par eux-mêmes ou par leurs représentants la nécessité de la contribution publique, de la consentir librement, d'en suivre l'emploi et d'en déterminer la quotité, l'assiette, le recouvrement et la durée.

ARTICLE XV La société a le droit de demander compte à tout agent public de son administration.

ARTICLE XVI Toute société, dans laquelle la garantie des droits n'est pas assurée, ni la séparation des pouvoirs déterminée, n'a point de constitution.

ARTICLE XVII La propriété étant un droit inviolable et sacré, nul ne peut en être privé, si ce n'est lorsque la nécessité publique, légalement constatée, l'exige évidemment, et sous la condition d'une juste et préalable indemnité.

DÉCLARATION DES DROITS DE L'HOMME ET DU CITOYEN.
Votée le 26 août 1789 par l'Assemblée constituante.

... à la liberté tempérée par la justice sociale

L'évolution de la société fit bientôt apparaître aux yeux des Français les limites d'une telle conception de la liberté. Dans la réalité se manifestent des inégalités de fait, que ce soit dans le domaine culturel, avec l'inégalité des connaissances et de l'instruction, dans le domaine économique, où se constituent des monopoles et où s'accumule irrégulièrement la richesse, dans le domaine social enfin, où certaines catégories apparaissent défavorisées (vieillards, femmes, enfants). L'État fut progressivement conduit à intervenir de plus en plus souvent dans ces différents domaines.

Aujourd'hui, la législation sociale apporte une correction concrète au principe trop abstrait de l'autonomie et de l'égalité des volontés et des situations. L'intervention économique exprime la nécessité de mécanismes régulateurs destinés à lutter contre les déséquilibres et la prépondérance de certains groupes. Les droits économiques et sociaux trouvent leur expression dans le préambule de la Constitution de 1946, repris par la Constitution de 1958.

Préambule de la Constitution française

... Au lendemain de la victoire remportée par les peuples libres sur les régimes qui ont tenté d'asservir et de dégrader la personne humaine, le peuple français proclame à nouveau que tout être humain, sans distinction de race, de religion et de croyance, possède des droits inaliénables et sacrés.

1. Il réaffirme solennellement les droits et les libertés de l'homme et du citoyen consacrés par la Déclaration des Droits de 1789 et les principes fondamentaux reconnus par les lois de la République.

Il proclame en outre comme particulièrement nécessaires à notre temps les principes politiques, économiques et sociaux ci-après :

2. La loi garantit à la femme dans tous les domaines des droits égaux à ceux de l'homme.

3. Tout homme persécuté en raison de son action en faveur de la liberté a droit d'asile sur les territoires de la République.

4. Chacun a le devoir de travailler et le droit d'obtenir un emploi. Nul ne peut être lésé dans son travail ou son emploi en raison de ses origines, de ses opinions ou de ses croyances.

5. Tout homme peut défendre ses droits et ses intérêts par l'action syndicale et adhérer au syndicat de son choix.

6. Le droit de grève s'exerce dans le cadre des lois qui le réglementent.

7. Tout travailleur participe par l'intermédiaire de ses délégués à la détermination collective des conditions de travail, ainsi qu'à la gestion des entreprises.

8. Tout bien, toute entreprise dont l'exploitation a ou acquiert les caractères d'un service public national ou d'un monopole de fait, doit devenir la propriété de la collectivité.

9. La nation assure à l'individu et à la famille les conditions nécessaires à leur développement.

10. Elle garantit à tous, notamment à la mère, à l'enfant et aux vieux travailleurs, la protection de la santé, la sécurité matérielle, le repos et les loisirs. Tout être humain, qui, en raison de son âge, de son état physique ou mental, de sa situation économique, se trouve dans l'incapacité de travailler, a le droit d'obtenir de la collectivité des moyens convenables d'existence.

11. La nation proclame la solidarité de tous les Français devant les charges qui résultent des calamités nationales.

12. La nation garantit l'égal accès de l'enfant et de l'adulte à l'instruction, à la formation professionnelle et à la culture. L'organisation de l'enseignement public gratuit et laïque à tous les degrés est un devoir pour l'État.

13. La République française, fidèle à ses traditions, se conforme aux règles du droit public international. Elle n'entreprendra aucune guerre dans les vues de conquête et n'emploiera jamais ses forces contre la liberté d'aucun peuple.

14. Sous la réserve de réciprocité, la France consent aux limitations de sa souveraineté nécessaires à l'organisation et à la défense de la paix.

Les garanties techniques contre l'arbitraire

La légitimité du pouvoir politique se trouve dans l'élection, dont l'expression juridique est le droit de vote accordé au citoyen. L'exercice du droit de vote et la sanction de la volonté populaire, garanties essentielles contre l'arbitraire, sont aujourd'hui intimement liés à l'idée de démocratie.

Le risque d'arbitraire des gouvernants, une fois ceux-ci désignés par la voie démocratique, est encore limité par leur mise en concurrence suivant le principe de la séparation des pouvoirs (avec son corollaire, l'équilibre des pouvoirs). Mis en lumière par Montesquieu, ce principe, en dépit d'importantes modifications dans son application, constitue encore aujourd'hui une base de la pensée politique française.

La séparation des pouvoirs

... Il y a, dans chaque État, trois sortes de pouvoirs : la puissance législative, la puissance exécutrice des choses qui dépendent du droit des gens, et la puissance exécutrice de celles qui dépendent du droit civil.

Par la première, le prince ou le magistrat fait des lois pour un temps ou pour toujours, et corrige ou abroge celles qui sont faites. Par la seconde, il fait la paix ou la guerre, envoie ou reçoit des ambassades, établit la sûreté, prévient les invasions. Par la troisième, il punit les crimes ou juge les différends particuliers. On appellera cette dernière la puissance de juger; et l'autre simplement la puissance exécutrice de l'État.

La liberté politique dans un citoyen est cette tranquillité d'esprit qui provient de l'opinion que chacun a de sa sûreté; et, pour qu'on ait cette liberté, il faut que le gouvernement soit tel qu'un citoyen ne puisse pas craindre un autre citoyen.

Lorsque, dans la même personne ou dans le même corps de magistrature, la puissance législative est réunie à la puissance exécutrice, il n'y a point de liberté, parce qu'on peut craindre que le même monarque ou le même Sénat ne fasse des lois tyranniques pour les exécuter tyranniquement.

Il n'y a point encore de liberté, si la puissance de juger n'est pas séparée de la puissance législative et de l'exécutrice. Si elle était jointe à la puissance législative, le pouvoir sur la vie et la liberté des citoyens serait arbitraire : car le juge serait législateur. Si elle était jointe à la puissance exécutrice, le juge pourrait avoir la force d'un oppresseur.

Tout serait perdu, si le même homme, ou le même corps des principaux, ou des nobles, ou du peuple, exerçait ces trois pouvoirs : celui de faire les lois, celui d'exécuter les résolutions publiques, et celui de juger les crimes ou les différends des particuliers...

MONTESQUIEU, *Esprit des lois*, 1748.

LA Ve RÉPUBLIQUE

Par le *référendum* du 28 septembre 1958, la Nation approuvait la constitution de la Ve République. Le régime que celle-ci a instauré se présente comme un parlementarisme rationalisé : les pouvoirs exécutif et législatif sont distincts : en théorie du moins, le Président de la République et le Gouvernement détiennent le pouvoir exécutif ; le Parlement le pouvoir législatif; le Gouvernement est responsable [1] devant l'Assemblée nationale. Toutefois, divers procédés tentent de remédier à l'instabilité ministérielle et à la difficulté de prendre des décisions importantes, qui avaient caractérisé le régime de la IVe République et l'avaient conduit à sa perte.

1. On dit qu'un gouvernement est « responsable » devant l'Assemblée, quand il doit démissionner si la majorité des députés condamne sa politique.

Le rôle moteur de l'exécutif

Aux termes de la Constitution, c'est au Gouvernement qu'il revient de conduire et de déterminer la politique de la Nation. Le Parlement ne peut dès lors qu'avoir un rôle de contrôle. Au surplus, s'il lui appartient de voter les lois, le domaine de la loi est limité aux aspects les plus importants de la vie publique, les décisions du Gouvernement étant libres pour le reste. D'autre part, l'exécutif dispose d'une série de privilèges qui lui permettent de faire examiner en priorité ses projets de lois par le Parlement.

Une responsabilité réglementée

Le Gouvernement est responsable devant l'Assemblée nationale : la confiance de celle-ci lui est donc indispensable pour exercer ses fonctions. Cependant, une certaine logique est nécessaire dans la mise en jeu de cette responsabilité : ainsi, sous la IVe République, l'Assemblée rejetait les textes de loi que proposait le Gouvernement tout en lui conservant sa confiance : une telle situation rendait toute action de l'exécutif impossible, et le Gouvernement se trouvait obligé de démissionner. La Ve République a institué un régime dans lequel, tant que la *majorité absolue* de l'Assemblée nationale ne s'oppose pas au Gouvernement, celui-ci reste en place et les textes sur lesquels il engage expressément sa responsabilité sont réputés adoptés. Ce système, qui assure une certaine stabilité à l'exécutif et lui permet de gouverner efficacement, tend à séparer les députés en deux groupes bien distincts, l'opposition et la majorité, et constitue une des tentatives pour réduire le nombre des partis (cf. chapitre « Société politique »).

artition des groupes politiques à l'Assemblée nationale après les élections de juin 1968 et de mars 1973

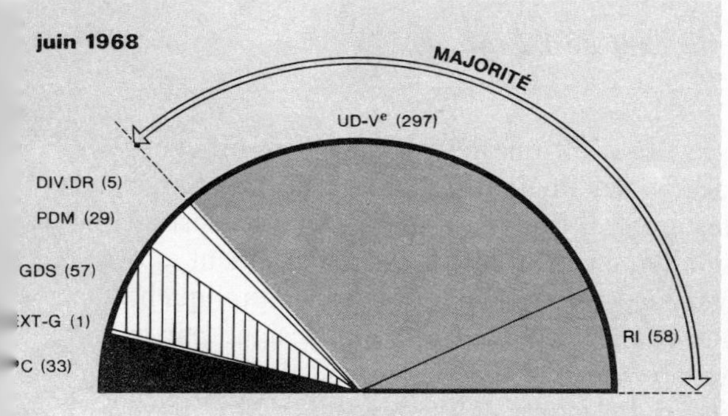

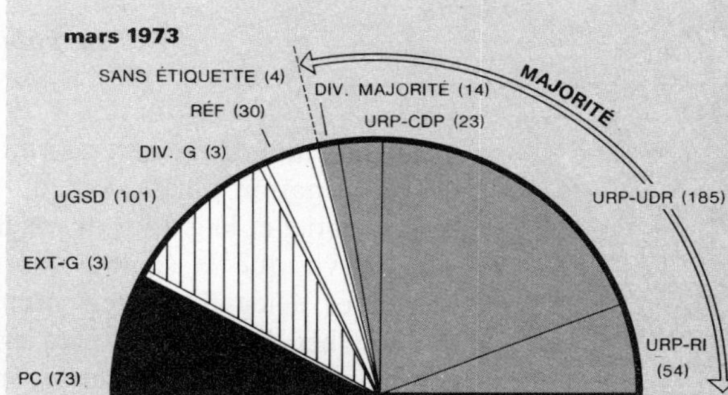

JD-Ve : UNION DES DÉMOCRATES POUR LA Ve RÉPUBLIQUE
RI : RÉPUBLICAINS INDÉPENDANTS
DIV.DR : DIVERS DROITE
PDM : CENTRE PROGRÈS ET DÉMOCRATIE MODERNE
FGDS : FÉDÉRATION DE LA GAUCHE DÉMOCRATE ET SOCIALISTE
EXT-G : EXTRÊME-GAUCHE
PC : PARTI COMMUNISTE

UDR : UNION POUR LA DÉFENSE DE LA RÉPUBLIQUE
URP : UNION DES RÉPUBLICAINS DE PROGRÈS
CDP : CENTRE DÉMOCRATIE ET PROGRÈS
RÉF : MOUVEMENT RÉFORMATEUR
UGSD : UNION DE LA GAUCHE SOCIALISTE ET DÉMOCRATE

La personnalité du général de Gaulle

Dans une large mesure la Constitution de 1958 est un reflet des idées politiques du général de Gaulle, idées qu'il avait exprimées à diverses occasions depuis qu'il s'était démis de ses fonctions de Président du Conseil en 1946.

Les circonstances de son arrivée au pouvoir en 1958 et son rôle historique ont fait de lui à maintes reprises le symbole de l'unité nationale, et la fonction présidentielle ne pouvait manquer d'être marquée fortement par sa personnalité.

C'est ainsi que, jusqu'à sa démission à la suite du référendum du 27 avril 1969, ses pouvoirs s'étaient progressivement étendus dans un certain nombre de domaines qui lui tenaient à cœur, et notamment la politique extérieure. Cette conception du *pouvoir personnel* est d'ailleurs conforme à ce que le général de Gaulle a pensé et exprimé de longue date.

EXÉCUTIF

PRÉSIDENT DE LA RÉPUBLIQUE

- il est élu au suffrage universel pour 7 ans
- il préside le Conseil des ministres
- il promulgue les lois
- il négocie et ratifie les traités
- il nomme le Premier Ministre
- il peut dissoudre l'Assemblée
- il peut recourir au référendum

GOUVERNEMENT

- il est responsable devant l'Assemblée nationale
- ses pouvoirs sont exercés collectivement sous la direction du Premier Ministre, chaque ministre étant responsable de son département ministériel
- il détermine et conduit la politique de la nation par le moyen des projets de loi qu'il dépose et par le pouvoir réglementaire qu'il exerce

Le rôle du chef de l'État

.. Suivant moi, il est nécessaire que l'État ait une tête, c'est-à-dire un chef, en qui la nation puisse voir, au-dessus des fluctuations, l'homme en charge de l'essentiel et le garant de ses destinées. Il faut aussi que l'exécutif, destiné à ne servir que la seule communauté, ne procède pas du Parlement qui réunit les délégations des intérêts particuliers. Ces conditions impliquent que le Chef de l'État ne provienne pas d'un parti, qu'il soit désigné par le peuple, qu'il ait à nommer les ministres, qu'il possède le droit de consulter le pays, soit par référendum, soit par l'élection d'assemblées, qu'il reçoive enfin le mandat d'assurer, en cas de péril, l'intégrité et l'indépendance de la France. En dehors des circonstances où il appartiendrait au Président d'intervenir publiquement, Gouvernement et Parlement auraient à collaborer, celui-ci contrôlant celui-là et pouvant le renverser, mais le magistrat national exerçant son arbitrage et ayant la faculté de recourir à celui du peuple.

GÉNÉRAL DE GAULLE, « *Le Salut* », *Mémoires de Guerre, t. III.* Plon.

POLITIQUES

PARLEMENT

ASSEMBLÉE NATIONALE	SÉNAT
- 490 députés élus pour 5 ans au suffrage universel direct - siège au Palais-Bourbon	- 316 sénateurs élus par tiers pour 9 ans au suffrage universel indirect : ils représentent essentiellement les collectivités locales et plus particulièrement les petites communes - siège au Palais du Luxembourg

- Deux sessions par an, durant au total cinq mois et demi au plus, sauf session extraordinaire
- les membres du Parlement bénéficient d'*immunités* ; ils reçoivent des indemnités
- les deux Assemblées votent la loi dans les mêmes termes (passage du texte de l'une à l'autre), mais prépondérance de l'Assemblée nationale si le Gouvernement le veut
- elles peuvent désigner une *Haute Cour de justice* pour juger le Président de la République s'il est accusé de haute trahison

CONSEIL ÉCONOMIQUE ET SOCIAL	CONSEIL CONSTITUTIONNEL
- 205 conseillers désignés par les organisations professionnelles (2/3) et par le Gouvernement (1/3) - il a un rôle consultatif pour les projets de lois économiques ou sociaux il est en particulier consulté pour l'élaboration du Plan	- 9 membres désignés pour 9 ans auxquels s'adjoignent les anciens présidents de la République - contrôle la constitutionnalité des lois avant promulgation. Toutes les lois organiques lui sont soumises. Les autres ne peuvent lui être soumises que par le Président de la République, le Premier Ministre ou les Présidents de l'Assemblée nationale et du Sénat

Vers quelle évolution?

Après le retrait du Général de Gaulle, qui mourut un peu plus d'un an après son départ, le 9 novembre 1970, la Ve République devait prendre un nouveau visage.

Georges Pompidou, ancien premier ministre du Général de Gaulle, après avoir été élu Chef de l'État en juin 1969, choisit tout d'abord comme premier ministre Jacques Chaban-Delmas qui s'efforça de réaliser une « nouvelle société » en favorisant la concertation entre les groupes sociaux, jusqu'à ce qu'après une série de difficultés intérieures, des remous dans les rangs de la majorité et un changement de premier ministre, les élections de mars 1973 amènent une nouvelle majorité et une nouvelle orientation du régime. A la question que de nombreux Français se posaient après le départ du Général de Gaulle : « Que deviendront les institutions après lui ? », la pratique constitutionnelle semble maintenant apporter une réponse : le président de la République continue à être l'élément fondamental du pouvoir exécutif, et tout conflit entre lui et le Parlement ne peut conduire qu'à une situation extrêmement délicate.

l'administration

UNE ADMINISTRATION CENTRALISÉE

Au centralisme du sommet...

Le Gouvernement assure la synthèse des fonctions politiques et administratives : il prend la responsabilité politique des décisions dont la préparation technique a été confiée à l'Administration. Chaque ministère installé à Paris est placé sous l'autorité du ministre assisté de son cabinet. Il est subdivisé en directions et bureaux, dont le personnel est indépendant des changements de gouvernement ou de ministre. C'est ainsi que la compétence technique et la continuité de l'organisation administrative avaient assuré un vaste pouvoir aux « grands commis » placés à la tête des directions lorsque, sous la IVe République, l'instabilité ministérielle était la règle.

Les ministres se trouvent avec leurs administrations centrales à Paris. Des services extérieurs, chargés d'assurer l'application des lois et règlements, dépendant étroitement des administrations centrales, sont répartis sur l'ensemble du territoire et affirment en chaque lieu la présence et les exigences de l'État unitaire. Des fonctionnaires à compétence générale représentent le Gouvernement à chaque échelon de l'organisation territoriale.

La centralisation est le fruit d'une longue histoire. Elle témoigne d'une volonté d'unité nationale et territoriale que chaque épreuve rend plus vigoureuse.

Le sens de l'unité

... Si j'osais me laisser séduire aux rêveries qu'on décore du beau nom de philosophie historique, je me plairais peut-être à imaginer que tous les événements véritablement grands de cette histoire de la France furent, d'une part, les actions qui ont menacé, ou tendu à altérer, un certain équilibre de races réalisé dans une certaine figure territoriale; et, d'autre part, les réactions, parfois si énergiques, qui répondirent à ces atteintes, tendant à reconstituer l'équilibre.

Tantôt la nation semble faire effort pour atteindre ou reprendre sa composition optima, celle qui est la plus favorable à ses échanges intérieurs et à sa vie pleine et complète; et tantôt faire effort pour rejoindre l'unité que cette composition même lui impose. Dans les dissensions intérieures aiguës, c'est toujours le parti qui semble en possession de rétablir au plus tôt, et à tout prix, l'unité menacée, qui a toutes les chances de triompher.

C'est pourquoi l'histoire dramatique de la France se résume mieux que toutes les autres en quelques grands noms, noms de personnes, noms de familles, noms d'assemblées, qui ont particulièrement et énergiquement représenté cette tendance essentielle aux moments critiques et dans les périodes de crise ou de réorganisation. Que l'on parle des Capétiens, de Jeanne d'Arc, de Louis XI, d'Henri IV, de Richelieu, de la Convention ou de Napoléon, on désigne toujours une même chose, un symbole de l'identité et de l'unité nationales en acte.

VALÉRY, *Regards sur le monde actuel.* Gallimard.

Cependant, même chez ceux qui sont le plus persuadés des vertus de l'unité, la centralisation paraît aujourd'hui excessive et génératrice de maux de plus en plus graves.

Les excès de la centralisation

... Notre administration est centralisée à l'extrême. On observe depuis une trentaine d'années une constante augmentation des bureaux parisiens et de leur tâche aux dépens des communes, des départements et des services extérieurs de l'État. Cette centralisation, contraire à l'esprit de liberté, a diverses causes. Elle est due à l'action parlementaire dont la tendance profonde est à l'uniformité, donc à la centralisation. Elle est due aussi à des causes techniques : le caractère de maints travaux et services rend aujourd'hui plus difficile la tâche des autorités locales qui n'ont pas les collaborateurs compétents. Elle est due enfin à des causes financières qui sont peut-être les plus importantes. La première marque d'un État, ou en tout cas d'un État dont les finances sont délabrées, est qu'il prend la part du lion dans les recettes publiques. De ce fait, tout l'argent est à Paris, et c'est Paris qui répartit l'impôt et le crédit.

Cette centralisation est nocive. Du point de vue politique, les libertés locales sont la meilleure éducation civique des électeurs et des élus. Du point de vue de l'administration, une centralisation peut ne pas nuire à l'efficacité des services publics quand ils sont commandés par un pouvoir stable et autoritaire : ce n'est pas toujours le cas en démocratie. Alors la centralisation aboutit à l'absence de décisions et d'activité, en un mot, au sommeil.

Ce défaut est d'autant plus grave chez nous qu'un phénomène se produit depuis une cinquantaine d'années : l'ultra-centralisation. C'est une sorte de dictature qu'exerce le ministère des Finances sur l'ensemble de l'administration.

MICHEL DEBRÉ, *La République et ses problèmes.* Édit. Nagel.

...répond une volonté de liberté municipale

La personnalité des communes a été admise de tout temps : elle a subsisté dans le Midi depuis l'époque romaine, elle s'est affirmée dans la partie Nord du pays dès le XIIe siècle.

La commune, groupement naturel

... La commune, groupement naturel, a traversé les âges et les régimes, en subissant divers avatars mais en gardant toujours sa physionomie essentielle, celle d'une collectivité d'habitants groupés autour du même clocher et gérant leurs intérêts communs. La recueillant telle que les siècles la lui ont léguée, la Révolution en a fait la cellule élémentaire de l'organisation administrative de l'État. La législation ultérieure contribue au développement de son autonomie par des mesures assez largement décentralisatrices, d'ailleurs tempérées par une tutelle aussi nécessaire aux habitants de la commune qu'à l'État lui-même. Cette décentralisation communale, principalement réalisée par la loi du 5 avril 1884, a été poussée plus avant par la suite, notamment en 1926. Suspendues entre 1940 et 1944, les libertés communales ont repris leur marche en avant depuis la Libération et principalement en 1959. S'il ne faut pas s'illusionner à l'excès sur les effets d'une telle décentralisation qui est beaucoup moins réelle qu'elle n'apparaît à la lecture des textes, on ne peut nier qu'un esprit municipal a toujours existé en France. L'autonomie actuelle de la commune, l'extension de son rôle du fait des lois sociales modernes (assistance, hygiène, urbanisme...) ne peuvent que renforcer cet esprit municipal, plus vivace encore que l'esprit départemental parce que son origine est plus ancienne et que les administrés y participent plus immédiatement...

H. DETTON, *L'Administration en France.* Coll. *Que sais-je?* P.U.F.

L'administration communale est assurée par un conseil municipal élu par les citoyens de la commune et le maire, élu par le conseil municipal en son sein.

Le maire est à la fois l'organe exécutif de la commune et le représentant du pouvoir central dans celle-ci (il tire ses pouvoirs de l'élection, mais peut être suspendu par le préfet et révoqué par le gouvernement). Il veille à l'exécution des lois et règlements sur son territoire, est officier de l'état civil, délivre à ce titre divers certificats et dispose d'un pouvoir réglementaire qu'il exerce sous forme d'arrêtés.

Aujourd'hui cependant, le cadre communal paraît très souvent trop petit pour assurer une gestion normale des intérêts locaux.

Les communes peuvent se regrouper suivant diverses modalités. Ce regroupement, encouragé par le gouvernement, se réalise progressivement.

Un échelon intermédiaire, le département

Entre l'administration communale et l'administration centrale, existent différents échelons d'organisation territoriale, dont le plus important est le département. Celui-ci, créé par la Révolution, a vu son importance croître progressivement. Il procède à la fois du centralisme par la présence d'un représentant du pouvoir central, le préfet, nommé par le Gouvernement et responsable devant lui, et d'une volonté de décentralisation attestée par l'existence d'un Conseil général, élu par les citoyens du département et dont les attributions sont essentiellement financières.

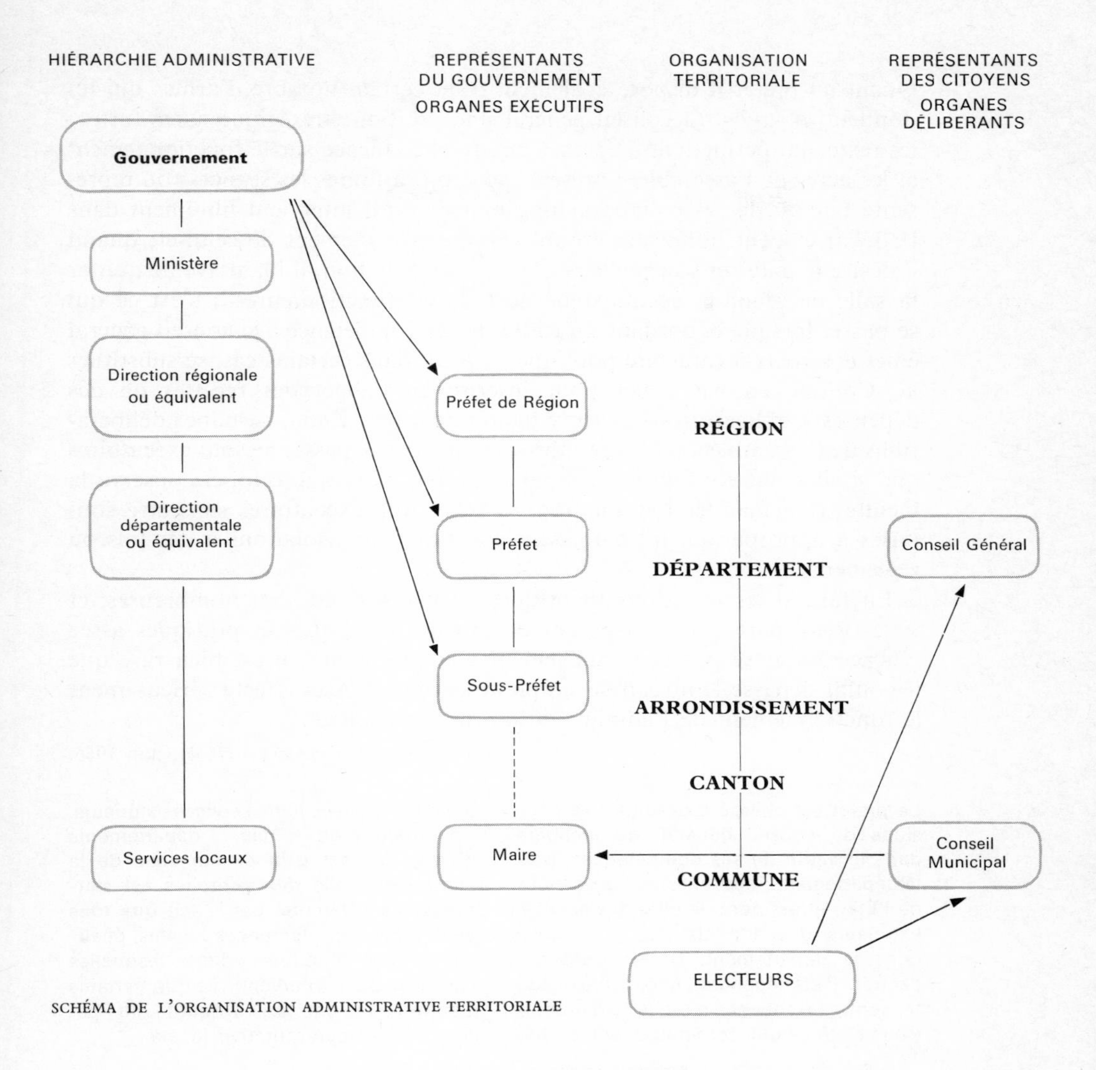

SCHÉMA DE L'ORGANISATION ADMINISTRATIVE TERRITORIALE

Rapports du préfet et du Conseil général

.. Si l'on s'en tient aux textes qui précisent les pouvoirs respectifs de l'Assemblée départementale et du préfet, on peut penser que les relations qui s'instaurent entre eux comportent de nombreuses occasions de conflits. C'est ainsi, par exemple, que le Conseil peut, au moment du vote du budget, avec la marge d'initiative limitée mais non négligeable qu'il possède, mettre l'autorité préfectorale en difficulté, en n'approuvant pas ses programmes, ou en lui mesurant strictement ses moyens d'action (entretien de l' « hôtel », renouvellement du parc automobile, recrutement de personnel auxiliaire, etc.).

Quant au préfet il dispose également d'un certain nombre d'armes qui lui donnent vis-à-vis du conseil général une position stratégique assez forte : les textes lui permettent d'exercer une tutelle efficace sur le fonctionnement et les actes de l'assemblée; présent, de droit, à toutes les séances (ou représenté par un de ses collaborateurs immédiats) il intervient librement dans le débat et peut influencer notablement le déroulement de celui-ci; quand il désire manifester solennellement sa désapprobation, il lui arrive de quitter la salle de réunion, accompagné de tous les fonctionnaires : c'est ce qui se passe, lorsque débordant du cadre de ses compétences, le conseil général émet des vœux à caractère politique. Il peut, dans certains cas, se substituer au Conseil, en particulier pour inscrire au budget des recettes ou des dépenses « obligatoires » qui n'y figureraient pas. Enfin, certaines délibérations de l'assemblée, moins nombreuses que par le passé, ne sont exécutoires que si elles ont été approuvées par le préfet, alors que celui-ci conserve la faculté de demander l'annulation de celles qui, exécutoires sans être soumises à approbation, lui paraissent constituer des violations à des lois ou règlements.

En fait, si les occasions théoriques de malentendu sont nombreuses, et si les deux partenaires disposent de moyens juridiques et pratiques assez efficaces pour se porter mutuellement quelques coups, il est bien rare que le conflit dépasse le niveau de simples escarmouches et affecte sérieusement le fonctionnement de l'administration départementale.

J.-L. COSPÉREC, *Tendances*, N° 41, juin 1966.

Le préfet est chargé d'exécuter les décisions du conseil général, qui délibère, dans le cadre de ses compétences, pour le département. Il est aussi le représentant de l'État, et est donc le chef des services extérieurs des administrations centrales dans le département. Il en coordonne l'action. Il est cependant nécessaire de lutter contre la tendance d'un certain nombre de ministères qui communiquent parfois directement avec leurs services extérieurs.

L'organisation des départements d'outre-mer est calquée sur celle de la métropole. Celle des territoires est sensiblement différente, par le fait que tous disposent de compétences locales, beaucoup plus étendues, dans lesquelles l'État ne peut intervenir, et que certains d'entre eux ont un exécutif élu par l'assemblée représentative locale.

Revue Tendances
Dessin de Lucien Logé.

Vers les régions ?

Cependant, les 95 départements actuels de la France métropolitaine paraissent, comme les communes, trop petits : des institutions régionales, répondant à des préoccupations essentiellement économiques, sont mises en place sous la direction du préfet de région.

A ces raisons d'efficacité tendent cependant à s'ajouter des raisons politiques, qui correspondent à une sorte de revirement par rapport au centralisme traditionnel. En effet, on assiste aujourd'hui à un renouveau de la pensée régionaliste, ainsi qu'à des tentatives - comme le référendum d'avril 1969 - pour mettre en place un échelon régional dans l'administration française, permettant de réduire la distance qui sépare les citoyens du pouvoir central.

La région parisienne est régie par un statut particulier

La ville de Paris est divisée en 20 arrondissements dirigés par des maires nommés par le Gouvernement et disposant de pouvoirs restreints. Elle est administrée par le conseil de Paris, composé de 90 membres élus par la population. Un préfet de Paris, nommé par le Gouvernement prépare et exécute les délibérations du Conseil, tandis qu'un Préfet de Police, également nommé par le Gouvernement, est chargé de toutes les fonctions de police générale et municipale. Des lois récentes ont modifié l'organisation de la région parisienne, le département de la Seine étant limité à Paris, tandis que 6 départements nouveaux étaient créés. Les problèmes d'aménagement de la capitale de la France ont d'autre part conduit à créer un district de la région parisienne dirigé par un préfet régional.

LA PRÉÉMINENCE DU SERVICE PUBLIC

Les tâches de l'administration se sont progressivement étendues. Certaines, traditionnelles, consistent en le contrôle et la réglementation de l'activité des particuliers. D'autres assurent à la collectivité des services, comme les Postes et Télécommunications. D'une manière générale cependant, il apparaît que l'Administration dans son ensemble peut exprimer son utilité pour la Nation par l'idée de « Service public ».

La fonction publique conserve du prestige

Les fonctionnaires français (un million et demi) occupent une place particulière dans l'ensemble des travailleurs. Ils sont dans une situation statutaire : le statut général des fonctionnaires de 1946 précise leurs droits et leurs devoirs sans qu'il soit possible pour eux d'en discuter individuellement les dispositions. Mais c'est surtout par l'état d'esprit que les agents de l'État diffèrent du reste de la population. Leur rémunération leur permet en principe de vivre à l'abri des préoccupations matérielles et de la recherche d'un profit : le désintéressement est la règle. Mais en contrepartie, du plus haut au plus petit, les fonctionnaires ont le sentiment de la dignité. A cela s'ajoute, pour les emplois les plus élevés, le sentiment et la volonté d'agir au nom de l'intérêt général, en même temps que l'on détient une part du Pouvoir.

C'est ainsi que les hautes fonctions administratives ont conservé en France un large prestige, suffisant pour attirer l'élite de la Nation. Le recrutement est assuré par l'École Nationale d'Administration où sont cultivés, outre les connaissances techniques, le goût des idées générales et de la synthèse.

Le haut fonctionnaire est généralement issu de la bourgeoisie aisée, mais l'Administration s'attache à offrir à tous ceux qu'elle emploie la possibilité d'accéder aux plus hauts grades par une série de concours intérieurs, instrument d'ascension sociale non négligeable.

La fonction publique est un sacerdoce

... Le fonctionnaire donne ses services à l'État. La prestation qu'il fournit n'est généralement pas motivée par des mobiles d'ordre lucratif. On sait qu'en France - et dans les pays évolués - le fonctionnaire - honnête bien entendu, et la majorité le sont - ne fait pas fortune dans l'Administration. Ce n'est donc pas le goût de l'argent qui pousse le jeune homme titulaire d'un diplôme de l'enseignement supérieur à briguer un poste dans l'État : à ce niveau - nous laissons de côté les emplois d'exécution - on parle souvent de « vocation », on va même parfois jusqu'à évoquer une espèce de « sacerdoce ». C'est sans doute beaucoup dire, du moins dans le cas le plus général. Mais cela exprime du moins qu'il s'agit beaucoup plus d'un état que d'une profession telle qu'on l'envisage communément, avec les profits qui s'y rattachent. Les Anglais ont fort bien baptisé l'activité du fonctionnaire, c'est le « civil service », notion introduite en France sous le nom de Fonction publique par la loi du 16 octobre 1946 portant statut général des fonctionnaires.

Le mot « traitement » lui aussi dit bien ce qu'il veut dire : le fonctionnaire est « traité », il n'est pas « salarié ». Ce traitement se présente comme une sorte d'indemnité forfaitaire assez étrangère au « rendement » du poste occupé. L'État poursuit par définition des fins désintéressées et demande en fait à ses agents d'être personnellement désintéressés. L'État est censé leur assurer une situation décente, leur permettant de vivre autant que possible à l'abri des préoccupations matérielles, afin qu'ils puissent se consacrer exclusivement à son service.

ROBERT CATHERINE, *Le fonctionnaire français*. Albin Michel.

Mais les rapports avec le public sont parfois tendus

L'organisation bien hiérarchisée et rigide de l'Administration conduit à une certaine indifférence vis-à-vis des problèmes individuels et à une certaine rigueur dans l'application des textes légaux, rigueur décelable déjà au sommet mais s'accentuant à mesure que l'on descend dans la hiérarchie, en particulier de la part des employés qui se trouvent en relation avec le public.

Les rapports de l'administration et du public

... Le citoyen qui pénètre dans un commissariat de police, une caisse de Sécurité Sociale, une mairie, me fait penser à un archer prêt à partir pour la guerre de Cent Ans. Armé de mauvaise humeur et pourvu de sarcasmes, il est d'avance certain qu'il n'obtiendra pas gain de cause, qu'il va être promené du Bureau 223 de l'entresol au guichet B du troisième étage, du troisième étage au commissariat de police, du commissariat à la préfecture, jusqu'à ce qu'il apprenne qu'un nouveau règlement le dispense du certificat demandé pour en exiger un autre, qui est le même que le précédent, mais nécessite des formalités différentes.

En face de cet assaillant, auquel le vocabulaire administratif, comme pour l'indisposer d'avance, donne le nom de « postulant », se trouve l'employé fonctionnaire, souvent couvert d'une housse blafarde et de vêtements « qu'il met pour les finir ».

Contre le mur de son indifférence (« J'en vois d'autres... Si vous croyez être le seul!... Ce n'est pas moi qui fais les règlements... ») viennent s'émousser une à une les flèches des attaquants les plus belliqueux, voire les plus décorés (« Vous aurez de mes nouvelles, mon ami... J'ai le bras long!... »). A cet instant le monsieur au bras long sort de son portefeuille une carte barrée d'un trait rouge que personne n'a le temps de voir, mais qui produit son effet sur le public. Il semble que le bras long du monsieur, passant par-dessus la petite tête du fonctionnaire, perce les murs, traverse la Seine et entre chez le ministre, qui révoque le fautif.

P. DANINOS, *Les carnets du major Thompson.* Hachette.

L'Administration est consciente du problème, et, aujourd'hui, un effort est entrepris pour améliorer cette situation.

L'Administration agit et se contrôle

La puissance publique, agissant au nom de l'intérêt général, dispose du privilège de créer son droit grâce aux règlements : ceux-ci se substituent aux dispositions du droit privé pour les relations entre les particuliers et l'Administration. Cependant, le pouvoir réglementaire ne saurait empiéter sur le domaine de la loi, ni entrer en contradiction avec celle-ci.

Il existe d'ailleurs une hiérarchie des textes réglementaires : ordonnances et décrets délibérés en Conseil des ministres, et arrêtés pris par les ministres ou leurs services, les préfets et les maires.

Compte tenu de la puissance de l'Administration, de nombreux contrôles ont été mis en place : des contrôles internes, assurés par des services d'inspection générale où se distingue l'*Inspection des Finances*, complétés par la surveillance de la comptabilité des services par la *Cour des Comptes ;* un contrôle enfin, à la disposition des citoyens, qui est dévolu aux tribunaux administratifs, dont la cohérence des décisions est assurée par le *Conseil d'État*.

société politique

LES CORPS INTERMÉDIAIRES

L'émiettement des partis

La Constitution de 1958 déclare : « Les partis et groupements politiques concourent à l'expression du suffrage. » Cependant l'influence de ceux-ci est limitée par leur tendance à l'émiettement et le petit nombre de leurs adhérents.

La tradition n'a pas été, pendant longtemps, favorable à un regroupement des opinions autour de partis peu nombreux. Au contraire, la démocratie paraissait imposer une sorte de photographie de la diversité individuelle au sein du Parlement. Comme une majorité doit se dégager pour que les décisions politiques soient prises, des alliances devaient être envisagées entre les groupes parlementaires. Mais ces alliances, dont le parti communiste était toujours exclu, malgré son importance [1], étaient fragiles et leur caractère éphémère conduisait à l'instabilité gouvernementale.

Un effort de simplification

L'arrivée au pouvoir du général de Gaulle, en 1958, s'est traduite par la formation d'une majorité stable qui comprend l'U.D.R. (celle-ci disposant à elle seule de la majorité à partir de 1962) et une partie des Indépendants.

L'élection du Président de la République au suffrage universel (cf. chapitre « Les pouvoirs ») a provoqué diverses tentatives de regroupement des partis, à l'occasion de la campagne électorale.

Les regroupements de l'opposition tendent à dépasser les anciennes divisions politiques et s'effectuent essentiellement dans deux directions : le centre et le rassemblement des forces de gauche. Ce mouvement est en pleine évolution et on ne peut le figer dans un tableau que par commodité.

1. On décomptait cependant les voix communistes lorsqu'il s'agissait de renverser le gouvernement.

TABLEAU DES PRINCIPAUX PARTIS

Indépendants

Les Indépendants constituent peut-être plus un groupement qu'un véritable parti organisé et discipliné. Malgré les dissensions internes leur position reste solide. Cependant, l'alliance qu'ils ont conclue avec l'U.D.R. ne paraît pas tout à fait stable.

U.D.R.

L'U.N.R. (Union pour la Nouvelle République), devenue l'U.D.R. (Union des Démocrates pour la République), est le parti le plus récent, constitué en 1958 pour soutenir l'action du général de Gaulle. Il ne dispose pas d'une doctrine rigide, mais malgré des tendances diverses, maintient la discipline de vote au sein de son groupe parlementaire.

Partis du centre

La tendance centriste héritière du mouvement républicain populaire de l'après-guerre, assez proche des démocrates chrétiens d'Allemagne et d'Italie, a éclaté en deux groupes, l'un de majorité, l'autre d'opposition. Les radicaux issus du vieux parti de la IIIe République, qui se sont mis à rajeunir avec un nouveau Secrétaire général actif et entreprenant, Jean-Jacques Servan Schreiber, cherchent à former un nouveau parti du centre gauche, susceptible au moins de jouer un rôle d'arbitre dans une nouvelle combinaison majoritaire.

La gauche

Après l'échec de la tentative d'alliance entre le parti socialiste, les radicaux, et des clubs de réflexion politique dans la fédération de la gauche démocrate et socialiste, la construction d'une gauche unie se poursuit dans une autre direction, sous l'impulsion de M. François Mitterand, secrétaire du parti socialiste, et un programme commun de gouvernement a été adopté pour les élections législatives de mars 1973, après de longues négociations, entre le parti socialiste et le parti communiste. Ce dernier, qui constitue une force politique organisée importante puisqu'il recueille en général aux élections législatives de 20 à 25 % des suffrages, et qui a déjà été au pouvoir en France en 1936 et 1945-46, s'engage ainsi dans une voie qui peut mener les institutions françaises vers une mutation considérable.

Depuis longtemps, le système du gouvernement britannique fait rêver les observateurs politiques français. Revue Tendances - *Dessin de Lucien Logé.*

Des groupes actifs

La multiplication des associations est un phénomène qui existe dans tous les pays développés. Quels que soient leur but, leur puissance, elles agissent sur d'autres secteurs de la vie publique, elles exercent une influence politique.

En France, dès la Révolution, l'expression d'intérêts particuliers a paru susceptible de porter atteinte à l'intérêt général : en 1791 la loi Le Chapelier proclame : « L'anéantissement de toute espèce de conjuration de citoyens du même État étant une des bases fondamentales de la Constitution française, il est défendu de les rétablir de fait sous quelque prétexte et quelque forme que ce soit. » La liberté syndicale (1884), puis la liberté d'association (1901), ont cependant, depuis cette loi, permis aux groupes de s'organiser. Par ailleurs, leur avis est entendu au sein de différents comités ou commissions à dominante économique, dans le cadre de la planification de la décentralisation (cf. chapitre « Gestion et planification »). Cependant, toute action directe sur les décisions politiques leur reste interdite en principe.

Il existe en France une longue histoire des clubs politiques. Néanmoins, leur renaissance sous la Ve République constitue un phénomène remarquable. Leur but en général n'est pas l'action politique, mais celle-ci ne leur est pas entièrement étrangère : un grand nombre d'entre eux ont participé à la campagne présidentielle et aujourd'hui des regroupements se dessinent.

Rôle des clubs et partis politiques

Les tâches capitales d'éducation démocratique et d'action civique et sociale assurées par les clubs perdraient leur sens et leur valeur si elles apparaissaient comme un moyen d'exercer un rôle politique tout en échappant aux risques de l'action politique et à la sanction du suffrage universel. Il serait vain de se dissimuler qu'il y a une ambiguïté dans le succès des clubs, et on a pu se demander si l'importance du phénomène « clubs » n'était pas révélatrice du malaise d'un certain nombre d'hommes qui sont trop politisés pour se contenter d'être des électeurs mais qui sont trop attachés à leurs responsabilités professionnelles et sociales pour tenter d'assumer la fonction d'élu et qui cherchent à orienter l'action politique non sans prendre quelque distance vis-à-vis d'elle. Et alors de mauvais esprits - dont je ne suis pas - pourraient insinuer que le club offre une solution commode à tous ceux qui sont désireux de se mouiller politiquement sans exagérément se tremper.

Il importe de ne pas confondre l'éducation et l'action civiques avec l'engagement dans la compétition politique. Rien ne serait plus éloigné du civisme que de préparer des objectifs politiques et de ne pas l'annoncer franchement!

Peut-être le destin des clubs est-il de se transformer en un nouveau parti ou de s'intégrer dans les partis existants? Le souci fort louable qu'ont les clubs d'influencer la vie politique n'impose pas, à mon sens, une évolution de ce genre qui modifierait radicalement la nature de ces groupements. D'ailleurs, quel que soit le devenir des clubs, on constate, d'ores et déjà, que certains d'entre eux ont une coloration politique et prennent, dans l'ordre politique, des positions plus affirmées que d'autres clubs essentiellement préoccupés de formation civique, positions qui toutefois n'autorisent pas du tout à assimiler actuellement leur rôle à celui d'un parti. Tout dépend du degré et de la sorte d'insertion dans la vie politique que les clubs désirent atteindre. A eux de les fixer et d'en tirer les conséquences loyalement.

H. BOURBON, *Pourquoi des clubs?*
Revue politique et parlementaire, juin 1964.

L'OPINION PUBLIQUE

L'éducation civique, « chose très nécessaire »

La place de l'éducation civique est très réduite dans les programmes, et son enseignement, confié à des professeurs chargés d'autres tâches (lettres ou histoire), est le plus souvent inexistant. La connaissance dans ce domaine n'est en définitive assurée que pour les étudiants des facultés de Droit ou des instituts d'Études politiques. La crainte de voir la passion politique ou la propagande s'introduire dans l'enseignement n'est pas étrangère à ce fait, mais cela conduit les citoyens à chercher d'autres sources d'information qui risquent d'être partielles, ou partiales.

C'est seulement après les événements de mai-juin 1968 que la réforme universitaire a permis les débats politiques à l'intérieur des facultés.

Faible extension de la presse politique

Le contenu des journaux, et cela n'est pas propre à la France, s'est progressivement réduit à une information entendue dans un sens très restrictif, exclusive de toute option politique avouée : la loi du tirage, la volonté d'atteindre toutes les couches de la population, la transmission accélérée des nouvelles réduisent les différences d'un journal à l'autre (cf. chapitre « L'information »).

Seuls quelques partis éditent leurs journaux : l'U.D.R. fait paraître *La Nation*, le parti communiste *l'Humanité*. Cependant, le genre des hebdomadaires d'opinion s'est progressivement imposé (*Express, Nouvel Observateur...*) et leur audience s'est accrue.

- *Quel nom, déjà, tu m'as dit ?*
Une famille bien française -
Dessin de Bellus.

L'O.R.T.F. et les questions politiques

Progressivement, s'est instaurée en France l'habitude d'établir une communication directe entre le Gouvernement et le pays (comptes rendus du Conseil des ministres, et surtout conférences de presse ou allocutions du Président de la République). Cependant l'Office de la Radio-Télévision française ne permettait guère à l'opposition de se faire entendre.

L'intérêt des auditeurs et spectateurs pour les émissions contradictoires s'est cependant manifesté avec clarté lors de la campagne présidentielle de 1965 et du référendum d'avril 1969, en particulier pour de très importants débats organisés par les postes dits « périphériques ».

L'Office de la Radio-Télévision française a donc organisé des émissions politiques où apparaissent les personnalités de l'opposition.

Rôle de l'information et politisation de l'opinion

Il est indéniable que le contenu des journaux s'est dépolitisé. D'une part, les journaux de partis ont connu les difficultés que vous savez : la plupart ont dû disparaître et ceux qui survivent ont perdu les deux tiers ou les trois quarts de leurs lecteurs. D'autre part, la presse dite d'information s'est largement dépolitisée : il faut souvent beaucoup de perspicacité pour discerner entre deux quotidiens régionaux lequel se situe plus à gauche que l'autre et où vont ses sympathies politiques.

Mais, à l'inverse, on enregistre le succès des hebdomadaires d'opinion; le genre s'est imposé et exerce, sur une fraction appréciable de l'opinion, une influence qui n'est pas négligeable.

Par les tirages atteints, l'influence exercée, la diffusion, c'est un élément qui s'inscrit plutôt à l'encontre de la dépolitisation. On pourrait élargir l'enquête à d'autres genres d'informations. Par exemple, la presse qui s'adresse aux adolescents ou la presse enfantine font aujourd'hui une place à l'actualité, à l'événement, au monde, plus grande que dans l'immédiat avant-guerre. C'est à coup sûr le signe d'un désir et d'une attente au-devant desquels vont les journaux, mais en même temps cette place plus grande faite à l'information éveille la curiosité des jeunes générations.

Les moyens de communication plus modernes, radio, télévision, suggèrent des constatations analogues. Par exemple, au mois de mai 1958, la vente des postes à transistors a connu un boom qui est un indice de la curiosité; en avril 1961, lors de la tentative du putsch d'Alger, on a fait la queue pour acheter les piles et regarnir les transistors. Beaucoup de citoyens tenaient à garder avec l'information un contact à peu près constant du matin jusqu'au soir. Ce sont des signes d'intérêt pour la chose publique, même s'il ne s'est pas matérialisé d'autre façon et n'a pu s'exprimer par un engagement et dans un comportement.

RENÉ RÉMOND, *La démocratie à refaire.*

Méfiance vis-à-vis de l'État

La notion même de pouvoir engendre la méfiance du Français : de façon générale, il admet difficilement que l'intervention de l'État soit nécessaire. Cet État lui reste extérieur, ennemi, bien qu'inspirant un certain respect (que l'on songe à la considération qui entoure les hautes fonctions de l'Administration), et il se l'imagine volontiers sous la forme du Leviathan [1]. A cause de ce fonds d'anarchisme et de fronde, il n'a guère de scrupule à éluder les prescriptions du pouvoir central et voit dans la liberté la possibilité d'une résistance plutôt que l'occasion d'une « participation » [2].

1. Hobbes, dans son ouvrage *Leviathan*, personnifie ainsi le pouvoir absolu de l'État.
2. Cette méfiance a de profondes racines dans l'histoire. L'organisation centralisée du pays s'est faite en violant des particularismes régionaux et elle s'oppose à l'individualisme paysan très caractéristique de la mentalité française.

Le refus

(Créon, roi qui se sent responsable de la cité, est ici l'avocat de la raison d'État, que conteste sa nièce, au nom de principes transcendants.)

ANTIGONE *secoue la tête* - Je ne veux pas comprendre. C'est bon pour vous. Moi je suis là pour autre chose que de comprendre. Je suis là pour vous dire non et pour mourir.

CRÉON C'est facile de dire non!

ANTIGONE Pas toujours.

CRÉON Pour dire oui il faut suer et retrousser ses manches, empoigner la vie à pleines mains et s'en mettre jusqu'aux coudes. C'est facile de dire non, même si on doit mourir. Il n'y a qu'à ne pas bouger et attendre. Attendre pour vivre, attendre même pour qu'on vous tue. Tu imagines un monde où les arbres aussi auraient dit non contre la sève, où les bêtes auraient dit non contre l'instinct de la chasse ou de l'amour? Les bêtes, elles au moins, sont bonnes et simples et dures. Elles vont, se poussant, les unes après les autres, courageusement, sur le même chemin... Et si elles tombent, les autres passent et il peut s'en perdre autant que l'on veut, il en restera toujours une de chaque espèce prête à refaire des petits et à reprendre le même chemin avec le même courage, toute pareille à celles qui sont passées avant.

ANTIGONE Quel rêve, hein? pour un roi : des bêtes! Ce serait si simple.

JEAN ANOUILH, *Antigone*, *Nouvelles pièces noires*. La Table Ronde.

Intérêt et réserve vis-à-vis de la politique

Le sens critique à l'égard du Gouvernement s'était transformé sous la IVe République en un véritable dégoût de toute affaire politique tant il semblait aux citoyens que leurs votes étaient inutiles et que le pays était condamné à l'instabilité ministérielle et aux intrigues de couloirs des parlementaires.

Le dégoût de la politique sous les républiques précédentes

- Oh! moi, la politique, vous savez...
- Ce n'est pas beau...
- Ça!
- Ote-toi de là que je m'y mette!
- Pauvre France!
- On lui en a fait avaler des couleuvres!

- Et de toutes les couleurs!
- A la merci d'une bande de vauriens...
- De jean-foutres...
- Qui ne songent qu'à s'engraisser...
- Qui la plument comme un pigeon...
- Et qui se foutent pas mal de nous!
- Sauf pour se faire élire.
- Après, ni vu ni connu j't'embrouille.
- Sss...
- C'est trop commode.
- Trop commode.
- Le pays peut bien crever...
- Ça...
- Ils s'en foutent!
- Il nous faudrait un homme d'État...
- Un Clemenceau.
- Il n'y a plus de Clemenceau.
- Le pays est pourri.
- Tu veux dire le régime!
- Oui, le régime, car le pays demeure sain.
- Le fond est bon.
- C'est les politiciens qui nous rongent.
- Comme le ver dans le fruit.
- Ya qu'à en supprimer les trois quarts!
- L'intérêt personnel prime tout.
- On se moque pas mal des intérêts du pays!
- La patrie a bon dos!...

PIERRE DANINOS, *Le Jacassin.* Hachette.

Aujourd'hui, les Français ne conçoivent pas qu'une telle impuissance gouvernementale puisse se renouveler. Leur intérêt pour la politique s'affirme de nouveau, surtout depuis les événements de mai-juin 1968.

Une nouvelle opinion politique

Les élections législatives de 1958, 1962, 1967 et 1968, les référendums et surtout les élections présidentielles ont en effet manifesté le refus du public de revenir aux institutions précédentes. Mais en même temps l'opinion elle-même se modifie.

Si d'anciennes oppositions subsistent toujours entre les régions (France du Nord et France du Sud, régions développées et régions attardées...) ou sur des problèmes anciens (laïcité et enseignement religieux) ou entre des courants politiques profonds (droite-gauche), une nouvelle façon de penser les problèmes politiques se fait jour. Elle fait moins de place à la passion, et plus à la technique et à l'économie et n'est pas sans liaison avec le développement des « classes moyennes ». Certes les Français continuent à penser en termes abstraits, et tiennent toujours aux valeurs du passé, mais ils s'aperçoivent que les meilleures intentions ou les plus fines analyses n'ont de sens que si elles s'inscrivent dans les faits.

l'ordre public

Assuré par la police, défini par la justice, enfin protégé par l'armée, l'ordre public résulte de l'action complexe de ces trois institutions, dont les structures et le rôle sont actuellement en pleine évolution.

LA JUSTICE

Une longue histoire

Au Moyen âge, une extrême diversité caractérisait la justice en France : au droit écrit, héritage romain, des provinces méridionales, s'opposaient les droits coutumiers des provinces du Nord ; la justice pouvait, selon le cas, être exercée par les bourgeois, l'Église, le seigneur ou le roi.

Lorsque survint la Révolution, l'unification avait déjà été amorcée. Cependant, les grandes lignes du système judiciaire français datent surtout de la codification napoléonienne.

Des modifications, des adaptations étaient de nos jours nécessaires : c'est ainsi qu'est intervenue en 1958 une importante réforme destinée à simplifier et moderniser la justice française.

Une justice administrative

Une particularité du système judiciaire français résulte de la volonté d'appliquer dans sa logique ultime le principe de la séparation des pouvoirs. Celui-ci en effet implique l'impossibilité pour le pouvoir judiciaire de juger le pouvoir exécutif. Le recours des citoyens contre les actes de l'Administration ne peut donc être assuré devant les tribunaux judiciaires. En contrepartie a dû être instituée une juridiction administrative assurée par des tribunaux spéciaux. C'est le Conseil d'État, organisme original, qui constitue la plus haute instance.

Hiérarchie des tribunaux

On distingue traditionnellement en France la justice civile de la justice pénale. La première connaît des contestations entre les particuliers, la seconde est saisie des infractions aux lois. Dans les deux cas une hiérarchie des tribunaux est organisée. La présence d'une cour suprême permet d'assurer l'unité des jugements rendus.

Les assises

... Après un peu de temps une petite sonnerie a résonné dans la pièce. Ils m'ont alors ôté les menottes. Ils ont ouvert la porte et m'ont fait entrer dans le box des accusés. La salle était pleine à craquer. Malgré les stores, le soleil s'infiltrait par endroits et l'air était déjà étouffant. On avait laissé les vitres closes. Je me suis assis et les gendarmes m'ont encadré. C'est à ce moment que j'ai aperçu une rangée de visages devant moi. Tous me regardaient : j'ai compris que c'étaient les jurés. Mais je ne peux pas dire ce qui les distinguait les uns des autres...

J'étais un peu étourdi aussi par tout ce monde dans cette salle close. J'ai regardé encore le prétoire et je n'ai distingué aucun visage. Je crois bien que d'abord je ne m'étais pas rendu compte que tout ce monde se pressait pour me voir... J'ai dit au gendarme : « Que de monde. » Il m'a répondu que c'était à cause des journaux et il m'a montré un groupe qui se tenait près d'une table sous le banc des jurés. Il m'a dit : « Les voilà. » J'ai demandé « Qui ? » et il a répété « Les journaux... » J'ai remarqué à ce moment que tout le monde se rencontrait, s'interpellait et conversait, comme dans un club où l'on est heureux de se retrouver entre gens du même monde. Je me suis expliqué aussi la bizarre impression que j'avais d'être de trop, un peu comme un intrus.

Mon avocat est arrivé, en robe, entouré de beaucoup d'autres confrères. Il est allé vers les journalistes, a serré des mains. Ils ont plaisanté, ri et avaient l'air tout à fait à leur aise, jusqu'au moment où la sonnerie a retenti dans le prétoire. Tout le monde a regagné sa place. Mon avocat est venu vers moi, m'a serré la main et m'a conseillé de répondre brièvement aux questions qu'on me posait, de ne pas prendre d'initiative et de me reposer sur lui pour le reste.

A ma gauche, j'ai entendu le bruit d'une chaise qu'on reculait et j'ai vu un grand homme mince vêtu de rouge, portant lorgnon, qui s'asseyait en

SCHÉMA D'UN TRIBUNAL (COUR D'ASSISES)

HIÉRARCHIE DES TRIBUNAUX

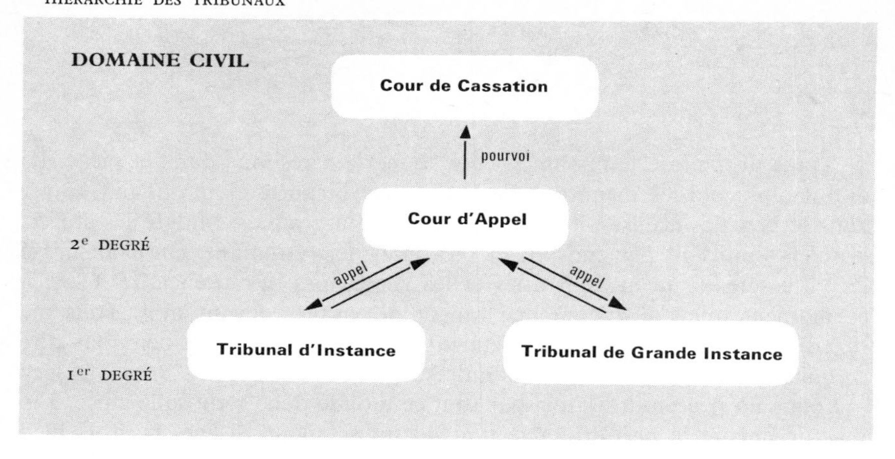

pliant sa robe avec soin. C'était le procureur. Un huissier a annoncé la cour. Au même moment deux gros ventilateurs ont commencé à vrombir. Trois juges, deux en noir, le troisième en rouge, sont entrés avec des dossiers et ont marché très vite vers la tribune qui dominait la salle. L'homme en robe rouge s'est assis sur le fauteuil du milieu, a posé sa toque devant lui, essuyé son petit crâne chauve avec un mouchoir et déclaré que l'audience était ouverte.

... Je n'ai pas très bien compris tout ce qui s'est passé ensuite, le tirage au sort des jurés, des questions posées par le président à l'avocat, au procureur et au jury (à chaque fois toutes les têtes des jurés se retournaient en même temps vers la cour), une lecture rapide de l'acte d'accusation, où je reconnaissais des noms de lieux et de personnes, et de nouvelles questions à mon avocat.

Mais le président a dit qu'il allait faire procéder à l'appel des témoins. L'huissier a lu des noms qui ont attiré mon attention.

ALBERT CAMUS, *L'Étranger*. Gallimard.

Une distinction des fonctions au sein de la magistrature

Si l'organisation administrative de la justice est centralisée par la présence d'un ministre de la Justice - ou Garde des Sceaux - la situation respective des magistrats est différente.

Les magistrats « debout » (ils se lèvent pour prendre la parole), ou magistrats du Parquet, sont chargés de requérir devant les différentes juridictions l'application de la loi au nom du Gouvernement. Ils interviennent essentiellement dans le domaine pénal. Agents du pouvoir exécutif, ils sont responsables devant lui.

Les magistrats du siège ont pour rôle de juger les causes civiles et pénales. Ils bénéficient de l'inamovibilité, garantie contre le pouvoir exécutif puisqu'il n'est pas possible au Garde des Sceaux de destituer, suspendre ou déplacer les magistrats arbitrairement.

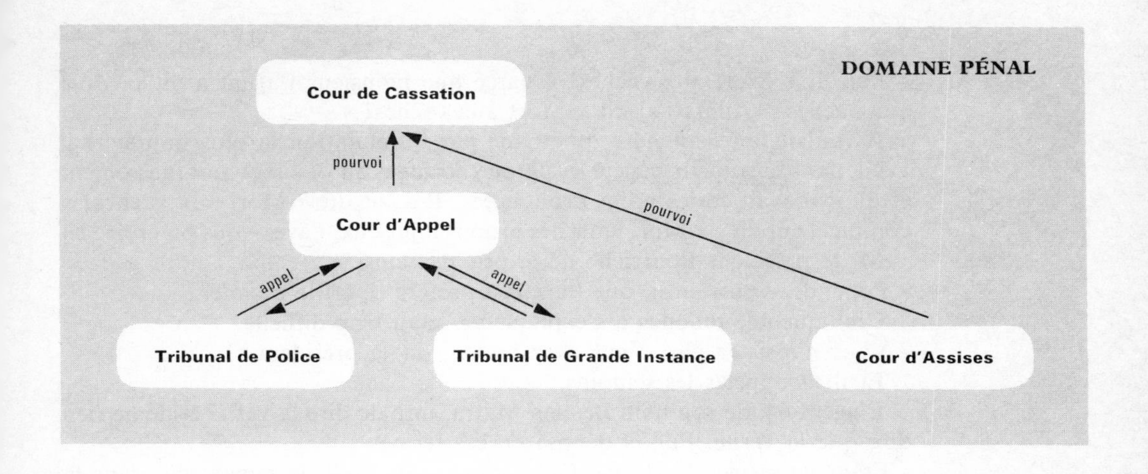

LA POLICE

Le policier, agent du Pouvoir central

Les pouvoirs de réglementation de police, c'est-à-dire de mise en application des lois, car ici encore le seul fondement de l'action est la loi, sont partagés entre le ministre de l'Intérieur, les préfets dans les départements et les régions, et les maires dans les communes, chacun disposant de compétences réglementaires en rapport avec son importance et l'étendue géographique de son autorité (cf. chapitre « Administration »). La correcte application des textes est surveillée par un corps de fonctionnaires dépendant tous du ministère de l'Intérieur. Il existe cependant, dans les très petites communes, des gardes champêtres, nommés par le maire, qui ne disposent d'ailleurs que de pouvoirs limités.

Le policier, un mal aimé

Organe de l'ordre et du Pouvoir central, il faut avouer que souvent le policier symbolise pour les Français, moins une protection, qu'une menace pour leurs libertés. Il attire - avec tous ceux qui sont amenés par leurs fonctions à surveiller l'application de la loi (inspecteurs du fisc, douaniers), ou à assurer l'ordre (surveillants dans les établissements d'enseignement, adjudants dans l'armée) - les plus nombreuses moqueries chez un peuple qui, porté à celles-ci par tempérament, est toujours prêt à braver l'autorité. Cette incompréhension froisse les représentants de l'ordre, eux-mêmes parfois portés à surestimer l'hostilité du public.

Mort aux vaches!

... Le président Bourriche consacra six minutes pleines à l'interrogatoire de Crainquebille. Cet interrogatoire aurait apporté plus de lumière si l'accusé avait répondu aux questions qui lui étaient posées. Mais Crainquebille n'avait pas l'habitude de la discussion, et dans une telle compagnie le respect et l'effroi lui fermaient la bouche. Aussi gardait-il le silence, et le président faisait lui-même les réponses; elles étaient accablantes. Il conclut :
- Enfin, vous reconnaissez avoir dit : « Mort aux vaches! »

- J'ai dit « Mort aux vaches! » parce que monsieur l'agent a dit « Mort aux vaches! », alors j'ai dit « Mort aux vaches! »

Il voulait faire entendre qu'étonné par l'imputation la plus imprévue il avait, dans sa stupeur, répété les paroles étranges qu'on lui prêtait faussement et qu'il n'avait certes point prononcées. Il avait dit « Mort aux vaches! » comme il eût dit : « Moi! tenir des propos injurieux, l'avez-vous pu croire? »

M. le président Bourriche ne le prit pas ainsi.

- Prétendez-vous, dit-il, que l'agent a proféré ce cri le premier?

Crainquebille renonça à s'expliquer. C'était trop difficile.

- Vous n'insistez pas. Vous avez raison, dit le président.

Et il fit appeler les témoins.

L'agent 64, de son nom Bastien Matra, jura de dire la vérité et de ne rien dire que la vérité. Puis il déposa en ces termes :

- Étant de service le 20 octobre, à l'heure de midi, je remarquai, dans la rue Montmartre, un individu qui me sembla être un vendeur ambulant et qui tenait sa charrette indûment arrêtée à la hauteur du n° 328, ce qui occasionnait un encombrement de voitures. Je lui intimai par trois fois l'ordre de circuler, auquel il refusa d'obtempérer. Et sur ce que je l'avertis que j'allais verbaliser, il me répondit en criant : « Mort aux vaches! » ce qui me sembla être injurieux.

Cette déposition, ferme et mesurée, fut écoutée avec une évidente faveur par le Tribunal. La Défense avait cité Mme Bayard, cordonnière et M. David Matthieu, médecin en chef de l'hôpital Ambroise-Paré, officier de la Légion d'honneur. Mme Bayard n'avait rien vu ni entendu. Le docteur Matthieu se trouvait dans la foule assemblée autour de l'agent qui sommait le marchand de circuler. Sa déposition amena un incident.

- J'ai été témoin de la scène, dit-il. J'ai remarqué que l'agent s'était mépris : il n'avait pas été insulté. Je m'approchai et lui en fis l'observation. L'agent maintint le marchand en état d'arrestation et m'invita à le suivre au commissariat. Ce que je fis. Je réitérai ma déclaration devant le commissaire.

- Vous pouvez vous asseoir, dit le président. Huissier, rappelez le témoin Matra.

- Matra, quand vous avez procédé à l'arrestation de l'accusé, monsieur le docteur Matthieu ne vous a-t-il pas fait observer que vous vous mépreniez?

- C'est-à-dire, Monsieur le président, qu'il m'a insulté.

- Que vous a-t-il dit?

- Il m'a dit « Mort aux vaches! »

Une rumeur et des rires s'élevèrent dans l'auditoire.

- Vous pouvez vous retirer, dit le président avec précipitation.

ANATOLE FRANCE, *Crainquebille*. Calmann-Lévy.

Si une certaine indiscipline se manifeste dans le comportement quotidien des Français, ces derniers n'en admettent pas moins la nécessité de faire régner l'ordre, et sont conscients au fond du rôle utile du policier, auquel les Pouvoirs publics tendent de plus en plus à accorder des fonctions de sauvegarde et d'information du public, et de prévention des accidents et infractions. Cependant depuis mai 1968, la notion d'ordre public a un caractère politique de plus en plus affirmé.

L'ARMÉE

Une armée nationale

Si la France a connu des expériences d'armée de métier (de 1815 à 1871), depuis la Révolution le système traditionnel est cependant l'armée nationale groupant tous les citoyens. Le service militaire est donc national, personnel, obligatoire et égal pour tous en durée. Celle-ci est fixée à 12 mois. D'autre part, la diminution des besoins en hommes a conduit à reconsidérer la conception du service militaire : la dispense des obligations militaires peut être accordée dans certains cas, et le service peut être accompli au titre civil, soit dans certaines branches d'activités nationales, soit au titre de la coopération technique dans les pays en voie de développement.

En dehors de ce que l'on pourrait appeler les périodes de sursaut national, une vieille tradition antimilitariste, parfois véhémente, existe en France[1].

La « grande muette »

L'armée française n'a que rarement fait entendre sa voix dans les décisions politiques. Elle s'est toujours cantonnée à son rôle technique, et ce n'est qu'au moment de graves crises que la tentation s'est manifestée pour elle d'agir politiquement. L'affaire d'Algérie, venant après la guerre d'Indochine, a été marquée par un profond déchirement moral dans l'armée, que les hésitations des gouvernements successifs et le climat particulier de la lutte conduisirent près de la révolte totale.

La crise surmontée, l'armée s'est tout entière consacrée à son adaptation aux idées nouvelles en matière de Défense nationale. La conception de la politique de défense est assurée essentiellement par le Conseil des ministres et le Conseil supérieur de Défense, qui groupe des personnalités civiles et militaires.

L'exécution de la politique est confiée à un État-Major général des Armées, groupant les armées de terre, de l'air et de mer.

La crise militaire française

... Vingt ans de guerre nous ont changés, constatait en 1959 un officier de quarante ans ; faute d'avoir reçu ses certitudes de ceux qui ont vocation de les lui donner, le soldat est devenu l'homme des remises en question. « Depuis près de vingt ans, sans comprendre ni pourquoi ni comment, la France est en guerre », déclarait de son côté à peu près simultanément l'un de ses camarades de la même génération. « Mais ceux à qui elle a remis ses armes, ceux qui meurent et qui tuent pour elle sont bien obligés de se poser des questions. » En fait, c'est au cours de ces vingt années - vingt années qui demeureront décisives dans l'histoire morale de l'armée française - qu'une révision très profonde de certaines valeurs fondamentales s'est opérée dans beaucoup de consciences militaires. Ce fut la répudiation douloureuse de certaines conventions traditionnelles, l'abandon souvent tragique de certains des postulats élémentaires dans lesquels étaient enfermées depuis plus d'un siècle les règles de la morale militaire. Ce furent

1. Cf. la chanson de Francis Lemarque, *Quand un soldat*, et surtout celle de Boris Vian, *Le déserteur*, citées par E. Marc dans *La chanson française*, Hatier, 1972, p. 28 et 39.

surtout de constants déchirements, un débat sans cesse repris autour de la détermination d'un certain nombre de devoirs essentiels. Pour beaucoup, les vieux impératifs de l'honneur militaire n'ont plus semblé aptes à répondre aux questions et aux problèmes que posa à l'armée la situation de la France dans le milieu du XXe siècle. Dans l'inquiétude et souvent dans la confusion, d'autres règles ont été recherchées, d'autres certitudes réclamées.

Sans doute cette crise morale reste-t-elle inséparable dans certaines de ses origines et dans beaucoup de ses manifestations d'une crise sociale continue et complexe dont on ne saurait sous-estimer l'ampleur. Bien plus encore cependant que les bouleversements apportés depuis la fin du second conflit mondial, dans le recrutement, les structures, le niveau et les genres de vie du corps militaire, elle constitue l'aspect essentiel de ce « malaise de l'armée » sur lequel on s'est récemment penché.

... Il est indiscutable que c'est un état d'esprit d'antitechnicisme ou tout au moins de défiance systématique à l'égard de toute idéologie à prépondérance technicienne que l'on voit bien souvent dominer la littérature militaire de la période considérée. A propos des formes présentes et des perspectives futures de la guerre nucléaire, notamment, ce n'est pas en vain non plus que l'accent se trouve si fréquemment mis sur l'importance persistante des facteurs psychologiques et des forces morales, sur la valeur permanente des antiques vertus guerrières de courage, d'endurance et d'audace. Il est indiscutable, d'autre part, que dans l'ensemble de ses attitudes et de ses comportements collectifs, le corps des officiers français n'a nullement connu au cours de ces dernières années une évolution semblable à celle qui selon certains spécialistes anglo-saxons tendait actuellement, dans les sociétés fortement industrialisées, à bouleverser les structures mentales traditionnelles de la « profession militaire ».

S'il est vrai que, par sa mentalité et par ses modes de vie, le type de militaire professionnel tend à rejoindre, dans les États-Unis d'aujourd'hui, celui de l'ingénieur ou du manager, c'est au contraire par une fidélité renforcée à l'égard des anciennes valeurs spécifiques de l' « homme de guerre » qu'il conviendrait de définir l'officier français de ces dernières décennies...

RAOUL GIRARDET, *La crise militaire française*.
A. Colin.

Une politique de dissuasion

Pour différentes raisons et après bien des débats la constitution d'une force nucléaire française a été décidée. Ce projet, qui ne vise à rien d'autre qu'à rendre trop coûteuse et dangereuse pour un adversaire une attaque éventuelle du territoire national, grâce à la puissance des armes nucléaires utilisées en représailles, bénéficie de la priorité dans les crédits accordés au ministère des Armées.

Cependant, il existe toujours des forces d'intervention traditionnelles auxquelles s'ajoutent aujourd'hui des forces de défense du territoire, destinées à assurer le regroupement des énergies au cas d'infiltrations ou de pénétration sur le sol national.

la politique extérieure

La France s'est trouvée constamment mêlée par sa position, ses aspirations et sa politique, à l'histoire du monde, bien plus souvent à titre d'acteur qu'à titre de spectateur. La politique étrangère telle que l'a conçue le général de Gaulle pendant qu'il était au pouvoir et telle qu'elle est même aujourd'hui, a été fortement marquée par ce passé.

Une digne institution : Le « Quai d'Orsay »

Dépositaire d'une très ancienne tradition, pépinière d'hommes de lettres souvent illustres (Giraudoux, Saint-John-Perse), le ministère des Affaires étrangères [1] doit faire face à une multitude de tâches complexes, et ses fonctions techniques se développent rapidement.

Le réseau des postes à l'étranger, ambassades et consulats, lui est directement rattaché.

Une volonté d'indépendance

Afin de « rétablir une situation normale de souveraineté dans laquelle ce qui est français en fait de sol, de ciel, de mer et de forces, et tout élément étranger qui se trouverait en France, ne relèveront plus que des seules autorités françaises » selon les termes employés par le général de Gaulle dans sa conférence de presse du 21 février 1966, le Gouvernement a supprimé la participation de la France à l'Organisation de l'Atlantique Nord. Cette décision est expliquée par la modification de la conjoncture internationale.

Les bons alliés ne sont pas les plus dociles

... Au lendemain de la dernière guerre, l'Europe occidentale n'existait plus ni militairement, ni même économiquement. Devant la menace que faisait peser sur elle la Russie stalinienne, sa seule garantie, l'unique espérance, résidait dans la puissance atomique américaine. L'O.T.A.N., c'est-à-dire en premier l'intégration des commandements sous l'autorité d'un général américain à la fois commandant en chef des forces alliées et commandant en chef des troupes américaines, relevant à ce dernier titre et parti-

1. Ses bureaux sont situés au quai d'Orsay à Paris, d'où son nom.

culièrement pour l'emploi de l'arme atomique du seul président des États-Unis, mettait l'Europe sous la protection américaine. Je ne critique pas, je me borne à constater une situation de fait.

La situation a, depuis, changé du tout au tout. La possession par la Russie d'une énorme puissance nucléaire a transformé le rapport des forces entre elle et les États-Unis. La renaissance économique des pays européens, la conquête par la France de l'arme atomique ont non moins transformé les rapports à l'intérieur de l'Alliance Atlantique. L'évolution, depuis la crise de Cuba, de la Russie soviétique, les préoccupations que lui crée la puissance de la Chine, l'affrontement chaque jour plus évident en Asie entre les politiques américaine et chinoise ont, eux aussi, modifié la situation. La menace sur l'Europe de l'Ouest s'est atténuée. L'Asie a pris la place de l'Europe en tant que champ clos où s'affrontent les puissants.

Par notre action, nous avons conscience de servir la paix, nous avons conscience de défendre les intérêts véritables de l'Alliance, de même que nous avons su les servir sans hésiter lors de la crise de Cuba, en faisant savoir au président des États-Unis que la France serait à ses côtés dans un conflit éventuel...

Les bons alliés ne sont pas les plus dociles. Les peuples libres et souverains sont les seuls qui acceptent de se battre. Il ne s'agit pas pour nous de ramener la France à des conceptions d'un nationalisme désuet, mais simplement de lui rendre la disposition d'elle-même. L'indépendance ne supprime pas la solidarité, mais la renforce, je dirai même la crée...

G. POMPIDOU *devant l'Assemblée nationale, 13 avril 1966.*

Une partie de l'opinion s'est violemment opposée à ces mesures, dans la pensée que, dans un monde dominé par les échanges multiples, l'indépendance parfaite n'était plus qu'un leurre.

Il n'est pas facile de discerner si de telles mesures sont l'expression d'un nationalisme étroit, ou si au contraire elles trouvent leur place dans une stratégie mondiale.

Une politique mondiale

Même si la France s'est retirée de l'organisation militaire, elle continue à faire partie de l'Alliance Atlantique, et le Gouvernement a pris soin de préciser son attachement à celle-ci. C'est-à-dire qu'elle se trouve liée par l'accord de défense signé en 1949 à Washington et qui groupe 13 États européens, les États-Unis et le Canada.

Ce traité, dit de « l'Atlantique Nord », trouvait son fondement dans l'opposition de deux blocs, l'un dominé par les États-Unis, l'autre par l'Union soviétique.

La « guerre froide » s'est aujourd'hui atténuée jusqu'à n'être plus très perceptible. Depuis quelques années, la politique française s'est nettement orientée vers un rapprochement avec l'Union soviétique.

La détente, premier pas vers l'entente

... Elles n'en sont pas moins, la Russie et la France, c'est-à-dire deux nations très anciennes et très jeunes, filles d'une même mère, l'Europe, deux peuples dont l'âme profonde s'est formée à la même civilisation et qui, de tous temps, éprouvèrent l'une pour l'autre un attrait particulier...

Je me garderai, ce soir, d'insister sur le fait que, cependant, l'Union soviétique et la France se trouvent placées chacune dans l'un des deux camps entre lesquels se divise l'univers. Tout le monde sait pourquoi et comment, mais il semble qu'on en soit au point où, de part et d'autre, on veuille chercher les moyens d'empêcher que les rivalités ne mènent à la destruction, d'établir des rapports pratiques qui ne soient pas méfiants ni malveillants et même, peut-être, de mettre en œuvre un début de coopération pour porter une aide commune à tant de peuples qui, eux aussi, aspirent à un développement moderne.

Monsieur le Président, ce que vous dites et ce que vous faites, depuis que vous avez paru au premier plan de la scène du monde, nous le notons, croyez-le bien, avec la plus grande attention. Cela nous conduit à supposer que c'est cette détente et un jour, qui sait? cette entente que visent votre politique et celle du grand pays que vous avez à conduire. S'il en est ainsi, soyez sûr que vous trouverez en la France un peuple et un État qui sont lucides, solides et résolus à travailler de toutes leurs forces à la paix mondiale et à la réconciliation internationale.

GÉNÉRAL DE GAULLE, *23 mars 1960.*
Discours prononcé à l'Élysée en l'honneur de M. Krouchtchev.

La politique de coopération

La France participe dans la mesure de ses moyens à l'effort des pays en voie de développement, dont elle a mené un grand nombre, après quelquefois des erreurs et des peines, à l'indépendance. Elle est parmi les toutes premières nations développées par le chiffre de son aide. Des voix se sont parfois élevées parmi les Français pour reprocher aux Pouvoirs publics une telle attitude, qualifiée de trop généreuse, ou même de dispendieuse. Il ne paraît pas cependant que des changements de politique puissent se produire.

Outre son aide financière, la France offre aux pays en voie de développement une coopération technique assurée soit par des jeunes soldats accomplissant leurs obligations militaires, soit par un personnel civil, sur demande des intéressés. L'essentiel des besoins se manifeste dans l'enseignement, mais on trouve également, parmi les Français de la Coopération, des administrateurs, des économistes, des ingénieurs, des agronomes...

Une famille bien française s'intéresse à la politique.

- Je ne les connais pas personnellement mais on ne peut pas ignorer indéfiniment 700 millions de Chinois.

Dessin de Bellus.

DÉPENSES D'ASSISTANCE DES PRINCIPAUX PAYS EUROPÉENS EN 1970

	BELGIQUE	DANEMARK	FRANCE	ALL. FED.	ITALIE	PAYS-BAS	SUÈDE	ROY.-UNI
Dépenses de coopération technique et culturelle en millions de dollars	**51,3**	**11,7**	**421,5**	**190,1**	**14,6**	**38,5**	**20,6**	**109,2**
dont :								
Étudiants	4,2	1,4	10,3	21,8	1,3	2,9	2,2	21,4
Stagiaires	2,3	0,6	12,4	32,9	1,3	0,3		
Experts	42,0	2,4	185,1	44,6	7,6	6,2	8,3	63,9
Volontaires	0,8	1,4	2,1	19,3	0,3	3,8	1,1	2,1
Equipement	—	—	8,4	48,6	0,8	—	0,4	3,9
Effectif total milliers	**6,5**	**1,2**	**52,3**	**27,0**	**3,0**	**2,4**	**1,9**	**29,0**
dont :								
Etudiants	1,8	0,04	8,4	8,0	1,3	1,0	1,1	7,8
Stagiaires	1,5	0,3	5,8	11,6	0,2	0,2	0,1	4,3
Enseignants	1,6	0,1	25,5	2,8	1,1	0,08	0,1	6,6
Personnel opérationnel[1]	0,6	0,3	8,9	0,9	0,2	0,07	0,1	8,3
Conseillers[2]	0,4	0,1	3,3	0,9	0,03	0,7	0,1	0,5
Volontaires	0,5	0,2	0,4	0,2	0,2	0,4	0,3	2,0

1. Payé en principe par l'administration locale à laquelle il est affecté.
2. Payés par le pays donneur.

L'AIDE FRANÇAISE AU TIERS-MONDE (1970) en millions de dollars

États indépendants					Départements et territoires d'Outre-Mer
AFRIQUE	AMÉRIQUE	ASIE	EUROPE	OCÉANIE	
236,5	13,2	20,5	5	0	
275					**146,5**

A ces aides directes s'ajoute une aide indirecte que consent la République en ce qui concerne les achats de matières premières. C'est ainsi qu'elle achète à ses fournisseurs à des prix supérieurs à ceux du marché mondial. Les interventions de la France sont, jusqu'à ce jour, consacrées essentiellement aux pays qu'elle avait autrefois sous sa souveraineté et avec lesquels elle a, le plus souvent, conservé des liens d'amitié, mais sa politique va dans le sens d'une extension de son appui à tous ceux qui le désirent.

Vers l'Europe unie?

La construction européenne, prévue par le Traité de Rome signé le 25 mars 1957 par l'Allemagne, la Belgique, la France, l'Italie, le Luxembourg et les Pays-Bas, se réalise progressivement, même si parfois se manifestent les aléas inhérents à ce genre d'entreprise. Le Marché commun, ouvert sur l'extérieur puisqu'il permet des accords d'association dont ont profité la Grèce et la Turquie déjà, conduit à l'harmonisation des politiques économiques et sociales. Pour ses promoteurs, parmi lesquels les Français n'étaient pas rares, la Communauté économique devait s'acheminer vers une communauté politique.

Le Marché commun a une signification politique

... L'intérêt du Traité de Rome est d'abord celui de la création d'un vaste marché de 170 millions de consommateurs, avec les avantages techniques et économiques que l'on peut en attendre. Les premières années d'expériences ont montré que les résultats étaient favorables. Or, pour que le Marché commun fonctionne favorablement, c'est-à-dire pour que les nouvelles possibilités se réalisent et qu'il en découle les effets économiques souhaités, il faut d'abord que l'opinion publique et notamment les divers agents économiques *croient* à la réalisation du Marché commun; et chacun n'aura cette conscience et ne fera les efforts nécessaires que dans la mesure où il aura aussi le sentiment qu'il est engagé dans une opération sérieuse, constructive, et qui ne s'arrêtera pas à moitié chemin...

... L'aspect politique est *au départ :* s'il n'y avait pas eu la volonté politique initiale, il n'y aurait pas eu de Marché commun. Ensuite l'aspect politique doit être présent de façon permanente, *en cours d'exécution :* les mécanismes retenus, même les mécanismes strictement commerciaux, impliquent pour leur réalisation des engagements et des décisions économiques; décisions économiques qui, elles-mêmes, par leur ampleur, supposent une volonté politique constante. Enfin, les aspects politiques se retrouvent *au terme final :* dans la mesure où le Traité est une réussite sur le plan économique, où il aboutit à ses objectifs, c'est-à-dire à la constitution d'un marché uni entre les Six et la transformation des six économies en une seule, il y aurait là la base la meilleure car la plus « naturelle » pour des progrès politiques supplémentaires.

Or, comme il a été souligné, si les principaux résultats pour les structures sont à attendre non du début des mécanismes mais de leur application totale, il est souvent facile de commencer, il est plus difficile de continuer, il est encore plus difficile de finir. C'est de ce point de vue que toute la construction économique, juridique et politique du Traité de Rome, qui parfois peut paraître un peu complexe ou théorique, est en fait née de l'expérience et animée par les soucis les plus concrets. C'est alors un malentendu profond de juger le Marché commun sous le seul aspect commercial ou encore de parler à son propos de la création « d'un bloc commercial »

La Communauté européenne des "Neuf"

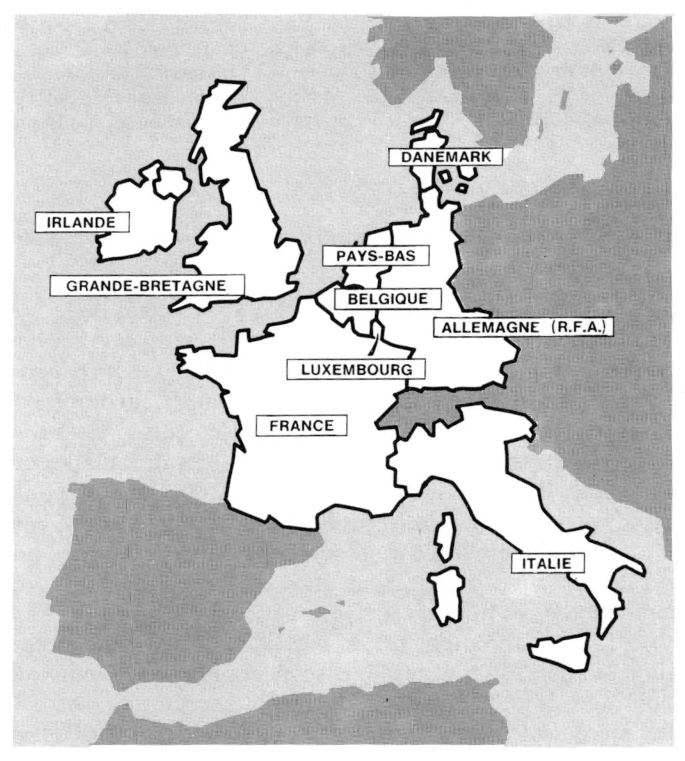

en Europe. La conception du Marché commun est en effet que les aspects commerciaux ne peuvent absolument pas être isolés des aspects économiques (qui sont la garantie de la réalisation des aspects commerciaux eux-mêmes) ni des aspects politiques que comporte l'importance de ces engagements économiques...

J.-F. DENIAU, *Le Marché commun. Que sais-je ?* P.U.F.

Cette communauté politique, que ce soit l'Europe des États, comme le pensait le général de Gaulle, ou une Europe fédérée, est dans les esprits et, selon toute probabilité, réussira tôt ou tard.

A cette Europe, qui implique la réconciliation franco-allemande, sont venus s'adjoindre la Grande Bretagne, le Danemark et l'Irlande par le traité de Bruxelles du 22 janvier 1972. La réussite économique et commerciale de l'Europe des six est une assurance pour l'avenir de la communauté élargie, dont l'unité doit se faire avant 1980.

LA COMMUNAUTÉ DES NEUF FORME UNE GRANDE PUISSANCE VIRTUELLE

1970	Communauté européenne des Neuf	Etat-Unis	U.R.S.S.	Japon
Population (millions)	**263**	**205**	**244**	**104**
Produit national brut (milliards de dollars)	**626,1**	**991,1**	**288**	**196,1**
Importations (% du total mondial)	41	13,7	4	6,3
Exportations (% du total mondial)	41,2	15,5	4,6	6,9
Production d'énergie électrique (GWh)	909 165	1 738 142	740 926	850 590
Production d'acier (milliers de tonnes)	138 943	122 120	116 000	93 322
Production d'automobiles (voitures particulières et commerciales - milliers)	9 670	6 550	348	3 079
Flotte marchande (milliers de tonneaux bruts)	77 317	18 463	14 832	27 004
Consommation d'énergie par habitant				
Usages industriels (kWh)	1 736	3 300	1 896	1 860
Autres usages	1 387	4 000	698	1 228
Au 31 décembre 1971				
Réserves de change (milliards de dollars)	50,4	13,2		15,2
Dont or	15	11,08		0,74

la vie économique

ÉLABORATION DU PLAN

Des causes diverses

Devenu aujourd'hui plan de développement économique et social, le premier plan de modernisation et d'équipement a commencé en 1946. C'est dire qu'il avait des causes purement conjoncturelles : une certaine attitude du personnel politique au pouvoir, orienté à gauche, que n'effrayait donc pas le terme de « plan » emprunté à l'Union soviétique; la nécessité de mobiliser toutes les forces de l'économie pour reconstruire certains secteurs prioritaires dévastés par la guerre : charbon, électricité, acier, ciment, machinisme agricole, transports.

Le premier plan réussit dans la tâche qu'il s'était fixée, démontrant ainsi son utilité aux yeux de l'opinion publique. Mais cela n'aurait pas suffi à expliquer le maintien d'une planification en France si celle-ci n'avait eu des causes plus profondes : peut-être l'idée même d'un plan n'est-elle pas étrangère à tout un aspect de la mentalité française : le goût de l'ordre et des constructions rationnelles? Mais, surtout depuis la grande crise économique mondiale de 1929, on ne croyait plus que les mécanismes économiques fussent infaillibles, et l'on sentait qu'il fallait prévoir les investissements, de plus en plus coûteux, dans une perspective d'ensemble, pour que leur rentabilité fût assurée.

Des techniques complexes

Élaborer des prévisions exige, sur une aussi vaste échelle, une connaissance approfondie de l'économie et des liaisons qui existent en son sein. En même temps que se déroulaient les plans, se constituait, au sein du *Service des Études économiques et financières* (S.E.E.F.) [1] et de l'*Institut national de la Statistique et des Études économiques* (I.N.S.E.E.), ce qu'on a appelé la Comptabilité nationale. Celle-ci cherche à donner une image quantitative simplifiée de l'économie : elle analyse pour cela la circulation des biens entre les producteurs et les consommateurs.

Grâce à ces informations et à des renseignements fournis par d'autres organismes spécialisés, il est possible de réaliser des prévisions cohérentes.

Un choix politique

La prévision ne détermine pas une seule voie de développement. Il faut choisir. Ce choix se réalise au terme d'un processus complexe où interviennent le pouvoir politique et différentes institutions dans lesquelles sont représentés les groupes socio-professionnels.

C'est au Gouvernement, qui conduit la politique de la Nation, de fixer les directives, mais c'est à l'Assemblée qu'il revient d'approuver le Plan qui lui est soumis, en deux temps : les options fondamentales, sans détail tout d'abord, puis le Plan développé ensuite, après le travail des corps techniques et des représentants des groupes socio-professionnels.

1. Note : le S.E.E.F. est devenu une direction, intitulée Direction de la Prévision.

Un syndicaliste au Plan

... On pourrait écrire le roman du petit syndicaliste ouvrier qui, nommé dans une commission du Plan, commission technique le plus souvent, arrive de sa province natale sans être averti des méthodes de travail, de l'exploitation des renseignements statistiques par les commissions du Plan.

En débarquant du train, le petit syndicaliste C.F.T.C., par exemple, gagne, sa valise à la main, l'hôtel de la rue Martignac. Il est tout d'abord surpris de ne pas être reçu personnellement par le Commissaire au Plan mais il s'enthousiasme d'emblée pour les travaux de la sous-commission des abrasifs à laquelle il vient d'être nommé. Tel Rastignac, il se croit « quelqu'un au Plan ». Il aura tendance à dire « à nous deux, les abrasifs » sans se rendre compte du guêpier dans lequel il est tombé.

Sa première stupéfaction provient indiscutablement du fait que, dans cette commission, il est un homme seul. En effet, les patrons, les industriels se connaissent, se tutoient, se communiquent des chiffres qu'ils ont eux-mêmes élaborés. Il est le seul à se sentir perdu.

Cependant, très vite, il posera des questions, il s'inquiétera de l'origine des statistiques professionnelles et prendra le représentant du ministère technique (le ministère de l'Industrie) à témoin.

La plupart du temps, ce fonctionnaire ne s'indignera pas. Il tiendra pour acquis le chiffre communiqué par le syndicat professionnel, sans avoir ni les moyens ni les possibilités techniques de le vérifier.

Les industriels commenceront alors à regarder avec réprobation ce jeune syndicaliste présomptueux qui en est encore à Proudhon et qui ne songe qu'à critiquer sans apporter sa note constructive à la sous-commission des abrasifs.

C'est un homme déçu qui retournera dans sa province, mais lorsqu'il sera de nouveau convoqué à une commission du Plan, il aura la même fougue que la première fois. Il comprend mal pourquoi, à deux heures de l'ouverture des travaux de la sous-commission, on lui communique un rapport technique de quatre cents pages, sur lequel il aura à se prononcer. Au cours de la réunion, il posera de nouveau des questions, mais sa balourdise, son inexpérience feront très vite que son efficacité à l'intérieur de la sous-commission sera voisine de zéro.

Alors il aura le sentiment d'une immense duperie. Il aura cautionné, par sa seule présence, une réunion de patrons et de fonctionnaires, sans avoir pu réellement participer à l'élaboration du rapport de la sous-commission des abrasifs.

Le petit syndicaliste qui était venu dans le but d'établir une planification démocratique, de toucher à l' « humain », égaré dans les problèmes techniques, aura le sentiment d'avoir déployé inutilement ses efforts, son courage incompris...

PHILIPPE BAUCHARD, *La mystique du Plan.*
Arthaud.

Cependant, l'importance des représentants ouvriers s'accroît régulièrement au sein des commissions et permet à celles-ci de jouer de mieux en mieux le rôle qui leur est dévolu. Sans doute y a-t-il parfois des heurts : c'est ainsi que la C.F.D.T. s'est officiellement retirée des commissions du VIe plan (1971-1975) parce qu'elle refusait le type d'industrialisation proposé.

APPAREIL INSTITUTIONNEL ET ADOPTION DU PLAN

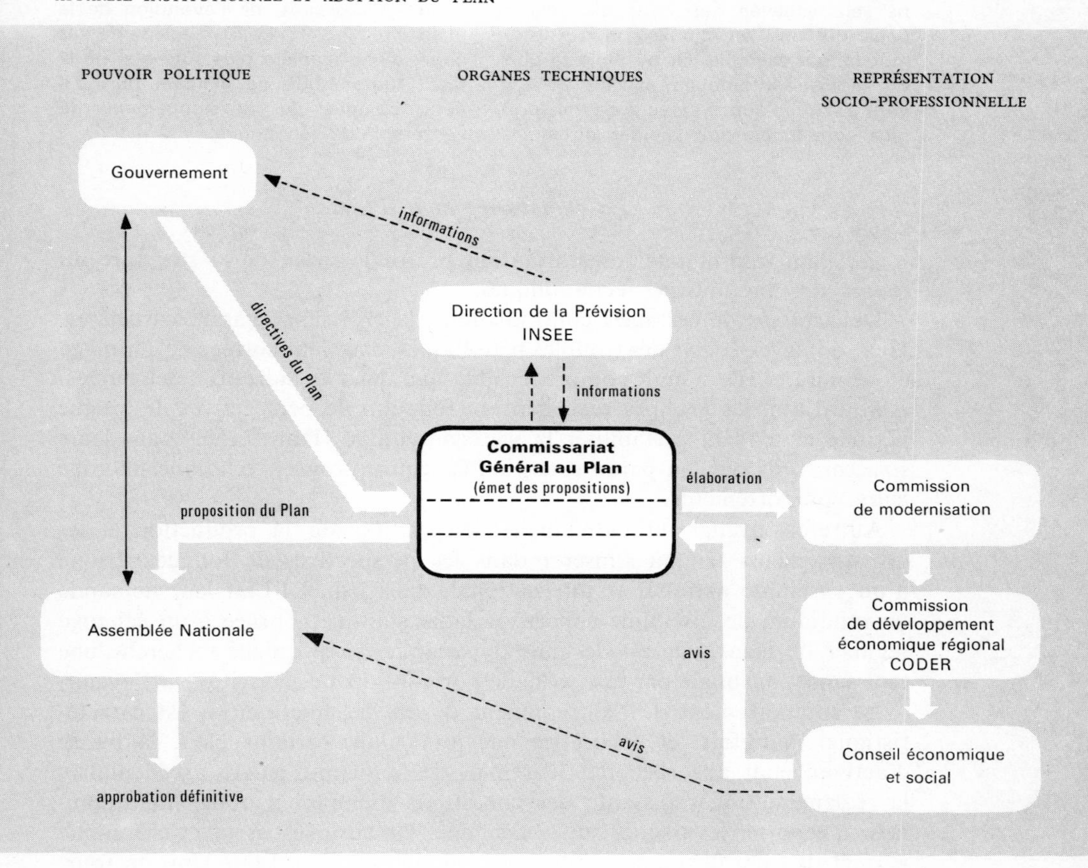

LE ROLE DU PLAN

Mais le Plan, voté par les représentants de la Nation, n'a aucune force obligatoire. Ni les chefs d'entreprises, ni même l'Administration ne sont liés par ses dispositions. (Le seul document ayant force de loi est la Loi de Finances annuelle.) De nombreuses discussions ont eu lieu pour savoir si, dans ces conditions, il existait vraiment une planification. Cependant on a pu soutenir que les objectifs déterminés par le Plan avaient tendance à se réaliser tout seuls...

La connaissance du futur probable

Pour les entreprises privées, de même que pour les Administrations, avant de décider d'un programme d'investissements, il faut savoir quel sera l'état de l'économie dans le futur : en effet, il est parfaitement inutile de construire une autoroute, qui ne sera achevée que dans dix ans, si dans dix ans on n'utilise plus l'automobile, par exemple. Or on utilisera plus ou moins l'automobile suivant qu'il y aura ou non d'autres moyens de transport plus commodes, plus rapides ou moins coûteux : train, aérotrain (cf. chapitre « Secteur tertiaire »), avion. Mais l'extension de l'avion par exemple dépend de l'extension de l'infrastructure (aéroports), des possibilités techniques nouvelles, de la production de matières premières nécessaires, de l'évolution de la main-d'œuvre, etc. Le Plan éclaire de tels choix d'une manière plus sûre que ne le ferait toute étude de marché, puisqu'il tient compte du développement de l'ensemble de l'économie.

La croissance et le Plan

... Le Plan traduit une transformation profonde sinon de la structure du moins des mécanismes économiques.

Débarrassée de certaines contradictions, la croissance paraît s'accélérer. Hier, bouleversée par des troubles périodiques, avec leur cortège de chômage et de misère, elle n'était compréhensible que dans le cadre de ces troubles. Aujourd'hui, les groupes réagissent en fonction de perspectives de longue période et tendent à stabiliser la vie économique. Transformés dans leurs structures, ils ont, en partie sous l'influence du progrès technique, modifié leurs comportements.

Autrefois aveugle et individuelle, leur action sur la production et les investissements tend à s'insérer dans les perspectives de longue période d'un ensemble national et international, dans lequel l'État leur demande un minimum de discipline collective. Jadis statique, bornée à un échange régulier de biens, elle est devenue dynamique en ce qu'elle recherche une croissance maximale par une sorte de porte-à-faux des activités sur l'avenir.

Le comportement de l'entrepreneur devant les fluctuations est caractéristique. Autrefois, et encore de nos jours dans certains pays, la baisse d'activité était absorbée par le renvoi de la main-d'œuvre excédentaire; la réglementation croissante des conditions d'emploi a obligé l'entrepreneur à reporter les risques sur la machine. Un surinvestissement chronique permet de faire face aux pointes de conjonctures. Les États-Unis en fournissent nombre d'exemples. Pour ne pas avoir à renvoyer les travailleurs, on préfère ne pas les embaucher et disposer d'un surplus de capacité. En France, le Plan, en proposant un cadre général, en traçant une évolution que chacun est censé suivre, permet de réduire la marge d'incertitude sur l'évolution future. Sans doute, les indications fournies ne sont jusqu'alors que quantitatives. Des études sur l'évolution des prix seraient hautement souhaitables. Mais dès maintenant il faut reconnaître qu'une connaissance des plans permet aux entrepreneurs et à la nation d'éviter les sous-emplois d'hommes et d'investissements...

PIERRE BAUCHET, *La planification française*. Seuil.

La cohérence des décisions de l'État

Tout naturellement, de même que les entreprises privées, l'État est porté à suivre les indications du Plan. Mais dans son cas, il apparaît qu'à de multiples occasions le Commissariat au Plan est amené à intervenir, d'où la présence de ses représentants au sein du Fonds de Développement économique et social qui assure la coordination des investissements de l'État - ou de ceux qu'il contrôle - c'est-à-dire la moitié des investissements réalisés en France chaque année.

De plus en plus, on s'efforce de coordonner l'ensemble. Depuis 1962, un rapport sur l'exécution du Plan figure dans la Loi de Finances [1]. Par ailleurs, des *lois de programme* fixent les crédits de programmes d'investissements déterminés, ceci pour une période qui peut dépasser l'année et s'accorder avec la durée du Plan (le Ve Plan s'étale sur cinq ans).

L'importance des dépenses de l'État, qui atteignent le tiers du *revenu national*, peut, dans la mesure où elles sont conformes au Plan, inciter le reste de l'économie à suivre les indications de celui-ci. L'État, au surplus, intervient à de nombreux titres dans l'économie : par ses achats (l'électronique réalise 60 % de son chiffre d'affaires avec l'Administration), par les possibilités de crédit qu'il offre, par les mesures d'incitation fiscale (il accorde certaines exonérations aux entreprises, dans la mesure où elles suivent ses directives).

Si le Plan n'inspire pas toujours les décisions de l'État, du moins, quand il les inspire, les entreprises privées sont conduites à agir elles aussi dans le même sens.

« La conscience commune du développement [2] »

En effet, dans les différentes commissions et les différents conseils, les uns et les autres apprennent à se connaître, et voient mieux l'œuvre commune en confrontant leurs projets et leurs opinions. La publicité donnée aux dispositions du Plan par les plus hautes autorités (en particulier les discours du Président de la République) permet à toute la population de se sentir concernée.

Le taux de croissance de l'économie française a été l'un des plus élevés du monde depuis que la planification a été instituée ; de 1952 à 1962, la production industrielle a doublé, alors qu'elle n'avait doublé qu'en cinquante ans auparavant.

Plus précisément, le taux moyen de croissance a été de 1,6 % entre 1870 et 1913, de 0,7 % de 1913 à 1950 (période marquée par deux guerres dévastatrices), et de plus de 5 % de 1950 à 1972, de telle sorte qu'entre ces deux dates, le produit national brut a triplé pour atteindre 1 000 milliards de francs. Une longue période de quasi-stagnation avait en effet marqué la première moitié du XXe siècle. L'existence du Plan a été liée à la croissance dans l'esprit de tous, et, compte tenu des difficultés intérieures et extérieures auxquelles la France a dû faire face depuis la guerre, le bilan semble vraiment satisfaisant.

Cependant la mise en cause de la notion purement quantitative de croissance n'a pas épargné la France.

« *Débat autour du VIe Plan* »

« Les critiques portant, elles, sur le type de développement choisi émanent pour la plupart des membres de l'opposition et des syndicats (notamment C.G.T., C.F.D.T., C.F.T.C., F.E.N. qui ont voté indirectement contre le rapport sur les options lors de la discussion de ce dernier au Conseil

1. La Loi de Finances est la loi par laquelle le Parlement approuve le projet de budget présenté par le Gouvernement. - 2. L'expression est de M. Pierre Massé, ancien Commissaire général au Plan.

économique et social). Dans l'ensemble, ces derniers se refusent en effet à « cautionner » un Plan qu'ils considèrent comme contraire à leurs options fondamentales. A cet égard, l'attitude de la C.F.D.T., la plus systématique pour le VIe Plan tout au moins, doit être rappelée. Cette confédération qui s'efforce de définir un modèle de « planification démocratique » qui lui est propre, conteste en effet l'usage des techniques de planification et leur résultat. Elle considère que le modèle physico-financier qui a servi aux projections et aux variantes n'est pas structurellement neutre, et que « construit selon la logique du fonctionnement du système capitaliste », il tend à perpétuer ce système. De même, en ce qui concerne le Plan lui-même, la C.F.D.T. estime qu'*il y a changement profond et recul par rapport aux ambitions antérieures de la planification française : il ne s'agit plus de construire notre propre modèle de civilisation, il est clair maintenant que pour une période indéterminée le Plan ne sera pas autre chose que la rationalisation des actions permettant au modèle de civilisation dominant de se développer parce que c'est, pour le moment, dans ce sens que pousse le rapport des forces sociales dont le Plan ne peut être que le reflet*, selon les termes de la lettre adressée au Commissaire général au Plan en février 1969 et signée par Eugène Descamps. Une telle attitude, bien que négative, est particulièrement intéressante dans la mesure où elle montre l'ampleur des débats dont le Plan peut être l'occasion : il pourrait permettre en effet une véritable confrontation des projets économiques et politiques des groupes sociaux, et des partis, en obligeant les systèmes proposés à la cohérence et à l'explication des résultats en fonction de contraintes claires mais différentes. »

Tendances, n° 69, février 1971.

Les planificateurs s'efforcent donc de mettre au point des indicateurs sociaux qui permettraient de comprendre mieux l'évolution réelle du bien-être.

En quelques années, et bien que la croissance reste le mot d'ordre officiel, le nombre d'experts qui s'interrogent sur sa signification a considérablement augmenté. Ce qui était en germe dans certaines contestations de mai 1968 est écrit paradoxalement dans un journal dont il pouvait apparaître que sa raison d'être était la glorification indéfinie, selon son titre, de l'expansion.

Quelle croissance?

La croissance économique a sorti la France de son malthusianisme séculaire. Elle a ouvert un champ d'action nouveau au dynamisme et à la créativité des hommes les plus entreprenants. Elle a permis un progrès matériel dont il est résulté une élévation des conditions d'existence de la majorité des Français. Elle s'est substituée, pour une part, au nationalisme militaire, au colonialisme et à l'intolérance idéologique comme ambition de la collectivité nationale. Mais on commence à mesurer le coût de ce « progrès ».

Et voilà la croissance en procès : avec la nature, d'une part; avec la société, d'autre part.

En procès avec la nature. La critique – dite écologique – de la société industrielle a été un élément capital de la prise de conscience des risques de la surcroissance, même si les travaux du Club de Rome et le cri d'alarme de Sicco Mansholt restent sujets à inventaire. On peut discuter des délais dans lesquels le danger se manifestera; on ne peut pas douter qu'il existe. Nous sommes des enfants prodigues qui dilapidons, pour des satisfactions de plus en plus futiles, les réserves non renouvelables, le patrimoine unique de l'espèce tout entière. Il suffit d'avoir un doute à cet égard pour justifier la plus grande prudence. Car aucun pari sur les progrès de la technologie ne nous autorise à jouer aux dés la survie de l'humanité. Le moment est venu de fonder un nouvel ordre public, au niveau de la planète elle-même, qui s'imposera à tous les États. Il devra comporter un inventaire permanent des ressources naturelles non renouvelables et garantir le recyclage des biens rares.

La croissance n'est pas seulement en procès avec la nature. Elle l'est, aussi, avec la société. Sous une nouvelle idéologie non moins oppressive que celles dont elle se vante de nous avoir libérés : l'idéologie de la compétition et de la richesse matérielle comme valeurs suprêmes et critères exclusifs de la stratification sociale. Elle a engendré des nuisances sociales et des frustrations, notamment en aggravant les inégalités, qui déséquilibrent, à la fois, chaque personne en particulier et le corps social dans son ensemble.

L'Expansion, mai 1973.

Il ne s'agit cependant pas de se donner pour objectif une croissance zéro, mais de ne plus se contenter de l'indicateur trompeur que peut être l'évolution du PNB, et l'on cherche aujourd'hui à définir des indicateurs sociaux qui permettent de mieux approcher la vraie finalité du développement économique, le bien-être des hommes, et de mieux interroger les citoyens sur ce qu'ils estiment être le type de bonheur collectif à atteindre.

La croissance des régions

L'inégalité de développement entre les régions est considérable (cf. chapitre « Industrie »).

Un tel état de choses parut anormal et conduisit les Pouvoirs publics à entreprendre une politique dite « d'aménagement du territoire ». Cette politique, depuis le Ve Plan, est intimement liée à la planification, qui n'est plus effectuée au seul niveau national, mais également au niveau des régions : la répartition des investissements, la politique des transports et celle des implantations industrielles sont décidées en tenant compte des impératifs d'équilibre régional. La planification dans le temps se double donc aujourd'hui d'une planification dans l'espace.

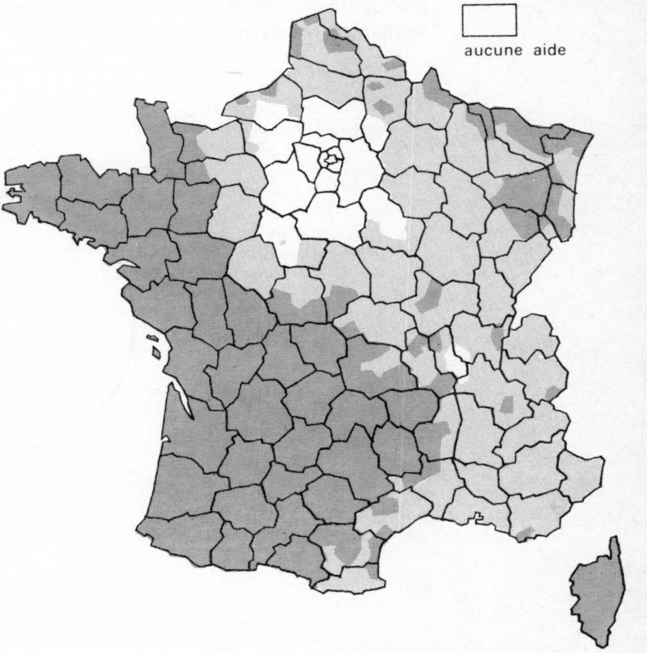

aide de l'État au développement régional

aide forte (primes de développement et allègements fiscaux)

aide moyenne ou faible (allègements fiscaux)

aucune aide

l'agriculture

LA PRODUCTION

La France est restée pendant longtemps un pays essentiellement agricole, et différentes caractéristiques politiques, économiques ou sociales du pays, s'expliquent par le mode de vie des agriculteurs et le point de vue qui est le leur. Cette prépondérance, liée à une longue tradition protectionniste, s'atténue aujourd'hui : la population active agricole décroît très rapidement : de 29 % de la population active totale en 1949, elle est passée à 12 % en 1972.

Un territoire cultivé dans sa presque totalité

Bien plus que la plupart de ses voisins, la France exploite son sol : sur les 550 000 km² que compte le territoire métropolitain, 16 % - soit 90 000 km² - seulement représentent les terres incultes ou bâties. C'est dire que toutes les parcelles qui peuvent être cultivées le sont. Le plus souvent, le paysage agricole français se caractérise par des champs de petite taille.

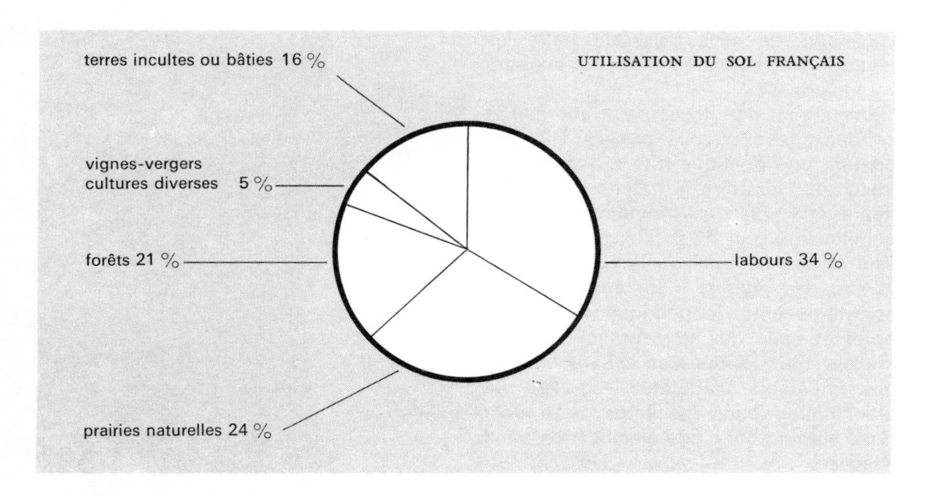

Une grande variété de productions

La valeur de la **production animale** dépasse la valeur des productions végétales, après avoir été longtemps inférieure. La production de viande de boucherie est devenue insuffisante pour couvrir les besoins d'une consommation toujours croissante.

Les volailles sont produites en quantités de plus en plus grandes et sur un mode industriel.

L'élevage bovin et ovin est également effectué pour la production de lait et de fromages (deuxième rang mondial pour ces derniers). L'extrême variété des fromages atteste le caractère original des coutumes régionales et l'intérêt gastronomique du produit dans un pays qui se targue d'apprécier la grande cuisine.

La **production végétale** se divise en trois catégories principales :

La vigne, culture traditionnelle, après avoir beaucoup souffert du phylloxera [1] au début du siècle, s'est reconstituée. Un vignoble dit « de quantité », destiné à produire avec de forts rendements des vins de qualité courante, s'est constitué dans le Midi méditerranéen, principalement dans le Languedoc. Cependant la régression de la consommation de ce type de vin en France entraîne l'extension des vignobles « de qualité » au détriment des autres : premier producteur du monde, la France augmente sa production de vins de qualité contrôlée : vins à appellation d'origine contrôlée (V.A.O.C.), vins délimités de qualités supérieure (V.D.Q.S.). Les premiers constituent le sommet de la hiérarchie et les vignobles ont leur histoire et leurs caractéristiques propres.

Les céréales : la France arrive au cinquième rang mondial pour la production de blé. Les rendements moyens augmentent régulièrement et sont particulièrement forts dans les principales régions productrices, Bassin parisien et plaines du Nord. La culture de l'orge, du maïs et du riz est en progrès constants.

Les légumes et fruits, dont la culture couvre une faible superficie, sont importants par la valeur de la production, favorisée par le climat de la France. Les fruits se trouvent surtout dans la vallée du Rhône à partir d'Avignon, dans le Languedoc et dans le Sud-Ouest. Les cultures maraîchères se répartissent dans toute la France.

1. Parasite de la vigne.

ÉVOLUTION DE LA VALEUR DE LA PRODUCTION AGRICOLE

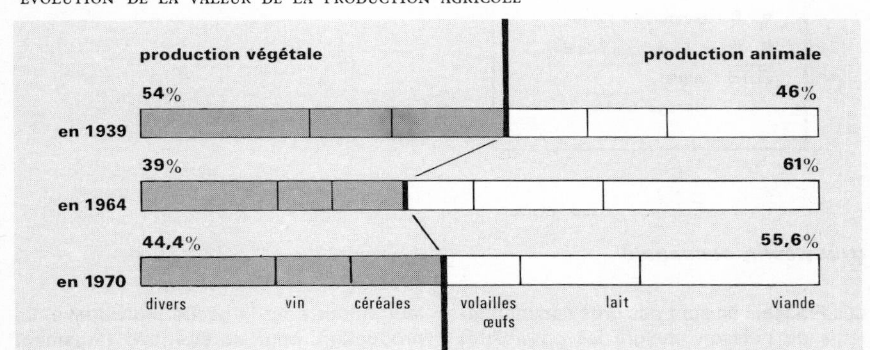

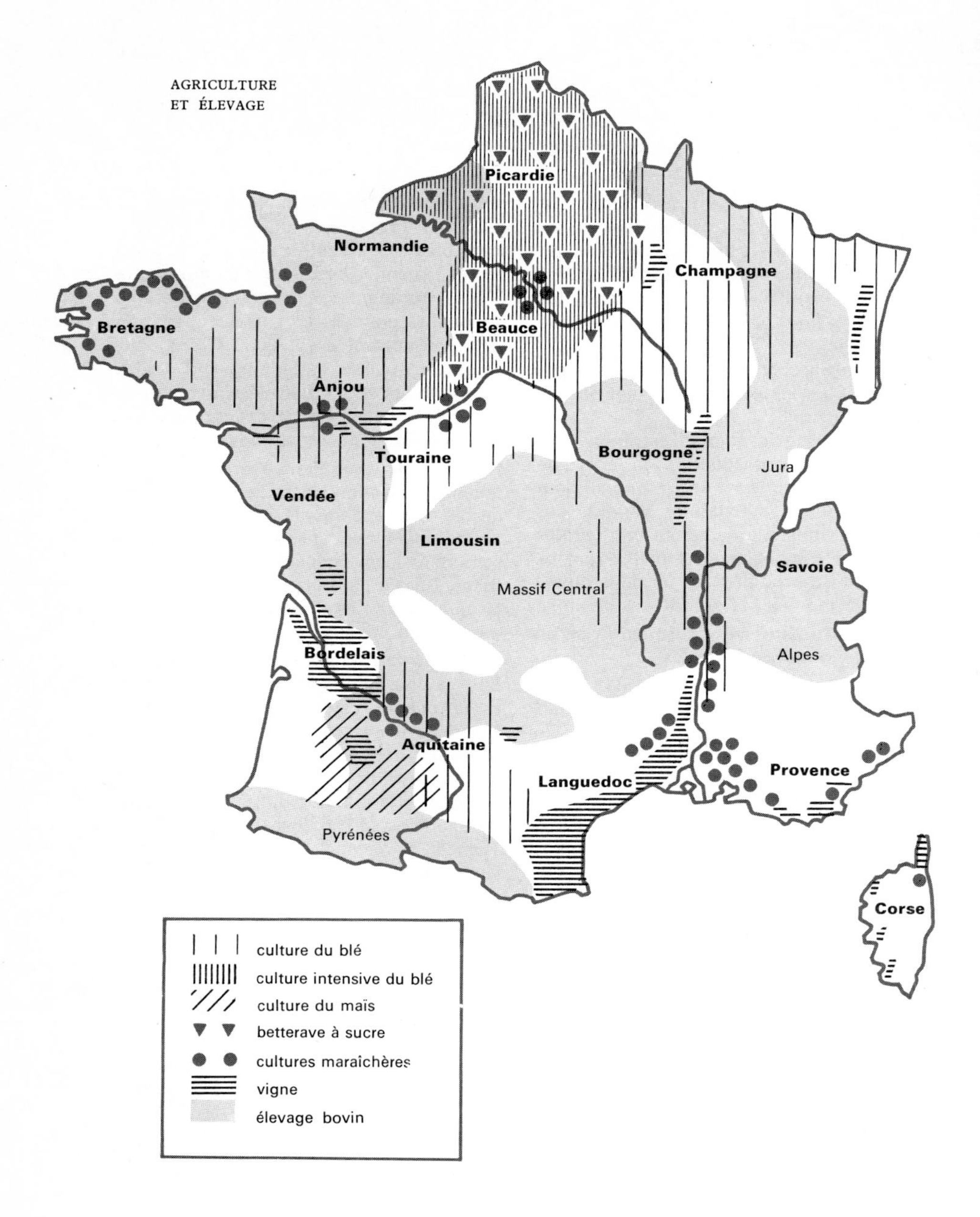

Une pêche artisanale

Les Français ne sont pas gros consommateurs de poisson, malgré les possibilités nombreuses qu'offrent les côtes et malgré leur amour pour la pêche individuelle. La production pourrait être très largement supérieure aux 420 000 tonnes annuelles.

LA MUTATION AGRICOLE

Les difficultés de l'exploitation familiale

La terre est cultivée encore par de nombreux exploitants individuels attachés à des techniques traditionnelles, mais surtout au mode de vie paysan. En témoigne le grand nombre d'exploitations de moins de 10 ha (qui ne sont pas toutes nécessairement constituées par un seul champ, mais souvent par plusieurs), et le nombre d'agriculteurs indépendants [1].

Les avantages fiscaux dont bénéficient les agriculteurs, avantages qui vont souvent jusqu'à l'exonération, ne suffisent pas à compenser les difficultés actuelles. Le rendement du secteur agricole est inférieur au rendement moyen de l'économie [2], le prix des fournitures nécessaires au paysan s'accroît beaucoup plus rapidement que le prix des produits agricoles, les successions posent chaque fois des problèmes insolubles pour éviter le morcellement [3], les modes de vie traditionnels ne satisfont plus les jeunes. Aussi, chaque année, près de 150 000 agriculteurs quittent la terre pour chercher un emploi dans les villes (cf. la chanson de Jean Ferrat p. 119).

L'exode rural

Question : Pourquoi avez-vous quitté l'école à cet âge?
Réponse : Mes parents avaient besoin de moi à la ferme. Je m'occupe de la volaille, je trais les vaches.
Question : Qu'aimeriez-vous faire?
Réponse : Suivre des cours de sténo-dactylo.
Question : Et le travail de la terre?
Réponse : C'est un métier trop dur, et puis les petites exploitations sont appelées à être supprimées...
Question : Puisque vos parents veulent que vous demeuriez avec eux, quand pourrez-vous les quitter?
Réponse : A dix-huit ans, s'ils acceptent que j'aille travailler à l'usine. Sinon en me mariant.
Question : Aimeriez-vous vous marier avec un cultivateur?
Réponse : Non, à moins qu'il n'ait la même idée que moi, de ne pas rester à la terre.
Question : Quel genre de garçon aimeriez-vous? Un ouvrier, un étudiant?
Réponse : Oui, un ouvrier.
Question : Pourquoi vous semble-t-il que la vie d'ouvrier est mieux que celle de paysan?
Réponse : Parce que l'on a moins de risques. Le salaire vient quand même au bout du mois, alors qu'en étant paysan on a des risques et on n'est pas sûr de l'argent que l'on aura au bout du mois...

JACQUES DUQUESNE, *Les 16-24 ans.*
Le Centurion.

1. 1 600 000 agriculteurs emploient 1 900 000 travailleurs familiaux et 330 000 salariés seulement.
2. Les agriculteurs qui représentent 12 % de la population active fournissent 5,7 % du produit national brut.
3. La loi française accorde des droits égaux à chacun des enfants.

L'extension de la coopération agricole

Les agriculteurs, souvent rétifs devant l'association, ont compris peu à peu qu'il convenait d'unir leurs forces. C'est ainsi que se sont constituées des coopératives d'approvisionnement, de stockage, de transformation, de distribution des produits, qui permettaient à ces agriculteurs, tout en conservant une gestion individuelle, de se trouver moins faibles devant leurs fournisseurs et leurs acheteurs, généralement mieux organisés qu'eux.

Mais il fallait aussi étendre la prise de conscience à l'exigence d'une gestion rationalisée : sous l'impulsion le plus souvent des *cercles de jeunes agriculteurs,* des regroupements ont été opérés pour constituer des C.E.T.A. (Centres d'Études Techniques Agricoles) où une vingtaine d'agriculteurs discutent de leurs problèmes avec un technicien agricole, ou des C.U.M.A. (Coopératives d'Utilisation du Matériel Agricole) qui achètent l'équipement agricole, nécessaire mais individuellement non rentable, et le mettent en commun. Ainsi l'agriculture s'industrialise.

La subordination de l'agriculture

Malgré tout, et surtout quand ils restent isolés, les agriculteurs sont menacés par la pauvreté ou par la subordination. Industriels, fournisseurs ou clients de l'agriculture, tendent à dominer celle-ci.

L'agriculture dominée

... Les artisans ruraux ont été les premiers à disparaître. Avec le déclin des modes artisanaux de production agricole, s'effacent les conditions qui justifiaient le caractère artisanal du négoce.

Nous en sommes là : acheteuse de plus de trois millions de tonnes d'aliment pour le bétail, l'agriculture est maintenant cliente de la grande industrie. Seulement l'agriculteur n'est pas en lui-même un client « sérieux » : comprenons qu'il n'achète pas autant d'aliment (pour conserver ce même exemple) qu'il ne pourrait. Qu'à cela ne tienne : on lui fournit poussins, poulaillers et aliment, puis on lui rachète les poulets qu'il a su produire sur les indications du technicien appointé par la firme d'aliment. Le voilà « intégré » et cette intégration est la source d'une inquiétude profonde dans les milieux paysans. Ils craignent en effet que les firmes intégrantes, contrôlant l'approvisionnement des exploitations et la commercialisation de leurs produits, contrôlent en définitive l'exploitation elle-même et confisquent à leur profit la liberté des producteurs. Des exemples américains ou italiens sont là pour nourrir ces alarmes.

Mais on peut penser que ce schéma n'est ni inéluctable ni maléfique.

Il n'est pas inéluctable parce que, de même qu'ils ont su créer des « syndicats » pour acheter des engrais, et un système de financement mutualiste, les agriculteurs peuvent créer des firmes coopératives pour la fabrication de l'aliment du bétail et pratiquer une intégration coopératiste.

Il est loin d'être maléfique, du moins dans un premier temps, puisque, outre qu'il procure un revenu additionnel, c'est un moyen efficace de faire acquérir aux producteurs une technicité nouvelle. Au reste, c'est précisément parce qu'ils n'avaient pas cette technicité, qu'ils n'étaient pas, généralement, en mesure d'être des « bons » clients, que le processus d'intégration est né. Il s'est développé principalement pour la production avicole (œufs et poulets), la première où l'industrialisation fût techniquement possible, et pour l'aliment du bétail, marché très important que de très puissantes firmes internationales se disputent. Ce marché va d'ailleurs continuer de s'étendre avec l'industrialisation de la production de porcs, de lait et de bovins. Est-ce à dire que l'intégration telle qu'elle est actuellement pratiquée va simultanément se développer?

Ce qui intéresse les producteurs d'aliment ce n'est pas de contrôler l'agriculture, c'est de vendre le plus possible de leurs produits, au risque d'ailleurs de provoquer la surproduction. Risque dont ils prennent une part quand, dans le cadre de l'intégration que nous avons décrite, ils s'engagent à commercialiser les produits obtenus. On ne voit pas pourquoi ils continueraient à assumer cette part du risque s'ils avaient affaire à des agriculteurs compétents et dynamiques.

Si donc se constituent ces ateliers de production modernes dont nous avons vu qu'ils répondaient à la fois à des nécessités techniques et aux désirs des agriculteurs, on peut penser que l'intégration telle qu'elle est actuellement pratiquée, avec une certaine mise en tutelle des producteurs, fera place à une nouvelle forme de liaison contractuelle beaucoup plus proche des contrats de « sous-traitance » pratiqués dans l'industrie.

MICHEL GERVAIS - CLAUDE SERVOLIN et JEAN WEIL
Une France sans paysans. Seuil.

L'aménagement des structures agricoles

Sous l'impulsion de l'État, diverses institutions ont été prévues pour améliorer la dimension des exploitations agricoles et favoriser le passage d'une agriculture traditionaliste à une agriculture dynamique et rentable : en particulier les sociétés d'aménagement foncier et d'établissement rural (S.A.F.E.R.) doivent assurer une redistribution et un aménagement du sol cultivable par constitution de réserves foncières.

Un fonds spécial permet d'attribuer des suppléments de retraite aux vieux agriculteurs disposés à céder leurs exploitations pour favoriser l'aménagement foncier.

Enfin, on encourage le remembrement, le regroupement d'exploitations agricoles, on décourage les cumuls d'activités agricole et non agricole, ou les cumuls d'exploitations.

A l'heure du Marché commun, l'agriculture française est appelée à connaître encore de grands changements.

l'industrie

L'INDUSTRIE N'EST PAS RÉGULIÈREMENT RÉPARTIE EN FRANCE

Le déséquilibre régional

La carte de France peut être séparée en deux zones de superficies à peu près égales, par une ligne droite Le Havre/Marseille. Les régions situées à l'ouest de cette ligne produisent 30 % de la production industrielle, les régions situées à l'est 70 %. Parmi ces dernières, la région parisienne assure à elle seule 25 % de la production totale.

Le Nord : les houillères (plus de la moitié de la production française) ont suscité le développement de la région : carbochimie, sidérurgie, industries mécaniques, qui s'ajoutent aux industries textiles de vieille tradition et à l'industrie du verre (73 % de la production française).

La Lorraine : la proximité de charbon et de minerai de fer explique la prééminence de cette région sur celle du Nord dans la production nationale de fonte et d'acier.

Paris : le cinquième de la population, groupé sur 2 % du territoire, réalise le quart de la production nationale, notamment dans le domaine des industries de transformation (automobile, électroménager, etc.).

Lyon/Saint-Étienne : la vieille industrie de la soie trouve un prolongement dans celle des textiles synthétiques, en même temps que se développe la chimie. La sidérurgie reste importante autour des bassins houillers.

Les Alpes : c'est là, près des sources hydrauliques d'électricité, que s'est établie l'industrie de l'aluminium, principalement dans la Maurienne (vallée de l'Arc).

Un certain nombre de concentrations industrielles, quelquefois très importantes, se trouvent aux alentours des grands ports : Le Havre/Rouen sur la vallée de la Seine, Saint-Nazaire à l'embouchure de la Loire, Bordeaux sur la Gironde et surtout Marseille, avec l'important port pétrolier de Lavéra et le futur centre industriel du golfe de Fos.

Témoignage de l'histoire industrielle du pays

Au XIXe siècle, c'étaient la présence et l'exploitation de gisements de charbon et de minerai de fer qui imposaient le choix de l'implantation industrielle. Toute la métallurgie lourde, grâce à laquelle s'est effectué le « démarrage » économique français, s'est donc trouvée fixée dans la région du Nord. La diversification actuelle de l'économie, utilisant des formes d'énergie plus facilement transportables et moins localisées comme l'électricité (qui peut en outre, grâce à l'énergie atomique, être fabriquée aujourd'hui n'importe où), le recours à de nouveaux métaux comme l'aluminium, l'augmentation de la complexité et de la valeur des produits pour lesquels la qualité de la main-d'œuvre devient plus importante que le coût de transport des matières premières, font que les servitudes physiques pour l'implantation des industries deviennent moindres.

Cependant la localisation des industries dépend du réseau que dessinent les transports intérieurs. Or le chemin de fer réalisé à partir de Paris au XIXe siècle est à l'image des routes qui convergèrent de tous temps vers la capitale; le réseau intérieur navigable fait lui aussi apparaître la prééminence de celle-ci, seulement contestée par la région du Nord (cf. chapitre « Secteur tertiaire, les transports »).

L'abaissement des coûts de transports maritimes permet la constitution de complexes industriels autour des ports : cette « industrialisation du bord de l'eau » est concentrée dans trois zones principales : Dunkerque-Gravelines, Le Havre, Marseille-Fos.

Un aménagement industriel du territoire

L'État s'efforce, par des mesures multiples d'encouragement et notamment par le versement de subventions ou l'offre d'exonérations fiscales, d'attirer les entreprises dans les régions les plus défavorisées. Les collectivités locales, communes ou départements, participent à l'effort, en créant l'infrastructure nécessaire à l'établissement d'une zone industrielle dans un lieu déterminé.

Modifier la carte industrielle

... Modifier la carte industrielle d'un pays n'est pas une tâche facile. Une usine existante ne se déplace pratiquement pas à moins qu'elle n'y soit contrainte par une raison de force majeure. Agir sur les créations d'établissements ou les extensions d'usines, est une forme d'aménagement qui ne peut s'accomplir que dans l'expansion. Que survienne un ralentissement de la croissance économique, ou une stagnation, et la réalisation de cet aménagement est compromise. D'autres formes d'intervention doivent alors être utilisées, comme le soutien sélectif à certaines régions ou branches d'activités. Il sera ensuite difficile de modifier la carte industrielle car les investissements existants constituent des points de fixation pour les équipements nouveaux et il est généralement plus économique d'augmenter la puissance d'une installation que de construire une unité distincte.

Une usine se modifie d'ailleurs perpétuellement, se modernise par étapes, et le remplacement d'un de ses éléments s'accompagne souvent d'un développement de la capacité de production. Enfin, même dans le cas de création de nouveaux établissements, il est commode pour l'entreprise de grouper ses unités de fabrication dans une aire géographique relativement restreinte.

A l'heure actuelle, de nombreuses unités de production s'installent chaque année dans le pays. Dans quelques décennies, leur potentiel de production sera largement supérieur à celui de notre industrie d'aujourd'hui.

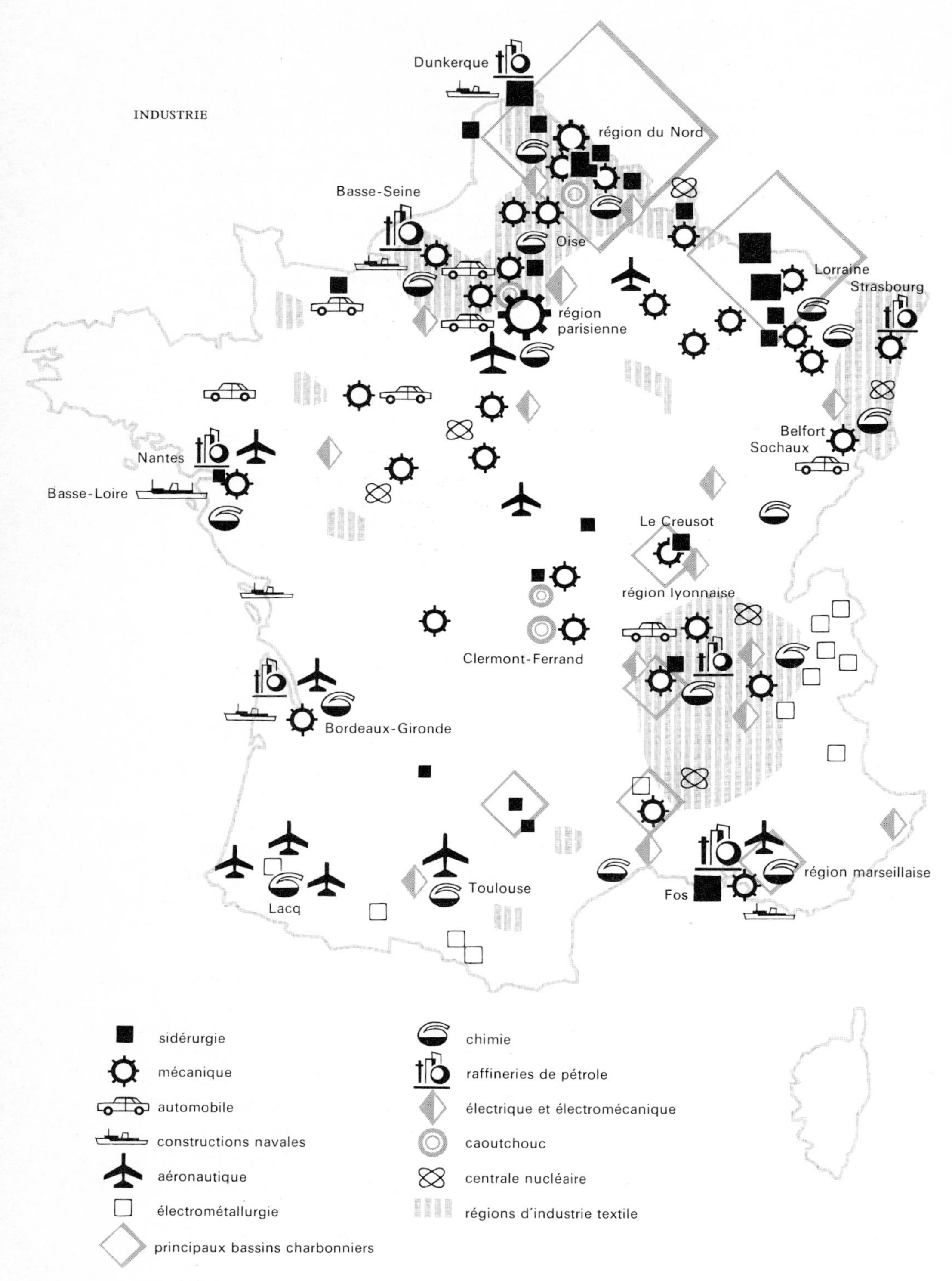

INDUSTRIE
Dunkerque
région du Nord
Basse-Seine
Oise
Lorraine
Strasbourg
région parisienne
Nantes
Basse-Loire
Belfort
Sochaux
Le Creusot
région lyonnaise
Clermont-Ferrand
Bordeaux-Gironde
Lacq
Toulouse
Fos
région marseillaise
sidérurgie
mécanique
automobile
constructions navales
aéronautique
électrométallurgie
principaux bassins charbonniers
chimie
raffineries de pétrole
électrique et électromécanique
caoutchouc
centrale nucléaire
régions d'industrie textile

Il faut prévoir dans quelle mesure ces usines pourront s'installer hors des zones déjà surchargées, et garder à l'esprit quelques principes économiques simples. Certains sont moins contraignants qu'autrefois, tandis que d'autres gardent toute leur importance. Une liberté croissante d'implantation est possible quant à l'approvisionnement en matières premières et en énergie. Il est rare qu'une activité ait une localisation physiquement imposée; c'est certes le cas pour les industries extractives, dont l'existence est liée à la présence d'un gisement minéral. Mais en dehors de telles limitations, aucune contrainte physique n'interdit, en général, l'installation d'une unité de production dans telle ou telle zone.

OLIVIER GUICHARD, *Aménager la France.* Laffont-Gonthier.

La décentralisation n'est pas aussi facile pour toutes les industries. Les plus grandes réussites semblent concerner les industries électroniques (régions de Dijon, de Grenoble, diverses villes de l'Ouest), aéronautiques (région de Toulouse), automobiles (régions de Rennes, de Caen, du Havre), et bien entendu atomiques (Marcoule, Pierrelatte, Chinon). En même temps, les nouvelles usines s'efforcent de définir une nouvelle esthétique industrielle : abandonnant les grandes concentrations humaines et économiques, elles cherchent à ne pas détruire l'harmonie de l'environnement naturel lorsqu'elles s'installent dans la campagne. Les conditions de travail y sont améliorées et, outre la main-d'œuvre locale, il n'est pas rare que les entreprises puissent faire venir du personnel, plus particulièrement des cadres, des vieilles régions industrielles vers les nouvelles implantations, pour peu que celles-ci se fassent dans des régions touristiques : les perspectives de loisirs agréables et variés (cf. ce chapitre) peuvent en effet de plus en plus déterminer des changements de domicile. Ainsi s'améliore la mobilité de la main-d'œuvre traditionnellement attachée à son lieu de séjour habituel.

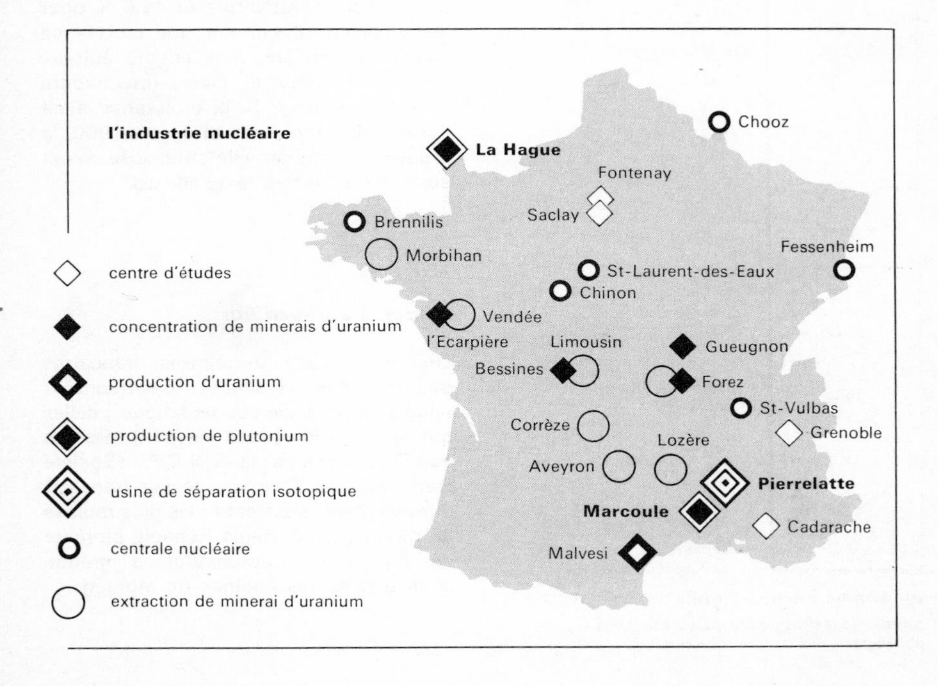

LA VOIE DIFFICILE DE L'AVENIR

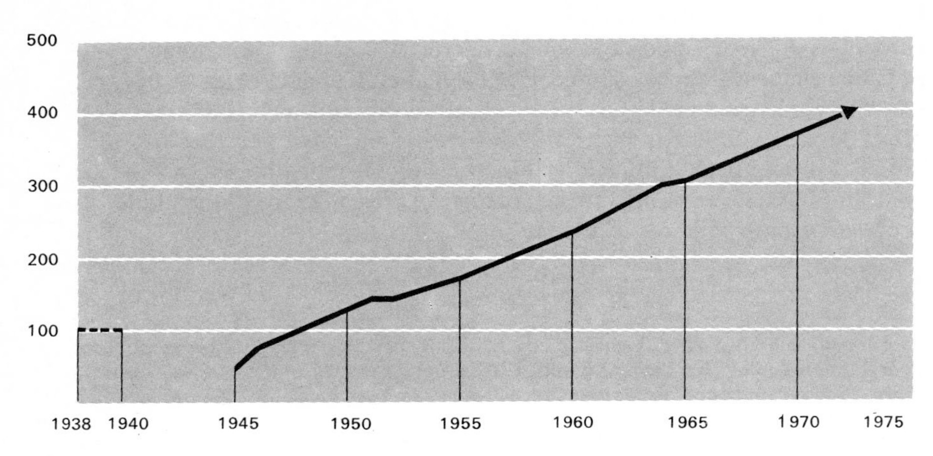

indice général de la production industrielle (1938 = 100)

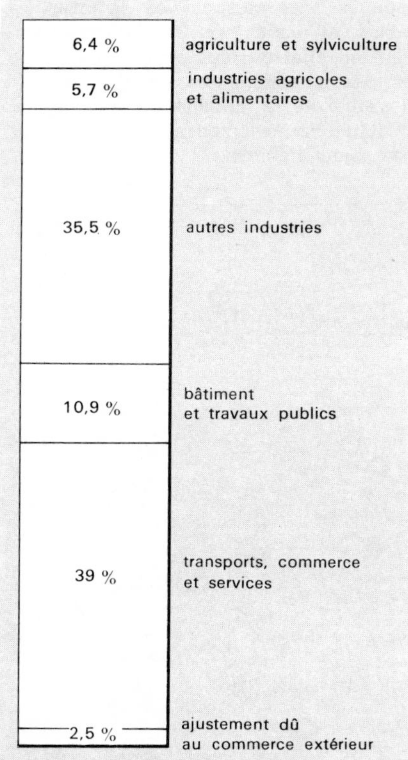

production intérieure brute

pourcentages des principales branches d'activité

Le secteur industriel est le plus productif

Le secteur industriel, qui emploie 39 % de la population active, fournit approximativement la moitié du produit national brut (plus précisément en 1971 47,7 %, contre 5,7 % pour l'agriculture et 46,6 % pour les services). Il connaît une croissance rapide et régulière, plus encore aujourd'hui qu'au début du siècle (cf. chapitre « Planification »). Si la croissance avait eu lieu au rythme actuel depuis 1900, la production industrielle française serait aujourd'hui 30 fois ce qu'elle est.

D'hier à aujourd'hui

De nombreuses entreprises françaises peuvent être qualifiées d'entreprises-pilotes au point de vue technique : celles qui sont nationalisées ne sont pas les dernières, comme la S.N.C.F. (Société Nationale des Chemins de Fer français) dont les trains sont parmi les plus rapides du monde. Ou la Régie Renault, pionnier en France de l'automation à grande échelle dans ses chaînes de montage.

Les réussites de la Caravelle attestent également la vitalité de l'industrie française.

Parfois apparaît cependant une sorte d'essoufflement : la recherche industrielle doit être partiellement suscitée par des commandes de l'État pour les programmes militaires (fusées et force de frappe) ou civils (en particulier la recherche nucléaire et ses implications électroniques), ou aidée par des subventions ; les investissements publics doivent compléter ou même se substituer à ceux du secteur privé pour assurer l'avenir en maintenant un taux d'investissements suffisant. Depuis 1950, la part de ressources consacrées aux investissements a augmenté pour atteindre le quart du produit national brut.

Le profit n'a pas bonne réputation et il ne donne pas bonne conscience à ceux qui le réalisent. Un ancien réflexe, venu du modèle de comportement offert par la noblesse d'Ancien Régime, fait encore préférer la dépense à la production et n'est contredit que par l'esprit d'épargne, venu peut-être du fonds paysan. L'esprit d'entreprise n'y trouve pas son compte, et les hautes carrières administratives attirent sans doute encore l'élite plus que les carrières industrielles ou commerciales.

Le poids du passé

... Il est important au plus haut point de comprendre que des attitudes héritées de l'Ancien Régime exercent une influence déprimante, sous trois formes principales. Les classes bourgeoises ont emprunté au passé ses jugements sur les rôles dans la société : les professions libérales, les hautes fonctions publiques ont été prisées et recherchées au détriment de l'industrie et du commerce. Puis l'achat de terres a continué de « qualifier » un homme ou une famille. Pour conquérir le prestige social, le bien foncier était préféré à la gestion hardie de l'usine. « Vivre noblement » paraissait aux élites plus alléchant que « travailler utilement ». Les dépenses pour le « train de vie » minaient les dépenses de « mise en valeur ».

Enfin les objectifs de la production et l'idéal des producteurs sont un peu déprisés, ce qui se combine avec la propension à spéculer, l'exportation de capitaux à l'étranger, l'attitude de grippe-sou chez les petits et le respect de l' « aurea mediocritas [1] » dans les classes moyennes. Les emprunts ottomans et russes [2] sont de triste mémoire. L'habitude de « se retirer » avec une rente suffisante et un petit patrimoine, où les rentes sur l'État tenaient une grande place, diminuait la force de travail, les ressources en capacités d'entreprise et le montant des investissements productifs. Thésauriser ou « placer » au lieu de bâtir des usines nouvelles pour loger les machines les plus modernes : c'est une recette de stérilisation.

FRANÇOIS PERROUX, *La France d'Aujourdhui*,
Hatier.

1. Aurea mediocritas : médiocrité dorée (expression d'Horace) : condition moyenne, satisfaite d'elle-même.
2. Emprunts ottomans et russes : emprunts qui, lancés en France sous la IIIe République, ruinèrent en partie l'épargne française, après la guerre de 1914-1918.

Pourtant cet état d'esprit a tendance à disparaître en même temps que la petite entreprise qui en était le corollaire.

La tendance à la concentration des entreprises

Il existait déjà en France de nombreuses liaisons financières, qu'avait illustrées dans l'entre-deux-guerres le mythe des « deux cents familles [1] ». Cependant, la dimension des entreprises françaises restait modeste. L'évolution actuelle va dans le sens de la concentration des entreprises soit par fusion, soit par disparition des plus petites : de 1966 à 1971, le nombre des établissements employant plus de 1 000 salariés est passé de 550 à 813, alors que le nombre total d'établissements, de toutes tailles confondues n'a augmenté que de manière modérée.

La vogue des concentrations

... Les faire-part de mariage pleuvent. Que la famille soit chimique, sidérurgique, alimentaire, automobile, bancaire, etc., qu'il s'annonce par des chuchotements ou qu'il éclate comme une bombe, le même phénomène s'inscrit à une allure de plus en plus rapide sur le livre de bord de l'industrie française : on fusionne, on signe des accords, on concentre les activités. Dans l'histoire économique de notre pays, l'année 1966 marquera le vrai départ du grand rajeunissement de l'appareil de production. Ce brusque déclic n'a rien de mystérieux. On serait plutôt embarrassé de choisir, parmi les causes de cette mutation, celles qui sont déterminantes et celles qui restent accessoires.

La vague de fond est certes alimentée depuis des années par la construction du Marché commun. Le premier ébranlement remonte maintenant aux environs de 1956 où l'industrie française comprit que la politique de libération des échanges avait des chances de se prolonger et de s'amplifier au sein d'une union douanière des Six en gestation. Le développement contre vents et marées de la C.E.E. aida les chefs d'entreprises à comprendre qu'une dimension nouvelle devait décidément être introduite pour apprécier les marchés futurs et les investissements. Dans cet ordre d'idées, l'accord

1. Les « deux cents familles » étaient, dans la période qui a séparé les deux guerres, le symbole des puissances d'argent. Il s'agissait des familles ayant un revenu plus élevé que le reste de la population, entre lesquelles on supposait une entente constante.

réalisé entre les Six pour faire tomber les dernières barrières douanières le 1er juillet 1968, c'est-à-dire un an et demi avant la date prévue à l'origine, ne peut qu'encourager les réformes structurelles de notre économie.

Dans le même sens vont évidemment les négociations Kennedy, qui, même si elles ne produisent pas tous les fruits qu'en attendait son inspirateur, aboutiront à exposer un peu plus les producteurs français. Ceux-ci avaient cru pouvoir se rassurer après la signature du traité de Rome en pensant qu'une nouvelle « chasse gardée » agrandie s'ouvrait pour eux. Le flux d'exportations, largement dirigé surtout vers les voisins de la C.E.E., montre assez que l'on s'intéressait bien davantage à son « prochain le plus proche » qu'aux acheteurs lointains, parce qu'au fond on voyait d'abord dans le marché comme un nouvel espace protégé contre les vents violents du grand large. Les industriels français n'ont pas attendu la reprise des négociations Kennedy pour déchanter. Sans doute, si l'on abaisse trop le tarif extérieur commun des Six, les produits américains risquent d'envahir nos marchés, mais déjà les économies du Vieux Monde sont « investies » de l'intérieur par des firmes américaines.

Cette arrivée en masse (globalement l'effet se dilue certes, mais dans certains secteurs la « colonisation » est visible) des acheteurs américains d'entreprises européennes n'a pas peu contribué non plus à pousser les hommes d'affaires français dans la voie des concentrations. Parce que l'adversaire commercial étranger exerce ses talents sur notre terrain, on saisit mieux les rapports de forces, on s'aperçoit avec un certain effroi que l'écart de puissance n'est pas en réalité de 1 à 2 ou de 1 à 5 - si l'on compare la taille des usines - mais de 1 à 10, voire 50, si l'on juge - ce qui est plus rationnel - sur la capacité d'autofinancement...

PIERRE DROUIN, *La nouvelle stratégie industrielle. Le Monde*, 21 septembre 1966.

Le goût de la prouesse technique

Nombre d'observateurs ont estimé que les industriels français ne savaient pas toujours très bien vendre mais qu'ils aimaient la prouesse ou la perfection technique. Même si cette affirmation n'est pas tout à fait exacte, il faut bien dire que des efforts considérables sont souvent faits dans différents domaines pour atteindre des techniques « de pointe » ou pour produire des biens de conception avancée. On peut par exemple penser aux recherches entreprises dans le domaine des transports urbains et interurbains (métro sur pneus, monorail, aérotrain...), de certains composants électroniques, de la réception et de la reproduction des images (télévision en couleur, cristaux liquides), ou encore au projet franco-britannique de construction de l'avion Concorde.

La naissance du Concorde

« Le programme Concorde a officiellement dix ans. Le 29 novembre 1962, les gouvernements français et britannique signaient en effet à Londres l'acte de naissance du premier avion de transport civil, dans le monde, à dépasser la vitesse du son. Depuis, l'aventure - car c'en est une - a continué tant bien que mal avec, parfois, la menace de l'un ou l'autre des partenaires de briser l'accord. Avec, aussi, de bonnes surprises pour les responsables, comme les performances techniques de l'avion, qui se sont révélées supérieures à celles que les ingénieurs espéraient, et de moins bonnes, comme l'addition financière qui n'a cessé d'augmenter.

Les industriels, toujours confiants, parlaient d'abord de 150 à 170 millions de livres (environ 2 milliards de francs de l'époque) pour les frais d'études et de recherches, qui sont partagées par les deux pays. Mais, en mars 1969, quand le premier prototype vole, on en est déjà à 730 millions de livres (soit 9 500 millions de francs). En octobre 1970, on totalisait 825 millions de livres (de l'ordre de 10 720 millions de francs), soit cinq fois plus cher que prévu auparavant. Aujourd'hui, après dix ans, on avance prudemment le chiffre de 970 millions de livres (11 640 millions de francs), mais on laisse entendre que ces dépenses, une fois le programme d'études et de recherches achevé, se situeront aux alentours de 14 milliards de francs.

Il est vrai qu'entre-temps, Concorde a pris du poids, de la puissance et du rayon d'action. La version actuelle est très différente de celle de 1962. De moyen-courrier (60 passagers sur 3 000 kilomètres), Concorde a voulu devenir un long-courrier (cent vingt passagers sur 6 000 kilomètres) pour franchir l'Atlantique. L'appareil s'est donc allongé, son poids a presque doublé (175 tonnes au lieu des 90 tonnes initiales) et la poussée des réacteurs a été accrue. Conséquence attendue : pour grandir, Concorde s'est gavé de crédits supplémentaires, sans toutefois égaler le record détenu jusqu'à présent par le nouveau bombardier stratégique américain B. 1. dont on prévoit que la mise au point reviendra à 15 milliards de francs.

Et puis, il y a eu l'inflation dans les deux pays. Les prix industriels, le coût de la main-d'œuvre et des matières premières ont nettement augmenté en dix ans, surtout dans un secteur technologique de pointe comme l'est l'aéronautique. Les dévaluations successives de la lire et du franc, l'instabilité relative de ces deux monnaies n'ont pas amélioré la situation. Concorde, produit en coopération, est victime de la conjugaison des crises économiques qui peuvent affecter, ensemble ou chacun à son tour, les deux pays constructeurs. »

Le Monde, 30 novembre 1972.

les services : transports, télécommunications, commerce

LES TRANSPORTS

Assurant la mobilité des marchandises et des personnes, le réseau de transports d'un pays conditionne l'expansion économique. Cependant, si la nécessité d'un réseau moderne est admise par tous, le choix entre les modes de transport n'est pas aisé : on a beaucoup dit que la France avait favorisé le transport par chemin de fer au détriment des transports routiers.

Cela semble de moins en moins le cas aujourd'hui.

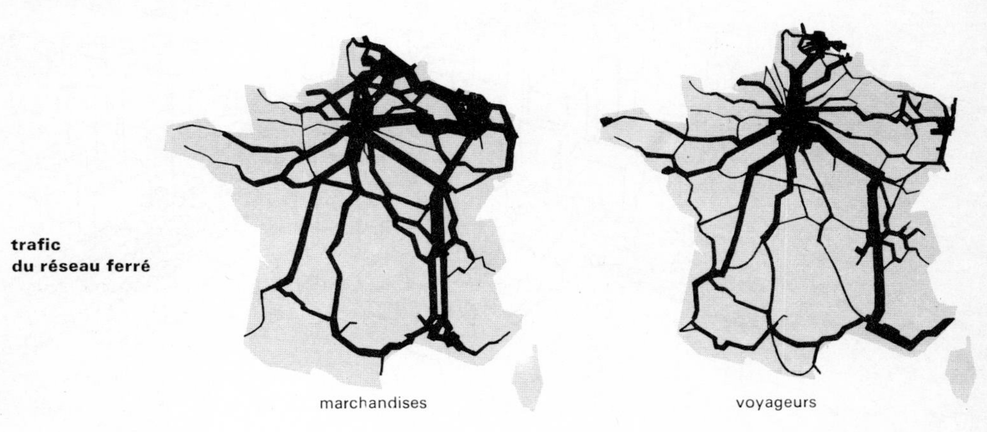

trafic du réseau ferré

Un réseau ferré centralisé et des prouesses techniques

Le tracé du réseau de chemin de fer français date pour l'essentiel du Second Empire. L'emprise de Paris sur la France était déjà telle que le réseau a pris son allure caractéristique de toile d'araignée avec pour centre la capitale.

Depuis la mise en place des voies ferrées, bien des progrès ont été réalisés : c'est ainsi que la traction à vapeur a été remplacée presque partout par la traction électrique ou diesel, cette dernière concernant plutôt les lignes moins importantes. Si le confort a été considérablement augmenté depuis la première ligne de chemin de fer en 1837, Paris/Saint-Germain-en-Laye, c'est surtout dans le domaine de la rapidité que la S.N.C.F. (Société Nationale des Chemins de Fer français) s'est illustrée, par des expériences de traction à 331 km/h et par la généralisation de lignes où la vitesse moyenne dépasse 100 km/h.

Sous l'égide des Pouvoirs publics se poursuivent actuellement des études et des expériences avancées concernant les trains « à coussin d'air » circulant sur rampe unique et atteignant des vitesses bien plus élevées (400 à 500 km/h) qui peuvent transformer de manière appréciable le système actuel de transports.

Un réseau routier en pleine évolution

Dans le tracé du réseau routier se manifeste encore la prépondérance de la capitale. Après avoir disposé, au XIXe siècle, du meilleur réseau routier du monde, la France doit aujourd'hui le transformer sous peine d'étouffement.

En effet, si les routes secondaires, d'une haute densité et d'une excellente qualité, restent la plupart du temps désertes, les grands itinéraires touristiques ou commerciaux ne sont plus adaptés à la circulation actuelle qui a, surtout depuis une dizaine d'années, pris une très forte expansion. Il y a en France aujourd'hui, en moyenne une automobile pour quatre habitants; les deux tiers des ménages ont leur automobile.

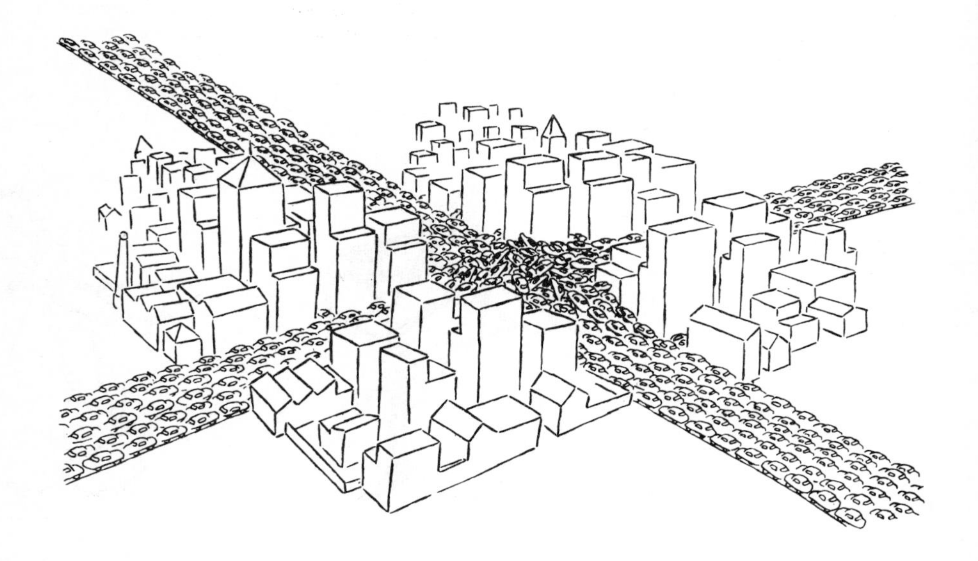

Les Boscaves de Bosc.

L'autoroute et les Français

... La grande majorité des travailleurs, piétons et cyclistes, n'imaginant pas pouvoir réaliser prochainement leur rêve caché, voyaient en l'automobile un signe extérieur de richesse; elle éveillait plus leur jalousie que leur sympathie. Quant aux notables, s'ils étaient généralement pourvus d'automobiles eux-mêmes, ils n'aimaient guère la vitesse et ne recouraient qu'exceptionnellement à leur moyen de transport personnel pour les grandes distances (aujourd'hui encore chaque automobiliste en France parcourt à peine plus de huit mille kilomètres par an, soit moins de 60 % de la distance moyenne parcourue en Allemagne et au Royaume-Uni). Il était difficile aux « ministres autoroutiers » de se faire entendre.

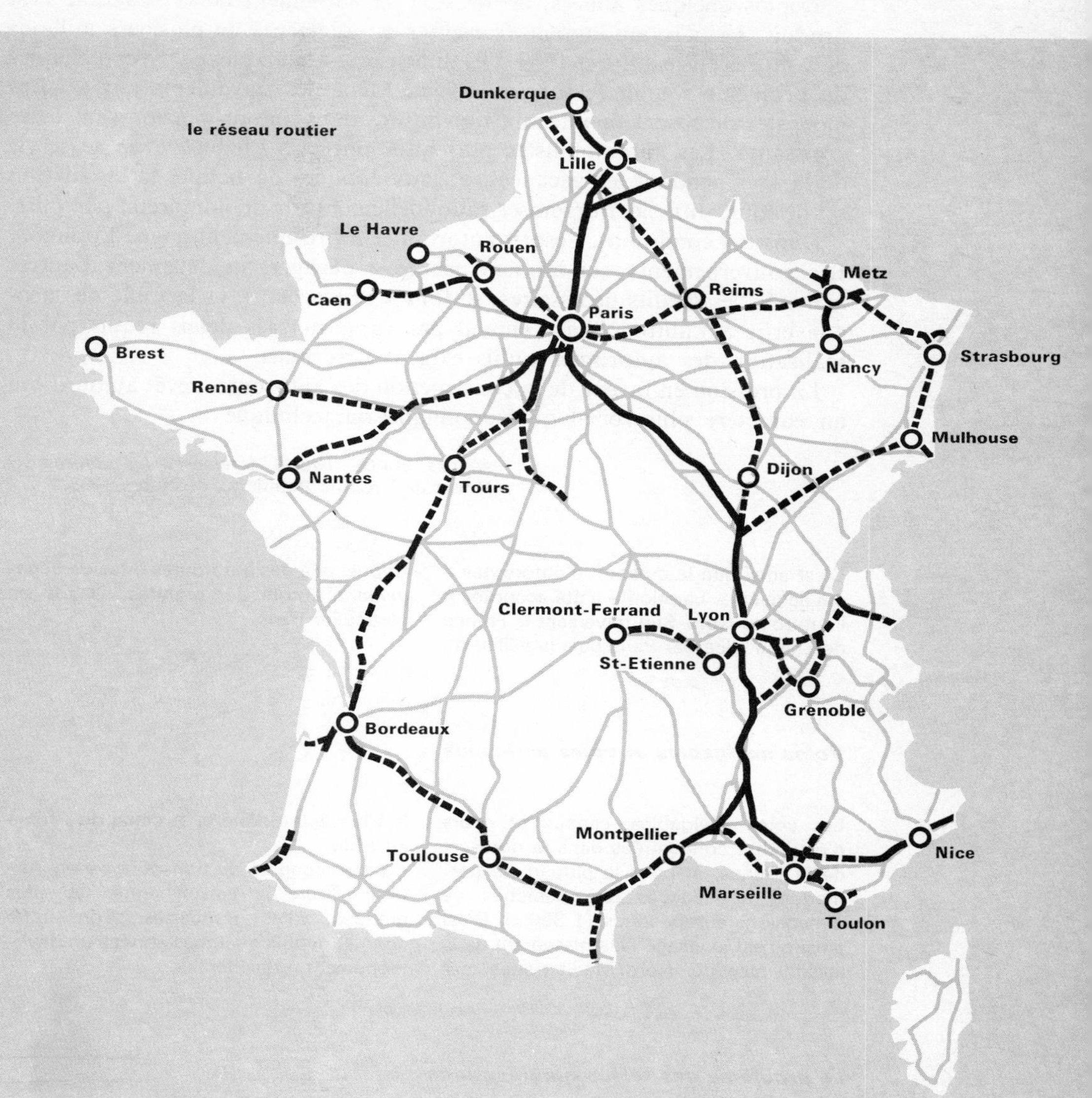
le réseau routier
Dunkerque
Lille
Le Havre
Rouen
Metz
Reims
Caen
Paris
Brest
Strasbourg
Nancy
Rennes
Mulhouse
Dijon
Nantes
Tours
Clermont-Ferrand
Lyon
St-Etienne
Grenoble
Bordeaux
Montpellier
Nice
Toulouse
Marseille
Toulon

routes principales
autoroutes
autoroutes en construction

Depuis quelques années, un brusque retournement de la situation s'est produit. Le parc automobile français s'est augmenté de plusieurs millions de voitures entre 1957 et 1963. Les dimensions techniques et psychologiques du problème routier se sont modifiées. Même les travailleurs aux salaires modestes disposent maintenant de voitures dans une proportion sans cesse croissante. Les automobilistes plus aisés ont pris l'habitude de se servir de la leur pendant les vacances, et, aux époques de pointe, la circulation est devenue difficile à organiser rationnellement sur de nombreux parcours.

Dans ces conditions, l'esprit autoroutier a brusquement gagné l'opinion. Les gouvernements qui hésitent encore à dégager, au détriment d'autres activités, les crédits nécessaires, se font « brocarder », et la foule des néo-convertis à l'automobile n'entend pas supporter les délais requis par la réalisation des autoroutes qu'ils exigent désormais.

La pression en faveur de la construction des autoroutes revêt aujourd'hui un caractère plus social qu'économique ou technique...

ROBERT BURON, *Faut-il développer les autoroutes?*
Revue de l'Action Populaire, décembre 1963.

C'est ainsi que la création d'autoroutes a été accélérée. La priorité a été accordée à l'autoroute Nord-Sud traversant la France de Lille à Nice par Paris puis la vallée du Rhône, et à des autoroutes dites *de dégagement*, autour des grandes villes et en particulier Paris.

Voies navigables et voies aériennes

Les voies navigables, canaux et cours d'eau, sont concentrées dans le nord-est de la France, et pour la plupart ne permettent pas l'accès des péniches de dimensions européennes (1 350 t). C'est ainsi qu'est envisagé l'élargissement de la liaison mer du Nord/Méditerranée par le Rhône, la Saône et le canal du Rhône au Rhin.

La compagnie de transport aérien Air-Inter assure la liaison entre les plus grandes villes françaises. Son trafic connaît depuis quelques années un développement considérable.

Le problème des télécommunications

L'administration des Postes et Télécommunications achemine le courrier, transmet les télégrammes et assure les liaisons téléphoniques. Elle doit aujourd'hui faire face à une transformation importante dans sa mission traditionnelle, et elle se trouve quelque peu dépassée par l'augmentation extrêmement rapide des demandes de postes téléphoniques. Le réseau actuel est saturé, et le coût des installations supplémentaires est tel que des recherches sont effectuées dans le sens des solutions nouvelles, telles l'utilisation de satellites artificiels spécialisés.

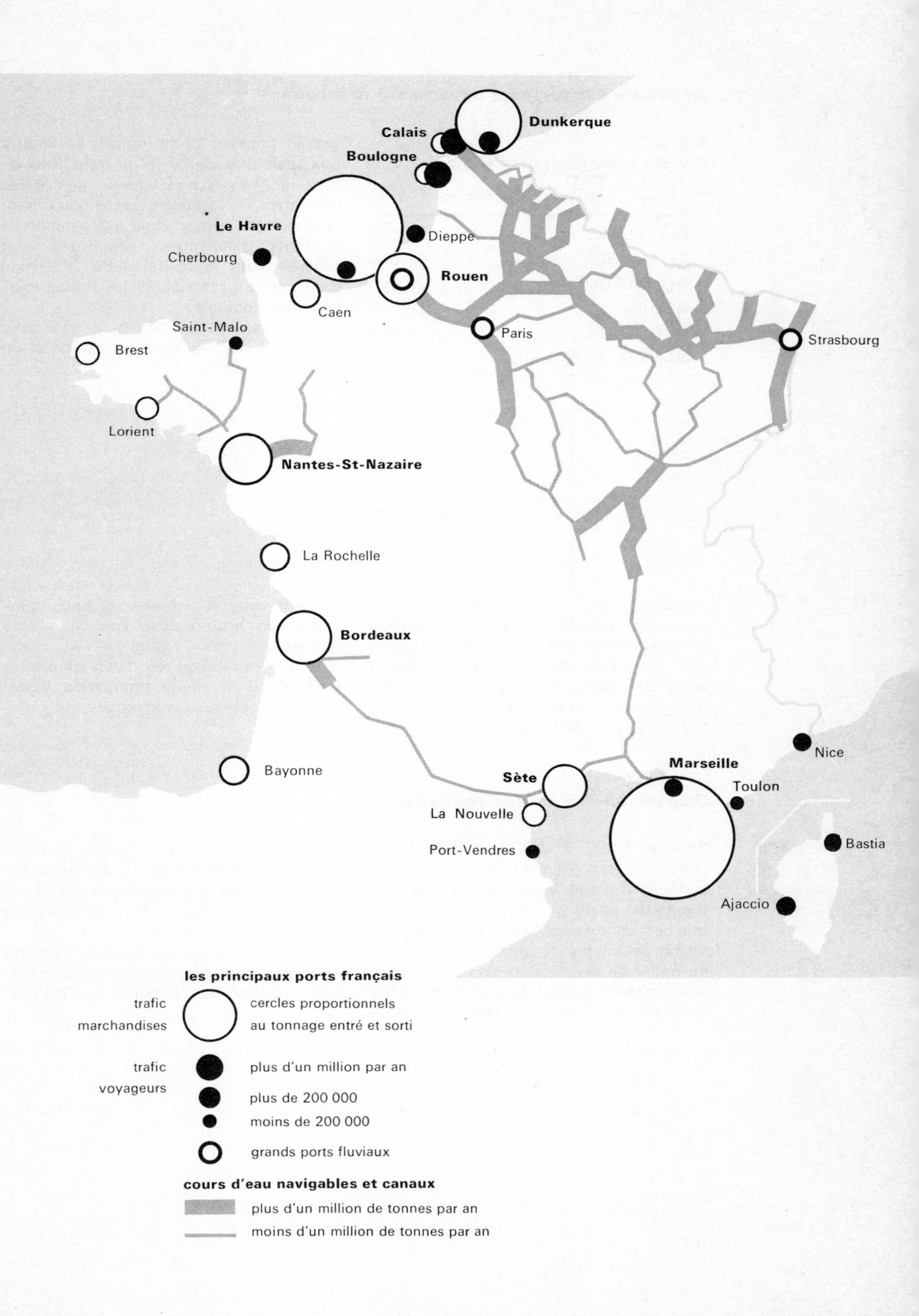
Dunkerque
Calais
Boulogne
Le Havre
Dieppe
Cherbourg
Rouen
Caen
Saint-Malo
Paris
Strasbourg
Brest
Lorient
Nantes-St-Nazaire
La Rochelle
Bordeaux
Bayonne
Nice
Marseille
Sète
Toulon
La Nouvelle
Port-Vendres
Bastia
Ajaccio
les principaux ports français
trafic marchandises
cercles proportionnels au tonnage entré et sorti
trafic voyageurs
plus d'un million par an
plus de 200 000
moins de 200 000
grands ports fluviaux
cours d'eau navigables et canaux
plus d'un million de tonnes par an
moins d'un million de tonnes par an

La France est toujours ouverte sur le monde

Trafic
des six premiers ports français :

	millions de tonnes (1971)
- MARSEILLE	77 000
- LE HAVRE	61 600
- DUNKERQUE	26 000
- ROUEN	13 500
- BORDEAUX	13 400
- NANTES St-NAZAIRE	13 200

Les six premiers ports français assurent à eux seuls près de 90 % du trafic total de marchandises. La longueur des côtes françaises, leur variété d'exposition offrant la possibilité de participer à de nombreux courants d'échanges, expliquent tout naturellement le maintien de la France dans un bon rang parmi les flottes marchandes mondiales.

Quant au réseau aérien, il est, avec Air France, le plus long du monde et un des plus modernes.

LE COMMERCE

La densité des établissements commerciaux n'est pas en France la plus élevée : elle est moindre que celle de la Belgique et des Pays-Bas, même si elle dépasse celle des États-Unis et de la Grande-Bretagne. Il n'est pas indifférent de noter ce fait dans la mesure où la France apparaît souvent comme la patrie du petit commerce, en accord avec l'individualisme foncier de ses habitants. Au total 550 000 entreprises en 1965 emploient environ 10 % de la population active dans une activité commerciale.

Disparition des petites boutiques

Environ 5 000 à 8 000 établissements commerciaux disparaissent chaque année : il s'agit aussi bien d'établissements de détail que de gros, inadaptés aux conditions actuelles de l'économie en raison de modes de gestion surannés et de coûts de distribution excessifs, dus à leur petite dimension. La petite entreprise familiale est surtout menacée, et cela ne va pas sans poser des problèmes humains car c'est en même temps la fin de l'indépendance pour le commerçant qui, d'entre preneur individuel, est ainsi conduit à se transformer en salarié.

Ce mouvement s'est seulement ralenti en 1971, année où les créations ont presque équilibré les cessations d'activité.

Un épicier de Paris

... La liberté - voilà ce qu'est ma boutique. Ne dépendre de personne, n'être l'employé de personne - voilà qui suffit à effacer bien des efforts qu'on serait tenté de croire vains. Car, on a beau dire, malgré les années passées, lorsque le matin j'ouvre mon épicerie, je ne puis regarder mon nom inscrit sur la glace de la devanture sans ressentir un petit serrement de cœur provoqué par une sorte de fierté puérile. « Fernand Leroy » - je relis mon nom et suis heureux de penser que Leroy c'est moi. Que de sacrifices, que de privations pour inscrire ce nom sur la devanture d'une épicerie! Il est vrai que mes beaux-parents m'ont aidé. Ils étaient braves et compréhensifs. « Sois patron, Fernand. Sois le maître chez toi. Un homme qui n'a d'ordres à recevoir de personne est un homme libre. Crois-moi, mon petit... » Ils ont vendu l'unique lopin de terre qu'ils possédaient afin de me permettre de payer le fonds de cette boutique de la rue des Belles-Feuilles. Trois millions. S'imagine-t-on ce que cette somme représentait pour moi, qui n'avais que 700 000 francs devant moi? Encore ai-je eu de la chance. Ceux qui me précédaient étaient au bord de la faillite. Je n'aime guère entrer dans une maison sur laquelle pèse un mauvais sort. Mais ce quartier me plaisait. J'y avais ma place. « Fernand » était un personnage connu, familier. Mes clientes, même les plus huppées, me demandaient des nouvelles de Claude. C'est cela qui est beau dans mon métier : d'être quelqu'un qu'on accepte de saluer dans la rue, d'être un patron. Je fais partie du quartier, je rends service. Je connais mes clients, leur situation de famille. Je sais pourquoi Mlle Camus feint d'avoir oublié son porte-monnaie à chaque fin de mois; je feins moi-même de ne rien comprendre.

Extrait de *la confession angoissée d'un petit épicier parisien*, recueillie par MICHEL DEL CASTILLO, Réalités, N° 177, oct. 1960.

Développement du commerce concentré

Pendant que disparaissent les petits commerces, d'autres entreprises prospèrent et se multiplient : il s'agit des grands magasins, magasins populaires, coopératives de consommation et magasins à succursales multiples, groupés sous le vocable de commerce concentré. Leur part dans le chiffre d'affaires du commerce de détail était en 1962 de 16 % et de 27 % en 1971. Ces magasins peuvent réduire leurs frais généraux par une organisation de la vente plus rationnelle, en même temps qu'ils obtiennent des prix d'achat plus favorables grâce à leur puissance. Il leur est même possible de négocier directement avec les producteurs, en supprimant ainsi les intermédiaires, commerce de gros ou de demi-gros. Cela se traduit par une baisse du prix de vente. D'autre part, les consommateurs trouvent groupées dans un même établissement des marchandises nombreuses qu'il fallait acheter dans plusieurs boutiques autrefois : progressivement, les Français prennent le chemin de ces magasins. Ils y trouvent tout ce qu'ils désirent et font leurs achats pour une période de temps prolongée, en utilisant autant que possible leur voiture. Cela pourrait signifier une transformation profonde des modes de vie.

Une famille bien française
fréquente les supermarchés.

- *Ce n'est pas tant ce que j'achète mais ça promène le gosse.*
Dessin de Bellus.

Les magasins vont-ils abandonner le cœur des villes pour aller s'installer le long des routes?

... Les dirigeants de Sainte-Geneviève-des-Bois ont été très impressionnés par l'exemple américain. Ils n'hésitent pas à dire que dans quelques années leur supermarché se trouvera, du fait de la concentration urbaine, trop enfoncé à l'intérieur de la ville. Il faudra alors, selon eux, démonter le magasin et le reconstruire plus loin - « dans les champs » - et, bien sûr, plus grand.

Il nous semble que la formule est effectivement assez bien adaptée à nos villes. Les banlieues en pleine expansion sont sous-équipées sur le plan commercial, et les consommateurs, qui peuvent se déplacer en voiture d'autant plus facilement qu'on s'éloigne de la capitale, sont trop heureux de trouver des magasins leur offrant, à des prix avantageux, tout ce dont ils ont couramment besoin. Il est donc probable qu'au cours des prochaines années les supermarchés géants vont se multiplier, poussant en pleine terre et vendant des produits courants (comme l'alimentation) ou standardisés (comme les appareils électroménagers).

Le succès de la formule devrait pourtant être plus limité chez nous qu'aux États-Unis. La plupart des centres de nos villes ont en effet un passé historique, donc un pouvoir d'attraction que n'ont pas les cités américaines, vieilles de cent cinquante ans ou de deux cents ans seulement. On voit mal les Parisiens quitter volontairement le cinquième arrondissement pour aller s'installer à Bois-d'Arcy ou au-delà. Aussi les magasins urbains bien gérés de petite et moyenne taille gardent-ils un bel avenir.

Il en est de même pour les commerces spécialisés : photographie, sport, camping, chasse, couture. On n'achète pas une caméra tous les jours : le moment du choix venu, l'amateur n'hésite pas à perdre plusieurs heures, à s'enfoncer au centre de la ville, pour se rendre à la maison dont la réputation, la compétence ou le style sont bien connus. Si les « Discount Houses » à la française sont promis à la prospérité, ce sera non pas à cause du démantèlement du cœur des cités, mais du fait de la croissance démographique des banlieues.

ALAIN VERNHOLES, *Le Monde*, 7-8 août 1966.

L'hypermarché ou la fête obligatoire

Il paraît que c'est la fête quotidienne des temps modernes. Drôle de fête. Surtout le dimanche. Cinq cents mètres à la ronde, tous les véhicules commencent à subir l'attraction d'un irrésistible champ magnétique. Ils s'orientent vers le gigantesque coquillage plat tapi là-bas, irradié de lumière, couronné des lettres monumentales qui émettent le signal impératif d'un mot magique : hypermarché. Comme la limaille de fer autour d'un aimant, ils s'approchent et s'agglutinent. Alentour, la banlieue n'est qu'éparpillement de routes pavillonnaires ou résidentielles qui n'ont jamais su s'accorder pour constituer une ville.

On ne sait plus qu'on a peut-être le choix. C'est le géant ou rien. Par son énormité, par ses prix bas, par son mythe : « On-y-trouve-tout-ce-qu'on-cherche-et-on-y-est-libre », il séduit, il appâte, il happe. La première roue à peine engagée à l'entrée du parking de quelque cinq cents ou mille places, on regrette, on s'affole : on se sent piégé dans cet inextricable dédale. Trop tard. On est déjà suivi, poussé, contraint. Ici, l'espace est aussi irréversible que le temps. Et le temps aussi matérialisé que l'espace : dans le lent mouvement vermiforme de la file qui glisse entre les alignements de capots, on *voit* le déroulement des dizaines de minutes qu'on s'est condamné à franchir. On se noie. Une voiture démarre? Dix guettent la place enfin libérée. On fraie son chemin à la force du pare-chocs. Petit coup de volant à droite, demi-tour de roue, gagner trois centimètres d'aile gauche sur le concurrent. Regards de haine sur le vainqueur. Enfin le miracle se produit : on stoppe. On n'est pas sauvé pour autant. Épisode suivant : la chasse aux petits chariots (les caddies). Une seule méthode efficace, prendre en filature un de ces heureux que le monstre vient de libérer, poussant sa petite voiture qui regorge de marchandises. Se planter à ses côtés tandis qu'il le décharge, tranquille, soigneux, détendu, exaspérant. L'agressivité monte.

Quand enfin on tient l'objet et qu'on pénètre dans le saint des saints - chaleur-lumière-bruissements - tout recommence. Les caddies s'entrechoquent dans la foule dense, animée de mouvements contradictoires, stoppée de bouchons infranchissables. On piaffe dans la monotonie des enfilades de paquets de nouilles, de boîtes de lessive, de fromages, de bas, de bouteilles à perte de vue.

CHRISTIANE PEYRE, *Le Monde*, 14 janvier 1970.

Vers une transformation des mentalités et des techniques de vente

A mesure que disparaît le lien personnel entre le commerçant et le client, se développe en contre-partie un lien direct entre le produit et le client par la publicité. Les dépenses publicitaires restent cependant plus faibles en France que dans les autres pays d'économie libérale ayant atteint un niveau de développement économique comparable.

Malgré une traditionnelle répugnance des Français à s'endetter, le crédit à la consommation s'étend par l'intermédiaire des achats d'automobiles et d'équipement électroménager.

La vulnérabilité à la publicité et l'impatience de posséder les biens matériels que manifestent les nouvelles générations laissent présager dans ce domaine une rapide évolution.

BANQUE ET CRÉDIT

La Banque centrale : Banque de France

La Banque de France, nationalisée en 1945, dirigée par un Gouverneur nommé par le Gouvernement, dispose du monopole d'émission des billets de banque. Elle intervient dans les mécanismes du crédit par le *réescompte* qu'elle accorde aux autres banques ainsi que par les avances qu'elle peut leur consentir.

Les banques

Le système bancaire français a longtemps été cloisonné; on distinguait :

- Les banques de dépôts, dont les plus importantes sont nationalisées : Crédit Lyonnais, Société Générale, Banque Nationale de Paris. Ces banques de dépôts ne pouvaient prêter à long terme.
- Les banques d'affaires qui ne pouvaient, elles, recevoir de dépôts à vue, si ce n'est de commerçants. Elles sont soumises au contrôle d'un commissaire du Gouvernement, nommé par le ministre des Finances. Elles sont très concentrées : les cinq plus grandes réalisent deux tiers de l'activité totale.
- Les nombreux établissements de crédit spécialisés. Le rôle le plus important est tenu par la Caisse des Dépôts et Consignations qui, collectant essentiellement les ressources des Caisses d'Épargne, assure le financement de nombreux investissements, en matière de logement en particulier.

Le système a été assoupli depuis quelques années, et la distinction traditionnelle entre banques d'affaires et de dépôt a été atténuée, afin de stimuler l'investissement.

les échanges extérieurs

Développement rapide du commerce extérieur

Chargée d'un long passé protectionniste, la France a cependant, à plusieurs reprises, tenté de développer ses échanges avec les autres nations par l'abaissement négocié de ses tarifs douaniers. Aujourd'hui, après la période durant laquelle il fallait reconstruire le pays épuisé par la guerre, et où les achats à l'extérieur des frontières étaient limités aux seuls biens indispensables à cette reconstruction, la France s'est engagée dans la voie de la libéralisation des échanges. Elle participe à un accord qui implique notamment une union douanière - le Traité de Rome -, instituant une Communauté Économique Européenne, ou Marché commun, et à des négociations plus générales entreprises dans le cadre d'institutions déjà anciennes, l'Organisation de Coopération et de Développement Économique (O.C.D.E.) et le General Agreement on Tariffs and Trade (G.A.T.T.), destinées à diminuer chez tous les participants les tarifs douaniers actuellement en vigueur.

En définitive, les importations et les exportations de la France représentent plus du dixième de son revenu national, et s'accroissent beaucoup plus vite que ce dernier.

Un réseau d'échanges mondial

répartition du commerce extérieur (1972)

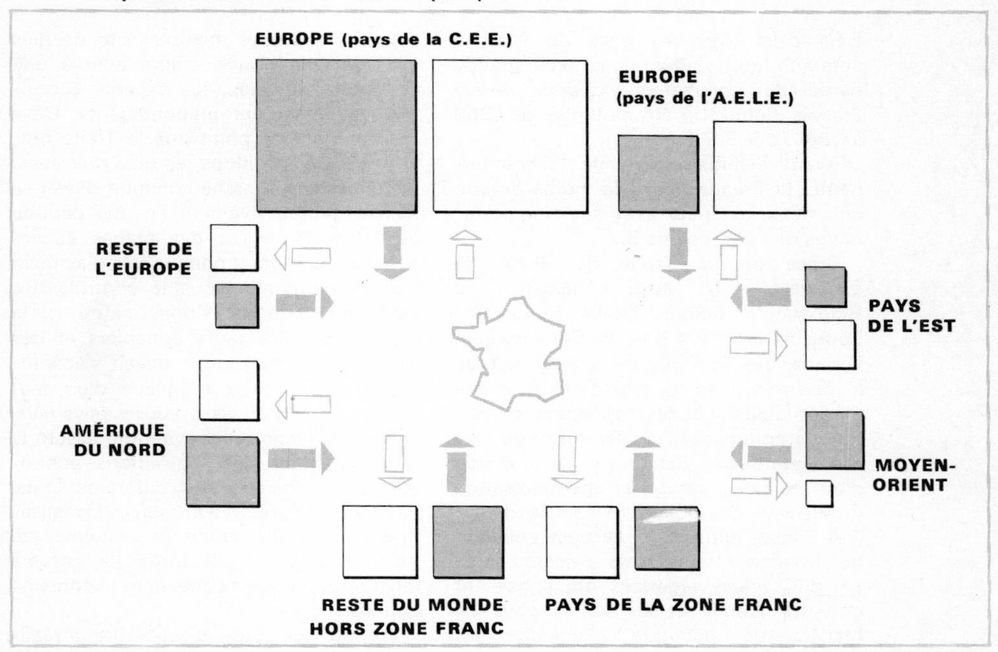

Un vieux pays industriel

Affirmant ainsi le redressement de ses échanges extérieurs, la France a opéré le remboursement de la plus grande partie de la dette qu'elle avait contractée vis-à-vis de l'extérieur (principalement les U.S.A.) pour assurer sa reconstruction économique après la guerre.

Aujourd'hui, de très nombreux capitaux privés, en majorité américains, s'investissent en France à mesure que le Marché commun se réalise. Les entreprises qui se constituent ainsi, la plupart du temps filiales de groupes de dimensions internationales, agissent surtout en fonction de l'idée qu'elles ont de leur développement international. La contradiction entre les objectifs de ces groupes et ceux du Gouvernement peut se traduire par des conflits difficiles. C'est pourquoi certains investissements de ce type ont parfois provoqué de longues discussions.

L'équilibre de la balance commerciale est difficile à obtenir; les périodes de déficit alternent avec les périodes d'excédent. De 1970 à 1972 cependant, période pendant laquelle les taux de change de différentes monnaies nationales (le franc pour sa part a été dévalué en 1969) ont beaucoup varié, et pendant laquelle les exportateurs français se sont montrés très actifs, l'excédent a été constant. Le total des exportations atteignait, en 1971, 115 milliards de francs.

Si l'on s'intéresse à la composition des échanges on constate que la part des exportations de produits manufacturés s'accroît, aussi bien en ce qui concerne les biens d'équipements qu'en ce qui concerne les biens de consommation, parmi lesquels l'automobile occupe une place très importante. Cela semble montrer que l'industrie française devient réellement compétitive.

Des liens privilégiés

Déjà c'est avec les pays du Marché commun que s'effectue la plus grande partie du commerce extérieur de la France. Celui-ci a été multiplié, de 1958 à 1964, par 3,5.

Avant l'élargissement de la communauté, la France faisait la moitié de son commerce extérieur avec ses cinq partenaires de l'Europe des Six.

Créée par le Traité de Rome, le 25 mars 1957, entre l'Allemagne, la Belgique, la France, l'Italie, le Luxembourg et les Pays-Bas, la Communauté Économique Européenne a pour but de « poursuivre le développement d'une Europe unie par le développement d'institutions communes, la fusion progressive des économies nationales, la création d'un marché commun et l'harmonisation progressive des politiques sociales ».

A l'heure actuelle, si l'aspect politique du Traité de Rome reste présent, et si, par-delà les divergences qui subsistent entre la France et les autres pays en matière de politique extérieure, les citoyens des pays membres ont de plus en plus l'impression d'appartenir à une commune destinée, les aspects économiques demeurent prépondérants. C'est d'ailleurs sur ce point que le Traité prévoyait les dispositions les plus précises : la création du Marché commun devait se réaliser progressivement en une période de 12 à 15 ans ; des étapes étaient prévues permettant chaque fois d'avancer l'œuvre commune sous le contrôle des institutions de la Communauté ; la suppression des tarifs douaniers et des limitations d'importation devait s'accompagner de la mise en place d'un tarif extérieur commun vis-à-vis des pays tiers, en même temps que devait être assuré le rapprochement des législations économiques et sociales des différents États. La procédure prévue a été suivie, la réalisation du Marché commun a même été hâtée malgré les difficultés qui ont été rencontrées, en particulier dans le domaine agricole.

La première étape, c'est-à-dire la réali-

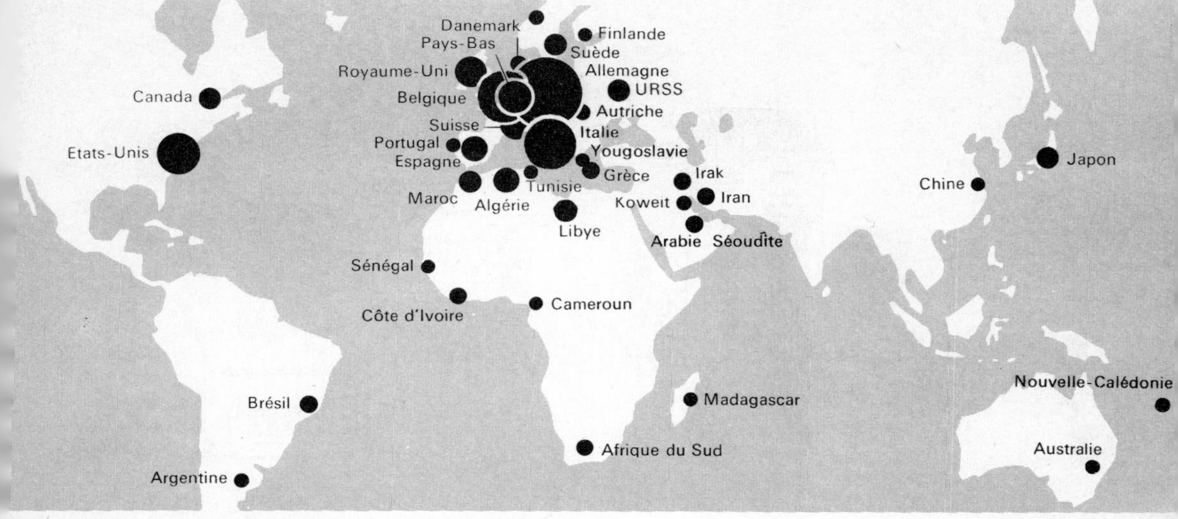

répartition du commerce extérieur par pays (pour 1972)
(cercles proportionnels à l'importance des échanges)

sation complète de l'union douanière et l'établissement du tarif extérieur commun, a été atteinte le 1er juillet 1968.

L'évolution actuelle se fait dans deux sens : l'élargissement et l'approfondissement, qui posent des problèmes politiques.

L'élargissement, c'est l'entrée dans la Communauté de la Grande Bretagne, du Danemark et de l'Irlande par le traité de Bruxelles du 22 janvier 1972. Cette entrée, longuement négociée, fera de la communauté élargie une puissance économique de premier plan. L'élargissement se complète par l'association d'autres pays à l'entreprise (Conventions de Yaoundé avec les pays africains par exemple).

L'approfondissement, c'est au fond la poursuite de l'intégration commencée par le Traité de Rome. Il devrait se faire dans le domaine de la politique économique et monétaire des pays membres, en premier lieu.

exportations

100 %

sidérurgie
chimie
biens d'équipement
automobile
textile et cuir
divers

produits manufacturés

produits agricoles
énergie
matières premières

produits non manufacturés

0

importations

composition des échanges commerciaux (1972)

En Avant - *Dessin de Sempé.*

3 4

la vie sociale

cadre de la vie sociale

Une urbanisation croissante

La population rurale (communes de moins de 2 000 habitants) diminue régulièrement en France : elle représente aujourd'hui moins du tiers de la population totale. Cependant cette proportion est plus forte que dans la plupart des pays européens dont le développement économique est comparable à celui de la France (population rurale de l'Allemagne de l'Ouest : 25 %; de la Grande-Bretagne : 19 %).

Les villes sont pour la plupart de fondation ancienne; elles avaient trouvé leur équilibre avec un petit nombre d'habitants : c'est ainsi que la proportion d'habitants dans les villes groupant plus de 20 000 personnes n'est que le tiers de la population totale du pays; le reste de la population urbaine est groupé dans un très grand nombre de petites bourgades dont le développement n'a la plupart du temps rien à voir avec l'industrie.

La France paraît donc assez faiblement urbanisée, quoique la population des villes ait tendance à s'accroître à l'heure actuelle d'une manière rapide : entre 1954 et 1962, la population totale en France a augmenté de 8,9 % et la population des villes de 13,8 %, grâce à l'exode rural surtout.

Depuis 1954, ce sont les villes qui ont entre 100 000 et 200 000 habitants qui croissent le plus rapidement, au rythme de 2,3 % en moyenne par an. On s'attend à ce qu'en l'an 2000 six Français sur sept vivent dans des villes de plus de 20 000 habitants.

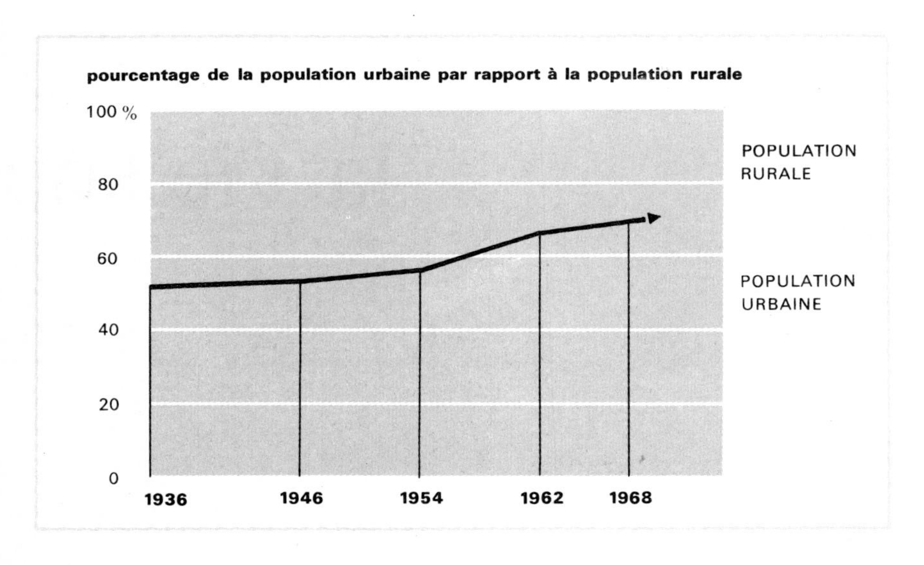

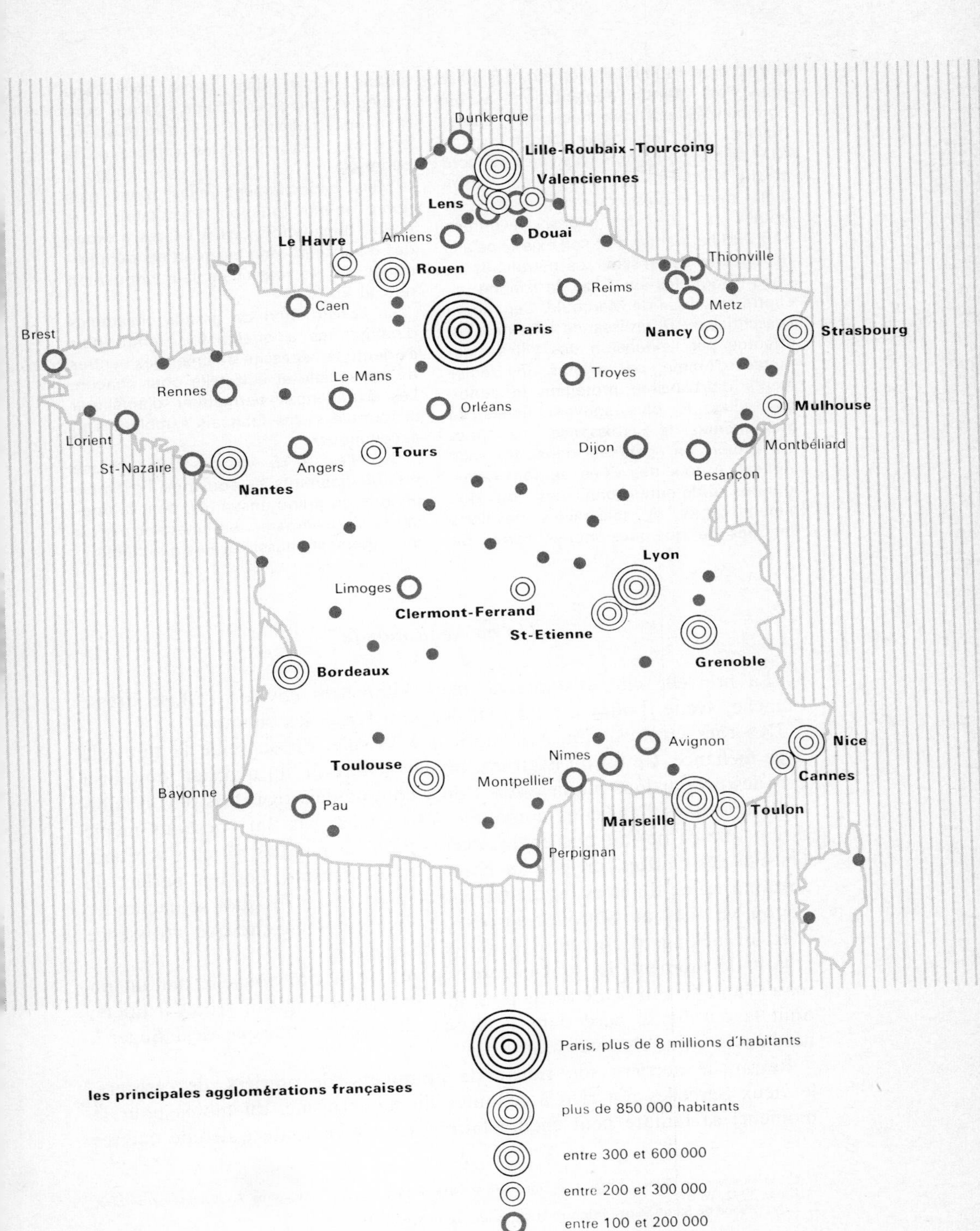

les principales agglomérations françaises

Paris, plus de 8 millions d'habitants

plus de 850 000 habitants

entre 300 et 600 000

entre 200 et 300 000

entre 100 et 200 000

moins de 100 000

Il s'est créé en France, bien sûr, des villes nouvelles, dont l'implantation a été commandée par des nécessités industrielles, de la même façon qu'au XIXe siècle de nombreuses villes du Nord et du Nord-Est ont trouvé leur raison d'être dans la présence des gisements de houille et de fer. Ainsi, Mourenx (15 000 habitants) doit son existence à la découverte des ressources pétrolières de Lacq ; Bagnoles-sur-Cèze la sienne au centre atomique de Marcoule. Cependant l'essentiel de la croissance urbaine s'est effectué par l'extension des villes existantes. Comme, par ailleurs, les règlements d'urbanisme protègent le centre des villes, le plus souvent riches de monuments, la croissance ne peut s'effectuer en général dans le sens vertical. Autour des villes, se sont développées différentes banlieues, où dominent tantôt de misérables pavillons flanqués de quelques mètres carrés de jardins, tantôt des hôtels particuliers protégés par des parcs, tantôt des immeubles collectifs. Ces banlieues absorbent progressivement les villages de la périphérie.

Mais, généralement, elles n'ont plus guère qu'une fonction d'habitation : le matin, quelquefois dès 5 heures, l'exode des travailleurs vide les quartiers périphériques qui ne retrouvent leur population que le soir[1].

La construction de grands ensembles d'habitations a quelquefois rendu plus évidente la nécessité de créer des centres de vie sociale et culturelle pour chacun. Les expériences permettent d'améliorer la formule et les Français semblent s'en accommoder.

Sarcelles, à 15 km de Paris, groupe 60 000 habitants et constitue l'exemple typique du grand ensemble, dont la littérature s'est emparée, en émettant parfois des jugements aussi sévères que hâtifs.

Un nouveau monde

... La nouvelle cité, distante de deux kilomètres environ (...), se dresse blanche, svelte, taillée à angles droits, par-dessus les champs.

Des rues étroites, sinueuses, de la vieille ville, on surveille la nouvelle avec méfiance. Ce qu'on avait cru ne devoir être qu'un quartier lointain a pris des proportions inquiétantes : on y compte déjà trois fois plus d'habitants que dans l'ancienne commune. Et ce n'est pas fini! Certains même disent que ça ne fait que commencer, qu'on ne sait pas où ça s'arrêtera. On cite des chiffres, un peu au hasard, tous effarants. Les uns parlent de soixante mille, d'autres de quatre-vingts. Il y a bien de quoi se demander où on va. Les autochtones suivent de loin cette gigantesque croissance avec un mélange d'orgueil, d'espoir et de malaise.

Pour le moment, ils sont encore séparés de la cité nouvelle par un no man's land de choux, de petits pois, de froment, de seigle, d'arbres fruitiers, dont la culture se perd dans la brume des siècles, puisque déjà Suger[2], né dans le coin, s'y intéressait.

Retranché derrière son rideau de pommiers, de poiriers, de cerisiers, le vieux Sarcelles n'a rien à redouter du modernisme, du moins pour le moment; sa fanfare peut encore faire résonner en toute quiétude cuivres

1. Cf. la chanson de Gilbert Bécaud, « Dimanche à Orly » citée par E. Marc dans *La Chanson française*, Hatier 1972, p. 67.
2. Suger : abbé de Saint-Denis, ministre et chroniqueur au XIIe siècle.

et grosses caisses, défiler de la place de la mairie à celle de l'église, les boutiquiers continuer à pratiquer leur commerce comme dans le bon vieux temps où les magasins étaient dispersés au hasard des rues, d'une manière anarchique, et non pas groupés dans des centres. Pourtant, il convient d'ouvrir l'œil, car le danger est là, qui se précise derrière les vergers : le monde de demain, la cité de l'avenir, qui a quelque chose de monstrueux avec son visage net, ses grandes bâtisses et ses tours qui ont quatre fois la hauteur de la vieille église.

MARC BERNARD, *Sarcellopolis*. Flammarion.

Le déséquilibre entre le centre de la ville, bien équipé mais dangereusement engorgé, et la périphérie a fait l'objet d'études de plus en plus complètes : l'urbanisme est à l'ordre du jour. Il faut maîtriser et diriger la croissance : des plans d'urbanisme vastes et complexes déterminent le visage des cités de demain ; L'État utilise ses privilèges [1] pour obtenir des terrains nécessaires et assurer l'équipement de base.

L'agglomération parisienne elle-même est en voie de transformation, grâce à la rénovation de certains quartiers (« front

1. L'État peut utiliser la procédure d'expropriation dans certaines zones (Z.U.P. : zones à urbaniser en priorité), et dans d'autres (Z.A.D. : zones d'aménagement différé), se porter acquéreur prioritaire pour toute transaction engagée.

SCHÉMA DIRECTEUR DE LA RÉGION PARISIENNE

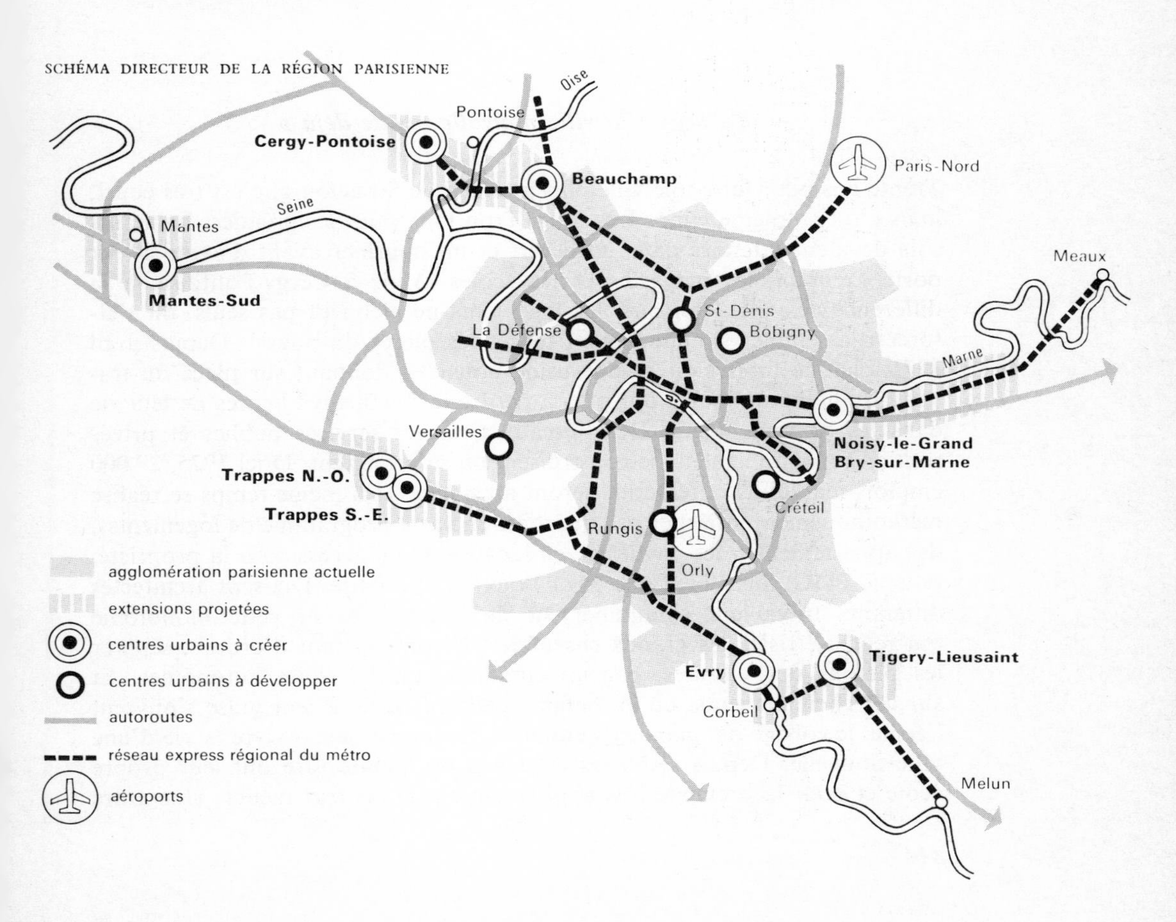

de Seine » du XVe arrondissement, opération Maine-Montparnasse), la réfection de lieux historiques déchus (Le Marais), la définition de zones d'activité nouvelle (quartier de La Défense). Dans la région, l'implantation de grandes cités bien équipées le long de deux axes privilégiés doit permettre de résoudre le problème des cités-dortoirs dépourvues de centre. Enfin, les transports routiers (boulevard périphérique, autoroutes) et ferroviaires (métro express régional) sont considérablement améliorés.

Des villes nouvelles

On s'est donc orienté vers la transformation de l'urbanisme en région parisienne : plutôt que de créer de grands ensembles fatalement attirés par Paris et immédiatement transformés en cités-dortoirs où ne restent dans la journée que les femmes et les enfants en bas âge, on a choisi de faire des villes complètes, comportant non seulement des zones d'habitation, mais aussi des équipements de toutes sortes (commerces, loisirs, administrations), et surtout des zones d'emploi (bureaux, usines) permettant aux habitants de trouver une activité professionnelle près de leur domicile. Cette orientation, qui conduit à créer des agglomérations d'au moins 300 000 habitants, se manifeste aussi dans les régions de Lyon et de Grenoble.

« *Cergy : la ville nouvelle existe déjà* »

Trente ans pour faire une ville plus grande que Strasbourg, c'est très court, mais c'est en même temps très long. Trop long pour les premiers habitants s'ils devaient attendre dans un désert et un bourbier avant d'avoir à leur porte l'emploi, les magasins et les écoles. Mais à Cergy-Pontoise, à la différence des villes-dortoirs, les logements ne viennent pas seuls, on s'efforce d'assembler simultanément toutes les pièces du puzzle. Depuis avril 1971, chaque mois s'ouvre une usine nouvelle, donnant sur place du travail aux habitants qui n'ont plus à perdre les meilleures heures de leur vie dans les embouteillages. Des bureaux pour les services publics et privés sont en fonctionnement, se construisent ou se projettent. D'ici 1975, 27 000 emplois masculins et féminins seront ainsi créés. En même temps se réalise méthodiquement, quartier par quartier, un vaste programme de logements : des appartements, des pavillons, en location et en accession à la propriété, pour le PDG, aussi bien que pour l'ouvrier spécialisé. Dix-sept architectes différents travaillent simultanément de façon à éviter cette monotonie qui rend si tristes les grands ensembles. Ils ont un mot d'ordre : séparer les piétons des voitures, chacun circulant sur des voies autonomes. Et sur ces cheminements, où les enfants peuvent flâner à leur guise s'ouvrent l'école, le collège ou cinq cents enfants apprennent déjà à vivre la vie d'une ville nouvelle. Depuis 1970, les étudiants en architecture ont leur propre école et pour la première fois apprennent sur le tas leur métier. Une autre grande école, l'ESSEC, est en construction et accueillera en 1973 un millier d'étudiants. Cergy-Pontoise est une ville vivante. Deux cinémas permanents ont ouvert avant l'arrivée du premier habitant, la piscine et la patinoire sont en chantier. Sur les lacs, sept fois plus grands que celui du Bois de Boulogne, les premiers voiliers prennent le vent. Ils seront une centaine en 1975 et le parc de loisirs aura à cette date la taille du parc de Saint-Cloud.

Publi-reportage, Paris-Match

Le problème complexe des rapports entre les villes et leur région se prolonge par celui des rapports des villes entre elles, sur le plan national.

L'opposition Paris/Province

Il est traditionnel d'opposer la vie en province au mode de vie parisien.

La province : un désert sans solitude

Paris est une solitude peuplée; une ville de province est un désert sans solitude.

Le plaisir de Paris est fait d'un isolement, d'une obscurité dont nous sommes assurés de pouvoir sortir s'il nous plaît et où nous rentrons à la moindre lassitude. L'horreur de la province tient dans l'assurance où nous sommes de n'y trouver personne qui parle notre langue, mais en revanche de n'y passer, une seule seconde, inaperçus.

Un provincial intelligent souffre à la fois d'être seul et d'être en vue. Il est le Fils Un Tel, sur le trottoir de la rue provinciale, il porte sur lui, si l'on peut dire, toute sa parenté, ses relations, le chiffre de sa dot et de ses espérances. Tout le monde le voit, le connaît, l'épie; mais il est seul. Non qu'il n'existe en province des hommes intelligents et des hommes d'esprit; mais comment se rencontreraient-ils? La province n'a jamais su abattre les cloisons.

Les provinciaux qui reçoivent ne se fournissent presque jamais d'invités hors de leur milieu, de leur monde. L'intelligence, ni l'esprit, ni le talent n'entrent en ligne de compte, mais seulement la position.

FRANÇOIS MAURIAC, *La province*.
Hachette.

Paris métropole

Paris semble avoir le monopole de l'activité dans tous les domaines. La capitale accueille les deux tiers des sièges sociaux des entreprises, 41 % des cadres supérieurs, un tiers des étudiants et 70 % des chercheurs.

Fonction de Paris

Il est d'abord à mes yeux la ville la plus complète qui soit au monde, car je n'en vois point où la diversité des occupations, des industries, des fonctions, des produits et des idées soit plus riche et mêlée qu'ici.

Être à soi seul la capitale politique, littéraire, scientifique, financière, commerciale, voluptuaire et somptuaire d'un grand pays; en représenter toute l'histoire; en absorber et en concentrer toute la substance pensante aussi bien que tout le crédit et presque toutes les facultés et disponibilités d'argent, et tout ceci, bon et mauvais pour la nation qu'elle couronne, c'est par quoi se distingue, entre toutes les villes géantes, la ville de Paris. Les conséquences, les immenses avantages, les inconvénients, les graves dangers de cette concentration sont aisés à imaginer.

Ce rapprochement si remarquable d'êtres diversement inquiets, d'intérêts tout différents entre eux, qui s'entrecroisent, de recherches qui se poursuivent dans le même air, qui s'ignorant ne peuvent toutefois qu'elle ne se modifient l'une l'autre par influence; ces mélanges précoces de jeunes hommes dans leurs cafés, ces combinaisons fortuites et ces reconnaissances tardives d'hommes mûrs et parvenus dans les salons, le jeu beaucoup plus facile et accéléré qu'ailleurs des individus dans l'édifice social, suggèrent une image de Paris toute psychologique.

Paris fait songer à je ne sais quel grossissement d'un organe de l'esprit. Il y règne une mobilité toute mentale. Les généralisations, les dissociations, les reprises de conscience, l'oubli, y sont plus prompts et plus fréquents qu'en aucun lieu de la terre.

PAUL VALÉRY, *Regards sur le monde actuel.* Gallimard.

La région parisienne groupe le cinquième de la population du pays sur 2 % de la superficie. Elle absorbe la moitié des dépenses totales d'équipement urbain.

Toute l'histoire de France explique et renforce cette prépondérance : l'unité du pays s'est réalisée autour des Capétiens, comtes de Paris ; toutes les révolutions se sont produites en ce lieu ; l'expansion économique du XIXe siècle a créé un réseau ferré en toile d'araignée (cf. chapitre « Commerce et transports »).

Les villes de province ont un rôle à jouer

Et pourtant le monde de la province évolue : les communications se multiplient, l'autonomie et la mobilité de chacun s'accroissent, les mêmes informations circulent dans tout le pays (à cet égard, radio et télévision représentent un facteur d'unification essentiel).

Certes, quelques îlots de tradition subsistent dans la vieille bourgeoisie provinciale et chez les paysans, mais sous la pression des jeunes surtout, la mutation se répand rapidement.

Les hameaux les plus reculés ont accédé au confort : eau courante, « tout-à-l'égout », électricité, permettent aux intérieurs ruraux de ressembler à ceux des villes. La communauté restreinte du village s'élargit.

Dépassement du cadre villageois

Au cours des dernières années, la différence forte et traditionnelle entre la vie rurale et la vie urbaine a sensiblement diminué. Paysans et villageois vont de plus en plus à la ville, et les gens des villes ont de plus en plus étendu leurs activités à la campagne. Le village était naguère le point d'attraction de la vie du fermier; c'était son centre administratif, culturel et économique. Avec le développement des moyens de transport, le fermier d'aujourd'hui trouve plus facilement en ville de quoi satisfaire un bon nombre de ses besoins. Le village reste le centre administratif, où il vote, déclare sa production vinicole, et fait enregistrer la naissance de ses enfants, mais au point de vue économique, le village a perdu son importance.

Pas un cultivateur ne songerait à vendre ses produits au village. A Roussillon, le vieux marché a été muré depuis longtemps et converti en salle des fêtes. A Chanzeaux, un homme vend des fleurs et du cresson sur la place le dimanche matin, mais il n'est pas de la commune. Les cultivateurs de Chanzeaux portent leurs produits au marché de Chemillé, à une dizaine de kilomètres, ou même à Angers, le chef-lieu du département. C'est là qu'ils vendent aussi leur bétail, leurs porcs et que leurs femmes vendent le beurre, les œufs et les lapins. Les transports modernes ont rendu les grands marchés accessibles à tous.

On redoutait autrefois de se rendre à un hôpital de la ville, mais aujourd'hui cela semble tout naturel, et les médecins n'hésitent pas à envoyer un malade de la campagne à une clinique de la ville où l'on dispose d'un plus grand nombre de services. A Chanzeaux même, il n'y a plus de médecin. Peu de femmes de la campagne accouchent aujourd'hui à leur domicile. Non seulement les malades eux-mêmes peuvent aller en ville, mais leurs proches peuvent les visiter sans trop de difficultés. Autrefois, pour aller en ville, il aurait fallu perdre une journée entière de travail.

La ville attire aussi les gens pour des raisons plus frivoles. Les jeunes y vont voir un film ou danser. Il n'est pas rare qu'un groupe de Chanzéens aille à Angers le dimanche après-midi encourager l'équipe de football de la ville qui est en division nationale.

LAURENCE WYLIE, *A la recherche de la France*. Seuil.

Le renforcement de l'armature urbaine

Les villes de province ont donc à jouer un rôle de plus en plus important. Pour accélérer le processus freiné par la prépondérance de Paris, les Pouvoirs publics interviennent, dans le cadre général de l'aménagement du territoire.

Les villes sont classées suivant les fonctions qu'elles remplissent dans l'animation de leur région.

Huit grandes villes de plus de 200 000 habitants, Lyon et Marseille (qui atteignent près d'un million d'habitants) tout d'abord, et six autres moins peuplées (Lille, Nancy, Strasbourg, Toulouse, Bordeaux, Nantes) sont des métropoles régionales, ou métropoles « d'équilibre », puisqu'il s'agit de faire pièce à Paris. Leur équipement économique, social et culturel est très riche et leur vie est active.

Quelques villes d'importance presque comparable méritent le titre de capitale régionale [1]. Certaines manifestent un dynamisme particulièrement net [2].

Dans les villes qui viennent ensuite, certaines fonctions font entièrement défaut, notamment dans le domaine des services (absence d'université, de centre bancaire, d'organisation commerciale suffisante...). Elles disposent cependant par ailleurs d'équipements importants.

Enfin, des centres locaux (souvent des sous-préfectures), bourgades faiblement peuplées, au passé parfois glorieux, constituent le dernier degré de la « hiérarchie » urbaine. Leur rôle ne doit cependant pas être négligé car elles sont plus directement en contact avec les campagnes et leur offrent services administratifs, établissements d'enseignement secondaire, services médicaux, marchés, etc.

L'intervention de l'État, guidée par ces considérations fonctionnelles, n'a d'autre but que de garantir l'harmonie nationale par la complémentarité des cités et de leurs régions.

1. Par exemple : Rouen, Rennes, Limoges, Dijon.
2. La population de Grenoble a augmenté de 45 % en huit ans, de 1954 à 1962, et de 27 % de 1962 à 1968. Celle de Besançon a augmenté de 35 % et 19 % pendant les mêmes périodes.

La montagne

Ils quittent un à un le pays
Pour s'en aller gagner leur vie
Loin de la terre où ils sont nés.
Depuis longtemps ils en rêvaient
De la ville et de ses secrets
Du formica et du ciné.

Les vieux, ce n'était pas original,
Quand ils s'essuyaient, machinal,
D'un revers de manche les lèvres;
Mais ils savaient tous, à propos,
Tuer la caille ou le perdreau
Et manger la tomme de chèvre.

Refrain
Pourtant que la montagne est belle;
Comment peut-on s'imaginer
En voyant un vol d'hirondelles
Que l'automne vient d'arriver.

Avec leurs mains dessus leurs têtes,
Ils avaient monté des murettes,
Jusqu'au sommet de la colline.
Qu'importe les jours, les années,
Ils avaient tous l'âme bien née,
Noueuse comme un pied de vigne.

Les vignes, elles courent dans la forêt;
Le vin ne sera plus tiré,
C'était une horrible piquette;
Mais il faisait des centenaires
A ne plus que savoir en faire,
S'il ne vous tournait pas la tête.

Refrain
Pourtant que la montagne est belle...

Deux chèvres et puis quelques moutons,
Une année bonne et l'autre non,
Et sans vacances et sans sorties.
Les filles veulent aller au bal,
Il n'y a rien de plus normal
Que de vouloir vivre sa vie.

Leurs vies : ils seront flics ou fonctionnaires,
De quoi attendre sans s'en faire,
Que l'heure de la retraite sonne.
Il faut savoir ce que l'on aime
Et rentrer dans son H.L.M.
Manger du poulet aux hormones.

Refrain
Pourtant que la montagne est belle...

JEAN FERRAT

Chanson enregistrée sur disque Barclay
70729

niveau et modes de vie

Un peuple relativement aisé

En 1972, le Français disposait, avec l'Allemand, du revenu moyen le plus élevé de la Communauté européenne, soit près de 1 500 francs par mois. Le taux d'accroissement de ce revenu est rapide, mais d'autres pays sont plus riches : en particulier le revenu par tête du citoyen des États-Unis est près du double de celui du Français.

Mais ce chiffre est une moyenne statistique : le concept de revenu par tête n'est qu'une fiction.

Par ailleurs, de telles moyennes dissimulent les disparités entre les individus et il faut donc tenir compte des écarts.

répartition des revenus imposables déclarés

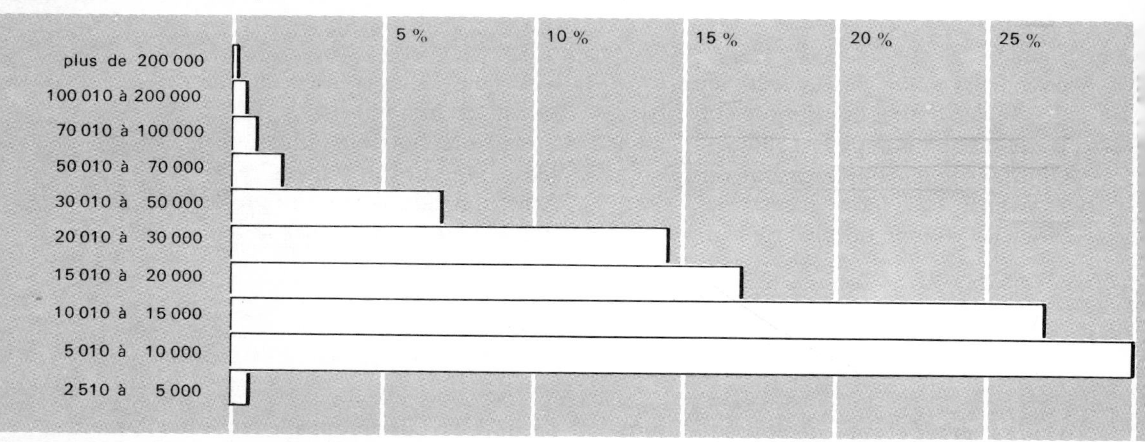

revenus imposables déclarés (annuels en Francs)

contribuables en 1970 (pourcentages par tranches de revenus)

Il apparaît à l'examen des études faites à ce sujet que les écarts de revenus sont très importants en France.

Certaines catégories sociales apparaissent défavorisées : les vieillards forment le groupe le plus pauvre, la mise en place d'un système de retraites étant dans la plupart des cas trop récente pour qu'ils puissent en profiter pleinement.

L'échelle des revenus reflète également la diversité des situations dans la hiérarchie sociale, les agriculteurs semblant gagner le moins. Des disparités existent aussi suivant les régions ; la région parisienne arrive en tête pour le niveau de revenu moyen correspondant à une même profession.

NOTE : ce tableau est établi à partir des chiffres donnés par les services fiscaux. Les revenus sont les revenus imposables, donc légalement diminués par rapport aux revenus bruts d'une proportion variable (mais rarement inférieure à 30 %). On remarquera également que la fraude varie considérablement selon les catégories socio-professionnelles, et que ce tableau ne peut en rendre compte.

Une même volonté de consommer...

Après de longues années où n'avaient été glorifiées que les vertus à la fois bourgeoises et paysannes de l'épargne et de la privation, tandis que leurs revenus s'élèvent, les Français découvrent le plaisir de les dépenser.

La civilisation du bien-être qui semble être le lot actuel de la France réussit à toucher la plus grande partie des familles. Les biens jetés sur le marché par la production en grande série sont l'objet du désir de tous. Avant même d'être un producteur, un jeune (cf. chapitre « Population ») est un consommateur, sollicité, si l'exemple de ses aînés ou de ses idoles ne lui suffit pas, par une publicité qui le touche au moyen de la radio (cf. chapitre « Information ») ou de la presse. Les diverses classes sociales se retrouvent dans cette même volonté de consommer.

Les dépenses de consommation évoluent dans le temps : à mesure que le nécessaire est obtenu, on cherche à utiliser les augmentations de son revenu à d'autres choses, qui paraissaient auparavant inutiles ou impossibles à obtenir. C'est ainsi que la part des dépenses d'alimentation dans le budget des ménages diminue régulièrement, alors que les dépenses de loisirs ou de soins médicaux augmentent rapidement.

Équipement des ménages

% des ménages équipés	Enquête de 1957	Enquête de 1971
Automobile	25,7	58,6
Télévision	6,1	71,3
Réfrigérateur	17,4	80,2
Machine à laver le linge	17,6	57,1
Aspirateur	22	52,8
Électrophone, tourne-disque	11,5	42
Téléphone		16

CONSOMMATION DES MÉNAGES
(PART DE CHAQUE TYPE DE DÉPENSE DANS LE BUDGET TOTAL DE CONSOMMATION)

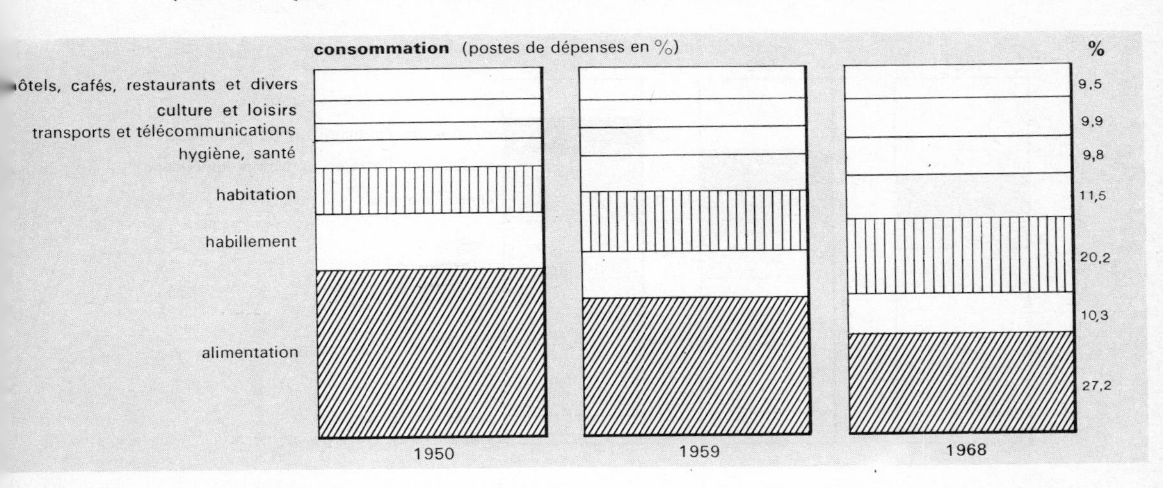

évolution des dépenses de consommation

... limitée par les moyens de consommer.

Certains auteurs ont pu dire que la France étant devenue riche n'avait plus à se préoccuper de « l'avoir » mais de « l'être ». De fait, le nécessaire étant maintenant commun, c'est à une meilleure orientation de la consommation globale que l'on songe aujourd'hui. Cependant, les différences de revenus selon les groupes socio-professionnels, restent considérables.

Echelle des revenus selon les groupes socio-professionnels, après impôt direct

(revenu moyen = 100)

Cadres supérieurs et professions libérales	290,8
Patrons industrie et commerce	237,3
Cadres moyens	158,6
Moyenne	100
Exploitants agricoles	96,6
Ouvriers	80,4
Personnel de service	60,1
Salaires agricoles	56,1
Inactifs	24,5

D'après « *Le Monde* »

Les cadres, classe en expansion

S'il est encore difficile de réussir à passer dans une vie du bas de l'échelle sociale à son sommet, le passage par le stade intermédiaire est de plus en plus facile. La fréquentation de l'enseignement supérieur reste faible pour certaines catégories sociales (agriculteurs, ouvriers, employés), mais l'enseignement secondaire est aujourd'hui largement ouvert à tous ; la capacité technique devient déterminante et prend le pas sur la naissance et l'appartenance à une classe sociale précise. C'est ainsi que les classes moyennes augmentent en nombre, mais aussi se transforment dans leur structure et leur mentalité. Jusque-là guidées par des valeurs bourgeoises, elles tendent à imposer leurs propres valeurs à mesure qu'elles se modifient : les « cadres » qui constituent les nouvelles classes moyennes disposent certainement déjà de l'aisance financière et accèdent sans doute peu à peu au pouvoir. Toute une presse exprime et impose leurs idées et leurs besoins de consommation, en particulier l'hebdomadaire *l'Express*.

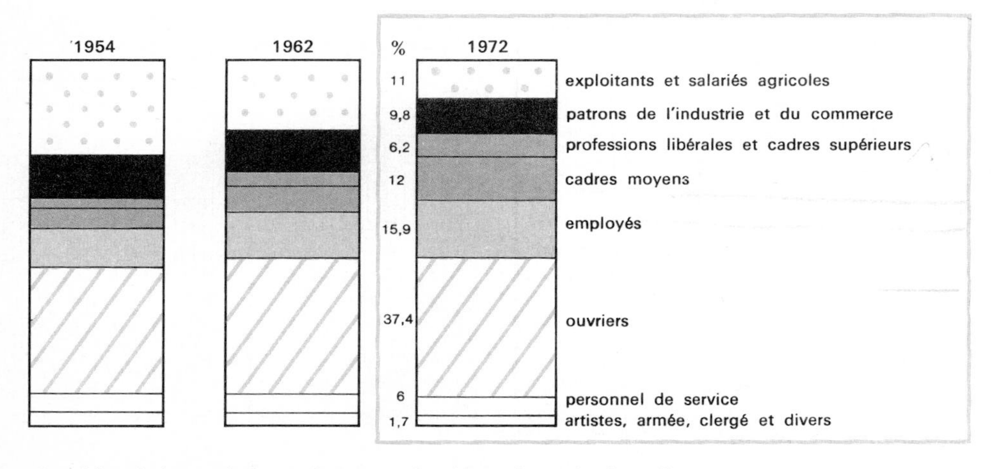

répartition de la population active par catégories socio-professionnelles

En Avant - *Dessin de Sempé.*

Le monde des cadres

... Ils ne s'en cachaient pas : ils étaient des gens pour l'Express. Ils avaient besoin sans doute que leur liberté, leur intelligence, leur gaieté, leur jeunesse soient, en tout temps, en tous lieux, convenablement signifiées. Ils le laissaient les prendre en charge, parce que c'était le plus facile, parce que le mépris même qu'ils éprouvaient pour lui les justifiait. Et la violence de leurs réactions n'avait d'égale que leur sujétion : ils feuilletaient le journal en maugréant, ils le froissaient, ils le rejetaient loin d'eux. Ils n'en finissaient plus parfois de s'extasier sur son ignominie. Mais ils le lisaient, c'était un fait, ils s'en imprégnaient.

Où auraient-ils pu trouver plus exact reflet de leurs goûts, de leurs désirs? N'étaient-ils pas jeunes? N'étaient-ils pas riches, modérément? L'Express leur offrait tous les signes du confort : les gros peignoirs de bain, les démystifications brillantes, les plages à la mode, la cuisine exotique, les analyses intelligentes, le secret des dieux, les petits trous pas chers, les différents sons de cloche, les idées neuves, les petites robes, les plats surgelés, les détails élégants, les scandales bon ton, les conseils de dernière minute.

Ils rêvaient à mi-voix de divans Chesterfield, l'Express y rêvait avec eux. Ils passaient une grande partie de leurs vacances à courir les ventes de campagne; ils y acquéraient à bon compte des étains, des chaises paillées, des verres qui invitaient à boire, des couteaux à manche de corne, des écuelles patinées dont ils faisaient des cendriers précieux. De toutes ces choses, ils en étaient sûrs, l'Express avait parlé ou allait parler.

Au niveau des réalisations, toutefois, ils s'écartaient assez sensiblement des modes d'achat que l'Express proposait. Ils n'étaient pas encore tout à fait « installés » et, bien qu'on leur reconnût assez volontiers la qualité de « cadres », ils n'avaient ni les garanties ni les mois doubles, ni les primes des personnels réguliers attachés par contrat. L'Express conseillait donc, sous couleur de petites boutiques pas chères, et sympathiques (le patron est un copain, il vous offre un verre et un club-sandwich pendant que vous faites votre choix), des officines où le goût du jour exigeait, pour être convenablement perçu, une amélioration radicale de l'installation précédente : les murs blanchis à la chaux étaient indispensables, la moquette tête de nègre était nécessaire, et seul un dallage hétérogène en mosaïque vieillotte pouvait prétendre la remplacer, les poutres apparentes étaient de rigueur, et le petit escalier intérieur, la vraie cheminée, avec son feu, les meubles campagnards, ou mieux encore provençaux, fortement recommandés. Ces transformations, qui se multipliaient à travers Paris, affectaient indifféremment libraires, galeries de tableaux, merceries, magasins de frivolités et d'ameublement, épiceries mêmes.

GEORGES PÉREC, *Les choses*. Julliard.

Certes, l'évolution n'est pas aussi rapide dans tous les cas : on la trouve dans les grandes villes surtout (cf. chapitre « Cadre de la vie sociale ») mais elle s'étend progressivement.

C'est dans une certaine mesure, de manière plus ou moins explicite ou radicale, la société de consommation qui était visée dans les événements de mai-juin 1968 : les étudiants, futurs cadres et déjà consommateurs, ne voulaient pas se reconnaître dans le monde que leur offraient leurs aînés : ils contestaient la validité d'un système dans lequel ils voyaient un asservissement de l'homme aux choses, la disparition des valeurs spirituelles au profit d'une seule valeur étalon, l'argent et le pouvoir d'achat, moyen d'une religion des apparences.

Pourtant nul ne souhaite l'arrêt de la croissance. Il s'agit, semble-t-il, de l'intégrer à la civilisation, et non de faire régresser la civilisation à n'être que la croissance.

D'ailleurs, il serait difficile de dire que la France en est déjà à l'ère de l'abondance. La rareté et la pauvreté y existent encore trop souvent.

Le logement, problème primordial

Le patrimoine immobilier de la France est ancien : il a été pour une bonne part détruit par la guerre. Depuis celle-ci un peu plus de 5 millions de logements ont été construits, le rythme atteint étant de 500 000 par an environ et devant être porté à 550 000 par an en 1975. Pourtant la demande s'est accrue de façon considérable avec l'essor démographique qu'a connu la France après la guerre, et cette demande est inégalement répartie puisque les campagnes se dépeuplent au profit des villes.

La situation se trouve encore aggravée par le fait qu'il existe en réalité deux catégories de logements : celle des immeubles anciens, antérieurs à 1948, et celle des immeubles construits depuis cette année-là. Aujourd'hui encore, le loyer des immeubles anciens est très inférieur à celui des immeubles récents, parce qu'il est limité par la loi. Un tel état de choses protège les situations acquises, et, pesant d'un poids très lourd sur les décisions des individus et sur la vie de la nation, explique certaines particularités de comportement apparemment anormales, telles l'absence de mobilité géographique et professionnelle de la plupart des Français.

Comme les catégories sociales modestes, malgré les prêts et les aides de l'État, ne peuvent que difficilement envisager l'achat d'un appartement, dont le prix est supérieur en France à ce qu'il est dans les autres pays de la Communauté européenne, de nombreux logements sont surpeuplés (3,5 millions).

Pour le plus grand nombre des jeunes couples, dont les ressources sont insuffisantes, un logement adapté à leurs besoins est donc encore un rêve difficilement accessible.

Certaines catégories sociales cependant (comme celle des cadres) peuvent choisir selon leurs goûts et fournissent une clientèle nombreuse aux promoteurs immobiliers.

Réclame pour Paris 2 [1]

... Paris 2 est une véritable ville de loisirs où ne travaillent que ceux qui sont là pour vous servir. Partout on y ressent l'impression d'une luxueuse villégiature. Les chemins fleuris réservés aux piétons incitent à la promenade. Des appartements, le regard ne se pose que sur de vertes perspectives où seule apparaît la tache bleue d'une des huit piscines-clubs. Pourtant, Paris 2 est une vraie ville avec ses cinq arrondissements divisés en nombreuses résidences parfaitement indépendantes.

Le lieu idéal pour élever ses enfants : chaque résidence est agrémentée d'une aire de jeux avec un kiosque pour le mauvais temps et pourvue d'une garderie d'enfants. Même dans le « Shopping Center » on trouve un jardin d'enfants : quel plaisir de faire ses courses en toute liberté! Mais bâtir une ville c'est aussi bâtir des écoles. Quatre groupes scolaires modèles et deux collèges accueillent sur place, de la maternelle au baccalauréat, la jeune population de Paris 2. Sports, loisirs et écoles étant tout à côté, les enfants restent toujours à proximité de l'appartement familial.

« A Paris 2, le meilleur c'est normal... »

Et les appartements? « Nous n'innovons pas, répond Claude Balick, l'architecte de Paris 2, nous donnons aux gens le meilleur, ce meilleur qui existe théoriquement partout, mais qu'ils ne trouvent jamais et qu'ils ont pris l'habitude de ne pas avoir. Mais il n'y a pas de quoi se vanter, c'est normal. » C'est donc normal que les appartements soient très luxueux.

(Extrait de la publicité)

1. Après une protestation du Conseil municipal de Paris, l'ensemble immobilier « Paris 2 » a pris pour nom « Parly 2 ».

Comment acheter? (conditions 1972)

prix total : 240 000 Francs
apport personnel : 80 000 Francs
crédit bancaire : 160 000 Francs

Le remboursement du crédit peut se faire à mensualités progressives, par exemple : (chiffres arrondis)

12 mois, pas de remboursement
24 mois, 1 454
36 mois, 1 685
63 mois, 1 865
72 mois. 2 104

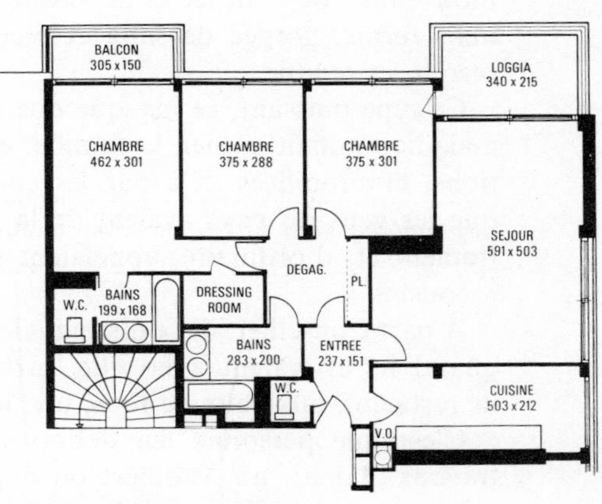

5 PIECES 102 m2

Avec ses trois chambres et ses deux salles de bains, c'est un grand appartement très commode à vivre. Les parents ont leur chambre, leur dressing-room et leur salle de bains en une suite bien isolée. Un grand placard dessert les deux autres chambres.

La famille et la vie sociale

Les caractères de la famille française varient suivant les revenus, les groupes sociaux et les régions. Ils trouvent cependant une expression commune dans la loi. Certes on a pu dire du Code civil qu'il avait été conçu « pour un enfant trouvé mourant célibataire », mais dès 1801 pourtant la famille est protégée par la loi puisqu'elle est le cadre dans lequel se transmet le patrimoine économique et moral des individus. La politique de protection sociale a donné, au demeurant, une importance accrue à la famille, par la promulgation en 1941 du « Code de la famille », et par diverses mesures d'aide et d'encouragement (cf. chapitre « Protection sociale ») auxquelles il faut ajouter la reconnaissance, déjà ancienne, des charges familiales par la fiscalité.

Une évolution commune des familles se manifeste d'ailleurs aujourd'hui.

Les dimensions de la famille se sont réduites

La nécessité de transmettre un titre ou un patrimoine, aussi bien que la contrainte économique, a imposé longtemps le maintien d'une famille patriarcale fortement hiérarchisée. La réunion dans un même foyer de plusieurs générations existe encore en milieu rural.

Le patriarche

... A cette époque, Conseiller dirigeait la famille comme elle-même dirigeait le pays. Aïeul et maître de l'héritage, en ligne directe ou par le mariage de ses enfants, il faisait marcher tout le domaine, et c'était peut-être dans la longue suite des maîtres du Maubert, dont on gardait le souvenir sans pierre gravée ou livre écrit, le plus puissant et le plus respecté.

Long, comme tous les Arnal, haut sur ses jambes, il avait plus que tous, par une sorte de confirmation des années, le visage de la famille : un front serré aux tempes, un nez mince aux ailes basses, comme replié pour un mouvement de violence et de vitesse, et, surtout, une lèvre inférieure épaisse mais ferme, gorgée de sang et recouvrant presque l'autre lèvre, mince et secrète et tendue.

Ce type puissant, ce masque que ne pouvaient briser ni la vieillesse ni la maladie, unifiait si bien la famille, en confondait même parfois les générations, embrouillées déjà par les cousinages et les alliances entre parents, que les gens du pays avaient de la peine à se retrouver dans cet enchevêtrement et, d'ordinaire, appelaient tous ceux qui vivaient au Maubert les « cousins »...

A part Conseiller, ils se distinguaient mal entre eux, et, même le dimanche, quand ils arrivaient à la ville, groupés par rangs d'âge et de puissance, ils restaient, aux yeux de tous, une masse compacte et presque mystérieuse.

C'est que personne, en dehors de la famille, ne prenait part à leurs travaux. Jamais au Maubert on n'avait engagé d'ouvriers agricoles ni de valets de ferme. Tous ces hommes, toutes ces femmes avaient leur place exacte dans les travaux du domaine, et les fils de la maison suffisaient à tout, même à l'époque des plus grosses besognes. Les Arnal faisaient leurs moissons et leurs vendanges seuls, et ramassaient seuls aussi les châtaignes de toute cette longue montagne qui, vue du pont de la ville, barrait le fond de la vallée et, d'un jet presque droit, depuis les eaux calmes jusqu'aux cols, équilibrait sa masse sombre avec l'étendue transparente du ciel.

ANDRÉ CHAMSON, *Le crime des justes.* N.R.F.

De telles familles sont aujourd'hui de plus en plus rares. En ville, deux raisons peuvent expliquer qu'habitent parfois encore ensemble plusieurs générations : nécessité pour les enfants d'accueillir des parents âgés, sans ressources, ou, au contraire, nécessité pour les parents d'accueillir un jeune couple incapable de trouver un logement. Mais dans les deux cas, les relations familiales visent le plus possible à l'autonomie interne. Les jeunes s'affranchissent d'ailleurs très tôt de la tutelle des parents et le mariage imposé par ceux-ci n'existe plus.

Déclin du mariage bourgeois

... Le mariage bourgeois, arrangé ou orienté par les familles, semble mort, même dans les provinces. Certes, il est encore courant d'exercer une influence sur la jeune fille, en faisant grise mine ou au contraire bon accueil aux soupirants qu'elle présente : mais on est bien loin de l'ancienne mode, où le choix initial était pratiquement fait par les familles elles-mêmes - ce qui se pratiquait jusqu'en 1950 dans l'aristocratie et la bourgeoisie provinciales. Aujourd'hui, ce n'est plus vrai que dans le cas où la jeune fille menace de « monter en graine » sans avoir trouvé un mari.

Il y eut un temps où l'église catholique soutenait la famille dans ses efforts pour imposer un mariage à une fille rebelle. Aujourd'hui, l'Église est dans l'ensemble hostile à toute pression de ce genre. On insiste désormais sur l'importance du libre consentement mutuel; et, par liberté, on n'entend pas seulement absence de contrainte, mais don authentique de soi. En principe, c'est l'amour romantique qui règle désormais les choix faits en vue d'un mariage.

Les parents ont accepté la situation à cause du caractère décidément suranné de certains de leurs anciens critères. La propriété, comparée aux traitements des directeurs et des cadres, a perdu de son importance et continuera encore à en perdre quand les spécialistes de la direction seront capables de s'attribuer des bons et des primes d'achat sur les titres. Une dot peut contribuer moins fortement à la solidité du mariage qu'une bonne formation universitaire qui peut amener la jeune femme, si besoin est, à une position de fonctionnaire. En fait, bien des familles bourgeoises, à cause de la proportion plus élevée de mariages et à cause des pertes de guerre, ne possèdent plus ces réserves de lingerie et de mobilier, ces habitations autrefois accordées, en plus de l'argent liquide, au jeune couple. Les dots existent encore, mais sont de moins en moins importantes.

JESSE R. PITTS, *A la recherche de la France*
Seuil.

Une famille peu hiérarchisée

La famille s'identifie de plus en plus avec le couple et ses enfants, les parents éloignés n'étant plus guère fréquentés sinon en province et les relations sociales se constituent autour de liens d'amitié.

Au sein du couple, la prééminence du mari sur la femme tend à disparaître. Juridiquement, cette dernière s'est vu progressivement reconnaître des droits sensiblement égaux à ceux de l'homme. Cependant, si les relations sont de plus en plus égalitaires, une certaine tradition subsiste qui veut que l'homme soit ou paraisse le chef de famille[1], même si, comme c'est le cas en particulier dans les familles ouvrières, il abandonne certains domaines de son autorité à sa femme.

La femme et le budget familial

... L'extension de la famille salariée (que l'on a aussi appelée « la famille industrielle ») parce qu'elle est sociologiquement le produit de l'apparition de l'industrie, où les parents, n'ayant hérité d'aucune fortune, ne vivent que du salariat et des prestations sociales diverses, rend particulièrement vaines, pour ce type de famille, les prérogatives patrimoniales du mari. Car c'est un fait bien connu des sociologues que, dans ce type de famille, la mère gère le budget et exerce la prépondérance économique, ce qui ne veut pas dire que, pour les dépenses importantes, le mari ne soit pas consulté. F. Le Play faisait déjà allusion à cette coutume lorsqu'il décrivait comment la femme du charpentier de Paris détentrice des ressources du ménage (du salaire du mari, aussi bien que de ses propres revenus tirés du travail) donnait tous les matins à son mari une petite somme pour se payer le restaurant. Ce modèle sociologique, hérité du XIXe siècle, a survécu dans les familles ouvrières et, loin de régresser, il tend à s'imposer dans la petite bourgeoisie prolétarisée des villes (employés, fonctionnaires, etc.). Nous avons tenté de donner une explication sociologique de cette coutume : absence prolongée du mari qui part tôt et rentre tard le soir, plus grande capacité de la femme pour parcourir les marchés, comparer les prix, et acheter le moins cher, etc. Mais ce qui compte ici, c'est que la femme ouvrière se trouve ainsi participer activement à la stabilité du foyer, car c'est de sa bonne ou de sa mauvaise gestion que cette stabilité va dépendre. D'où son rôle éminent dans la famille ouvrière, la valorisation qu'on lui accorde dans ce type de famille en déclarant qu'elle est « plus apte que le mari » à gérer les biens du ménage.

A. MICHEL et G. TEXIER, *La condition de la Française d'aujourd'hui* (tome I). Denoël-Gonthier.

A l'égard des enfants, l'autorité paternelle s'exerce avec moins de rigueur qu'autrefois : il n'est pas question de laisser l'enfant faire ce qui lui plaît sans intervenir, mais la primauté des valeurs reconnues par les parents n'est plus incontestée et l'éducation n'est plus conçue comme un dressage.

1. Cf. la chanson de Jean Ferrat, *On ne voit pas le temps passer*, citée par E. Marc dans *La Chanson française*, Hatier 1972, p. 89.

la protection sociale

A chacun selon ses besoins

L'homme a trouvé longtemps une protection contre les incertitudes de sa condition à l'intérieur de la cellule familiale ou du groupe restreint constitué par la communauté villageoise ou la paroisse. Cette protection a disparu en même temps qu'éclataient les cadres traditionnels de la société, au moment de la révolution industrielle. Tous les auteurs ont constaté que la misère ouvrière au XIXe siècle n'était pas seulement misère de l'instant présent, mais aussi panique devant un futur dangereux ; la prévoyance individuelle n'était possible que pour les riches et les secours organisés par la société pour les indigents, les malades ou les vieillards, furent l'expression d'une charité bien souvent policière.

Aujourd'hui, grâce à la prise en charge par la collectivité des risques les plus divers, un véritable régime de répartition du revenu national a été instauré.

La conception moderne de la protection sociale

... A partir de la guerre 1914-1918 et plus encore après la crise économique de 1929-1932 et la guerre de 1939-1945, l'intervention de la collectivité dans le domaine social traverse des changements profonds. Le développement des besoins est tel qu'une proportion de plus en plus grande de la population est incapable de les satisfaire sans cette intervention : tel est le cas, par exemple, dans le domaine médical. L'idée se précise, d'autre part, que l'effort social doit tendre non pas seulement à garantir à chacun un droit à la vie, un minimum d'existence, mais aussi à réaliser un équilibre satisfaisant des situations, non pas seulement à éliminer les injustices les plus criantes, mais aussi à se rapprocher de la justice sociale.

Il en résulte une transformation dans les mécanismes comme dans les buts de l'effort social. Dans les mécanismes, alors que l'accent avait été mis auparavant sur des formules d'assistance s'adressant aux éléments les plus déshérités et des formules de prévoyance libre ouvertes aux catégories relativement aisées, de plus en plus se répandent les formules d'assistance obligatoire conçues pour le groupe social (...).

Dans les buts, la collectivité tend à réaliser une distribution plus équitable du revenu national, tenant compte des charges de chacun, à donner à toutes les parties de la population la sécurité générale du lendemain, à atteindre une égalité suffisante des chances. L'État apparaît de plus en plus comme responsable de l'ensemble de la population. Le bien-être, la sécurité, les chances de chacun cessent d'être affaire individuelle pour devenir, au moins en partie, affaire collective. Bien plus, alors que tout l'effort social du XIXe siècle et de la première partie du XXe est axé sur l'individu, tend à améliorer la condition matérielle et morale de celui-ci, pris, comme tel, isolément, l'effort social contemporain s'oriente, par-delà l'individu, vers la modification des structures de la société elles-mêmes...

Tandis que l'évolution du XIXe siècle est orientée vers une libération de l'homme des contraintes familiales, les droits de l'homme, de la femme, de l'enfant étant affirmés pour une large part contre la famille, l'on assiste aujourd'hui à un renouveau de l'idée familiale s'exprimant dans le souci, non pas de revenir au passé, mais d'aménager un statut familial adapté au monde moderne, et voyant dans l'aménagement d'une structure satisfaisante de ce groupe la condition même d'une existence harmonieuse et saine comme de l'équilibre social.

P. LAROQUE, *Succès et faiblesses de l'effort social français.* A. Colin.

La redistribution des revenus découle du système d'assurance collective mis en place : de chacun selon ses capacités lorsqu'il faut participer aux charges, à chacun selon ses besoins lorsque le risque est réalisé : l'aide n'est pas, en général, limitée à un montant donné et la contribution est proportionnelle aux revenus obtenus et non aux risques courus par l'individu.

Les différentes dépenses sociales de la France sont regroupées depuis 1959 dans un document annuel, le budget social de la Nation. Celui-ci permet de constater l'importance des prestations sociales qui représentent le quart du revenu national.

Des régimes différents

Malgré l'affirmation du principe de la solidarité nationale et l'unification réalisée par le plan de Sécurité Sociale de 1945, il existe différents régimes de Sécurité Sociale.

Avant la généralisation de l'assurance-maladie aux travailleurs indépendants en 1967, 85 % de la population bénéficiait de cette protection dont environ 70 % dans le cadre du régime général réservé aux salariés, les 15 % restant se partageant entre un certain nombre de régimes particuliers (S.N.C.F., Mines, Gaz et Électricité...).

Le système de Sécurité Sociale est fondé sur une organisation paritaire associant des représentants de salariés et des chefs d'entreprise.

L'État contrôle l'ensemble des caisses.

Différentes sociétés proprement mutualistes complètent l'action de celles-ci, notamment pour la vieillesse et le chômage.

La protection contre la maladie

Les dépenses de consommation médicale augmentent selon un rythme particulièrement rapide (près de 10 % par an), de telle sorte qu'en 1968 elles ont doublé par rapport à 1960. Ces dépenses sont prises en charge par la Sécurité Sociale, pour partie si la maladie est de peu d'importance (« petit risque ») ou en totalité si la maladie dure ou peut entraîner des frais importants. Le malade engage les dépenses à son gré, la caisse dont il dépend les lui rembourse.

La progression très rapide des charges de la Sécurité Sociale a conduit à une réforme en 1967. Néanmoins l'équilibre financier du système semble bien difficile à assurer.

Médecine libérale et sécurité sociale

... Les assurances sociales n'ont guère modifié les principes de la médecine libérale. Les règles qui régissent les rapports entre le malade et le médecin sont restées presque inchangées. La seule démarche imposée au malade est de faire viser une « feuille de maladie » à l'occasion des visites aux praticiens et des soins qui lui sont prescrits.

En dehors de cette obligation, le malade conserve le libre choix de son médecin, et de son pharmacien, de l'auxiliaire médical, de l'établissement de soins dans lequel il se fait traiter. Les conditions techniques d'agrément auxquelles sont soumis les établissements de soins privés et certains fournisseurs ne sont inspirées que par un souci de protection sanitaire.

Le secret professionnel est également respecté; les coefficients et les lettres clés mentionnés par le médecin traitant sur la feuille de maladie ne peuvent permettre aux employés des caisses de déterminer la maladie pour laquelle les soins ont été dispensés; seuls peuvent être amenés à la connaître les « médecins conseils » des caisses qui peuvent se mettre en rapport avec le médecin traitant à l'occasion d'une demande de prise en charge, ou d'une prescription d'arrêt de travail par exemple.

La liberté de prescription du médecin est très largement respectée. Il peut prescrire tous les traitements, médicaments, examens qu'il estime utiles. La nomenclature générale des actes professionnels des praticiens, qui permet aux caisses de calculer le montant de la prise en charge, couvre pratiquement toutes les techniques médicales existantes... Il en est de même de la nomenclature du tarif interministériel des prestations sanitaires et de la liste des médicaments spécialisés remboursables. Les seules limites tracées de manière extrêmement libérale par la législation ne jouent que pour les maladies de longue durée et pour certaines pratiques médicales onéreuses où un accord préalable de la caisse est nécessaire.

Le quatrième principe de la charte de la médecine libérale est l'entente directe entre le médecin et le malade sur les honoraires, et son respect par la législation sur les assurances sociales a conduit à déterminer par voie de convention les tarifs d'honoraires des praticiens qui s'imposent à la fois aux caisses de Sécurité Sociale et aux médecins.

Le malade paie directement les praticiens, pharmaciens, fournisseurs et établissements de soins choisis par lui; il se fait ensuite rembourser sur justification des feuilles de maladie, par la caisse primaire, la part garantie par la législation.

M. HUSTE, *Tendances*, N° 42, août 1966.

Le remboursement varie également selon que le médecin a passé ou non une convention avec la Sécurité Sociale, par laquelle il s'engage à respecter les tarifs. Par ailleurs, le malade touche une indemnité variable destinée à compenser la perte de son revenu consécutive à la maladie.

Encouragement à la natalité

Outre l'assurance-maladie, une pièce maîtresse du système est constituée par les prestations familiales qui viennent compléter les divers efforts réalisés pour constituer une politique d'aide à la famille et d'encouragement à la natalité (fiscalité, réseau d'assistantes sociales). Elles sont attribuées à toute personne résidant en France et ayant des enfants à sa charge : allocations familiales à partir du deuxième enfant, allocation de salaire unique ou de mère au foyer, allocation prénatale, allocation de maternité, allocation de logement.

LE TRAVAIL DANS LA VIE DES FRANÇAIS

Il faut moins travailler dans une vie

Avec le développement économique, et dans la mesure où la durée totale de la vie se prolongeait, la durée de la vie active s'est accrue. Mais en même temps les jeunes faisaient de plus longues études et les personnes âgées bénéficiaient de la retraite, ce qui a eu l'effet contraire : un jeune français doit faire des études jusqu'à 16 ans au moins, et les prolonge souvent bien au-delà ; il n'a que rarement un vrai métier avant d'avoir fait son service national. On prend la retraite à 65 ans, parfois 60.

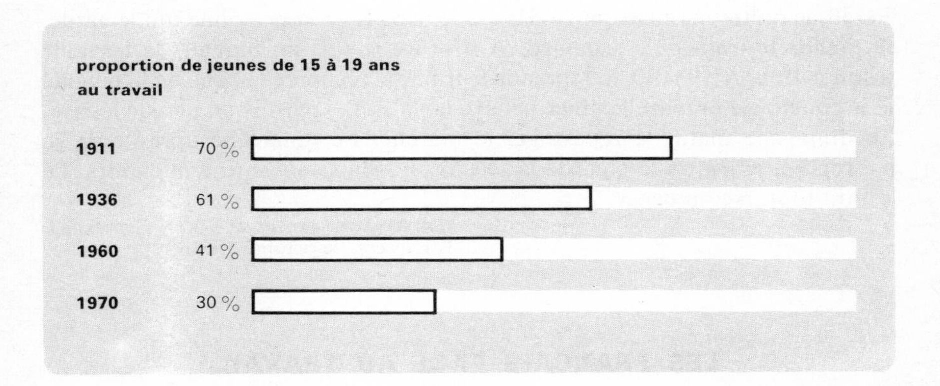

Une femme sur trois exerce une activité professionnelle. Une grande partie de son temps doit être consacrée aux travaux du ménage qu'elle assume sans aide le plus souvent. C'est pourquoi la généralisation du travail à temps partiel est souvent demandée par les organisations féminines. Mais déjà les horaires de travail sont réduits : le XIXe siècle est loin, avec ses journées de 12 heures, sans repos hebdomadaire et sans vacances annuelles. La durée du travail fixée par la loi est de 8 heures par jour et 40 heures par semaine. Les heures supplémentaires sont payées à un tarif plus élevé et ne dépassent pas, en moyenne, 5 heures par semaine.

Un jour sur sept doit être consacré au repos. C'est le dimanche le plus souvent, mais ce peut être le lundi ou un autre jour. D'ailleurs la règle est maintenant presque partout la « semaine de 5 jours », avec ses 2 jours de repos.

Enfin, depuis 1936, la loi impose le principe d'un congé annuel rémunéré par l'employeur. La durée de ce congé est au moins de 3 semaines, et dans la plupart des entreprises, elle s'élève à 4 semaines, parfois à 5. En outre, un certain nombre de fêtes traditionnelles sont chômées : 1er mai (fête du Travail), 14 juillet (anniversaire de la Révolution française de 1789), Noël, par exemple.

Mais les déplacements sont plus longs et plus pénibles

La distance moyenne du domicile au lieu de travail s'accroît, avec l'extension des villes et de leurs banlieues. Il faut utiliser des moyens de transport dont la capacité est quelquefois dépassée, car les heures de début et de fin du travail sont à peu près identiques pour toutes les entreprises et les administrations.

En moyenne, dans la région parisienne, le travailleur reste 12 heures absent de son domicile (peu de gens peuvent rentrer déjeuner chez eux). Aussi, cherche-t-on à réaliser la « journée continue », caractérisée par une interruption assez brève à midi, ce qui permettrait également d'étaler dans le temps les heures de début et de fin du travail.

Une femme va travailler

... Chaque matin, je suis debout à six heures. Je fais ma toilette, je range ma chambre. Je m'occupe de mon bébé. Je prépare le petit déjeuner. Vers 7 h 30, je quitte ma maison. Je dépose le bébé chez la personne qui le garde. Je prends le train puis le métro. A 9 h 30, je suis au bureau. Je travaille jusqu'à 19 h. A 19 h 30, je reprends le train, je récupère le bébé, je le baigne, je le couche, je prépare le dîner, je lave la vaisselle, parfois un peu de lessive. Le dimanche matin le repassage, le marché. Le dimanche après-midi, je me repose, je lis, ou je regarde la télévision. Mais souvent, je m'endors. Le lundi, tout recommence.

TÉMOIGNAGE *(extrait de « Mme Express »)*.
L'Express, 26 octobre 1964.

LES FRANÇAIS FACE AU TRAVAIL

Une mentalité...

En France comme ailleurs, il faut bien aller chaque matin « au travail ». Mais si l'effort est effectif, il n'a pas bonne presse : il est de tradition d'affecter que toute réalisation soit due plutôt aux dons personnels et aptitudes naturelles qu'au courage à la tâche.

Il reste, certes, en France des artisans semblables aux ouvriers que chantait Péguy, dont le travail pouvait être une raison de vivre.

L'honneur du métier

... Le croira-t-on, nous avons été nourris dans un peuple gai. Dans ce temps-là un chantier était un lieu de la terre où les hommes étaient heureux. Aujourd'hui un chantier est un lieu de la terre où les hommes récriminent, s'en veulent, se battent, se tuent.

De mon temps tout le monde chantait (excepté moi, mais j'étais indigne d'être de ce temps-là). Dans la plupart des corps de métier, on chantait. Aujourd'hui on renâcle. Dans ce temps-là on ne gagnait pour ainsi dire rien. Les salaires étaient d'une bassesse dont on n'a pas idée. Et pourtant tout le monde bouffait. Il y avait dans les plus humbles maisons une sorte d'aisance dont on a perdu le souvenir. Au fond, on ne comptait pas. Et on n'avait pas à compter. Et on pouvait élever des enfants. Et on en élevait. Il n'y avait pas cette espèce d'affreuse strangulation économique qui à présent d'année en année donne un tour de plus. On ne gagnait rien; on ne dépensait rien; et tout le monde vivait.

Il n'y avait pas cet étranglement économique d'aujourd'hui, cette strangulation scientifique froide, rectangulaire, régulière, propre, nette sans une bavure, implacable, sage, commune, constante, commode comme une vertu, où il n'y a rien à dire et où celui qui est étranglé a si évidemment tort...

Nous croira-t-on et ceci revient encore au même, nous avons connu des ouvriers qui avaient envie de travailler. On ne pensait qu'à travailler. Ils se levaient le matin, et à quelle heure, et ils chantaient en allant à la soupe. En somme c'est toujours du Hugo; et c'est toujours à Hugo qu'il en faut revenir : ils allaient, ils chantaient. Travailler était leur joie même et la racine profonde de leur être. Il y avait un honneur incroyable du travail, le plus beau de tous les honneurs, le plus chrétien, le seul peut-être qui se tienne debout...

Nous avons connu un honneur du travail exactement le même que celui qui, au Moyen Age, régissait la main et le cœur. C'était le même conservé intact en dessous. Nous avons connu ce soin poussé jusqu'à la perfection, égal dans l'ensemble, égal dans le plus infime détail. Nous avons connu cette piété de l'ouvrage bien fait, poussée, maintenue jusqu'à ses plus extrêmes exigences. J'ai vu toute mon enfance rempailler des chaises exactement du même esprit et du même cœur, et de la même main, que ce même peuple avait taillé ses cathédrales.

CH. PÉGUY, *L'argent*.
Cahiers de la quinzaine.

... et des conditions de travail

Mais la France n'a pas échappé aux transformations des méthodes de production, dans lesquelles le travail individuel ne convient plus, et l'initiative est limitée. Sur 100 personnes en activité, 70 sont salariées. Les grandes entreprises se développent et les conditions de travail de nombreux Français, même s'ils ne les apprécient guère, sont le bureau rationalisé ou le travail à la chaîne.

Le travail à la chaîne

... Enveloppé dans le grondement de la chaîne, au guet de ces structures en gestation ouverte qui s'avancent et se complètent, lentement, prêt comme le pêcheur en haute mer à bondir sur l'incident possible, à le harponner, Maillecotin reste par instants capable de rêver, du coin de la cervelle. Oh! des rêveries qui ne s'échappent pas loin, qui ne se détachent pas de la besogne, qui en font partie, comme en fait partie le grondement que répercute le grand hall vitré...

Il se revoit devant son tour, sous la grande baie vitrée, avant la guerre. Ça, c'était le rêve. Une machine qui était à vous, comme le cheval au cavalier; à vous seul. Qui se laissait conduire. Qui était très perfectionnée sans l'être trop. Qui vous laissait, à vous, le soin du fin réglage, le mérite de la suprême perfection. Rien ne vous empêchait de stopper si vous sentiez la fatigue. Une machine qu'on aimait. C'est bizarre. On s'imaginerait qu'il suffit d'aller toujours de l'avant pour faire mieux. Pas sûr. Et pourtant, est-ce qu'on peut reculer? Est-ce qu'on peut même rester stationnaire? Non. Les autres vous poussent. Dans son genre, en plus grand, la civilisation c'est un truc comme la chaîne. Sauf que pour la chaîne il y a des ingénieurs et un ingénieur en chef. Ils savaient ce qu'ils voulaient; et ils continuaient à surveiller la marche, pour intervenir en cas de besoin. Tandis que là...

JULES ROMAINS, *Les Hommes de bonne volonté.*
Flammarion.

Le travail de bureau

Votre patron...

Mon vrai patron, c'est Barnage, co-directeur général. A moquette double, doubles rideaux, double fenêtre et double secrétaire extérieure. Mais il est temps que je m'explique sur la hiérarchie du mobilier : chez nous l'importance d'un collaborateur se mesure à celle de son bureau. Il y a d'abord ceux qui travaillent dans d'immenses cages de verre, par légions, et dont aucun mouvement ne saurait échapper à l'œil du chef de service isolé dans son alvéole transparent. Ce manque absolu d'intimité, comparable à celui du poisson rouge dans un bocal, ou de ces jeunes remmailleuses de bas travaillant en vitrine, sous les yeux des passants (on se demande quel sadique pharaon de magasin a pu avoir cette idée-là), est une des trouvailles des temps modernes. La ruche transparente met au supplice les petits qui ne peuvent plus se gratter le nez ou prendre un bout de chocolat dans leur tiroir sans avoir l'impression d'être épiés. On ne devient quelqu'un dans la maison qu'à partir du moment où ayant échappé à la cage de verre, puis à toutes les combinaisons de bureaux multiples sans fauteuil, sans lampe individuelle, sans fenêtre, sans secrétaire, sans moquette, on est invisible et seul dans un bureau acajou à fauteuils de cuir rouge, et où la secrétaire n'a accès que sur demande.

Je ne parle pas du grand patron qui, à côté de son poste de commande, s'est fait aménager une espèce de boudoir Empire dont on renouvelle les fleurs tous les deux jours. Le fin du fin c'est d'avoir un bureau qui ressemble à tout sauf à un bureau. Les fleurs ne sont pas un privilège exclusif de Stumpf-Quichelier, mais, pour avoir droit aux fleurs, il faut attendre un mot de lui. Luchard a ainsi attendu deux ans, Pignatel trois. Un jour le patron lui a dit : « Ah! vous admirez mes fleurs... hein? Mais, vous qui recevez beaucoup de visiteurs, pourquoi n'en mettez-vous pas aussi? » L'autorisation étant ainsi accordée, on met des fleurs - moins belles que celles du patron - et on ne les change qu'une fois par semaine. A ma connaissance, il y a quatre personnages qui ont droit aux fleurs « comme le patron »...

PIERRE DANINOS, *Un certain M. Blot*.
Hachette.

Dans le secteur agricole, dont l'importance est traditionnelle en France, de profondes transformations se réalisent. Le type du paysan individualiste fait place à une nouvelle génération d'hommes agissant et pensant plus souvent en commun, et considérant leurs exploitations comme des entreprises.

La machine et les Français

C'est avec une certaine réticence que les Français ont admis la révolution industrielle : l'introduction de la machine dans le processus de production a paru à certains le signe d'une déshumanisation de la société. Déjà les textes précédents ont montré comment Péguy voit la « strangulation scientifique » et comment le travail à la chaîne peut détruire la joie au travail. Pour Bernanos, le monde évolue vers une « machinerie totalitaire ». Mais un autre courant de pensée envisage avec optimisme cette évolution et estime que la condition humaine ne peut que s'en trouver améliorée : l'attachement inconditionnel à des modes de vie passés fait place dans la mentalité française à une réflexion plus réaliste et plus dynamique sur les rapports de l'homme et de la machine.

Usage de la machine et pensée

... L'usage d'un instrument n'a pas fait de toi un technicien sec. Il me semble qu'ils confondent but et moyen ceux qui s'effraient par trop de nos progrès techniques. Quiconque lutte dans l'unique espoir de biens matériels, en effet, ne récolte rien qui vaille la peine de vivre. Mais la machine n'est pas un but. L'avion n'est pas un but, c'est un outil. Un outil comme la charrue.

Si nous croyons que la machine abîme l'homme, c'est que peut-être nous manquons de recul pour juger les effets de transformations aussi rapides que celles que nous avons subies. Que sont les cent années de l'histoire de la machine en regard des deux cent mille années de l'histoire de l'homme? C'est à peine que nous commençons d'habiter ce paysage de mines et de centrales électriques. C'est à peine si nous commençons à nous installer dans cette maison nouvelle que nous n'avons même pas achevé de bâtir. Tout a changé si vite autour de nous : rapports humains, conditions de travail, coutumes. Notre psychologie elle-même a été bousculée dans ses bases les plus intimes. Les notions de séparation, d'absence, de distance, de retour, si les mots sont demeurés les mêmes, ne contiennent plus les mêmes réalités. Pour saisir le monde d'aujourd'hui nous usons d'un langage qui fut établi pour le monde d'hier. Et la vie du passé nous semble mieux répondre à notre nature pour la seule raison qu'elle répond à notre langage.

Chaque progrès nous a chassés un peu plus loin hors d'habitudes que nous avions à peine acquises, et nous sommes véritablement des émigrants qui n'ont pas encore fondé leur patrie.

A. DE SAINT-EXUPÉRY, *Terre des hommes*.
Gallimard.

C'est aussi que la machine se transforme : à l'ère de la mécanisation succède celle de l'automation.

La machine doit améliorer les conditions de travail

... La machine qui jusque vers 1925 était un monstre hideux à voir, bruyant et brutal, devient plus fine, plus silencieuse, plus souple; elle tend même à devenir belle, ce qui est un signe de son adaptation à l'homme, mais, surtout, elle tend de plus en plus à s'acquitter à elle seule du travail automatique et requiert de moins en moins l'intervention périodique et identique d'un geste de l'ouvrier : la machine moderne s'alimente elle-même et exécute automatiquement les besognes de rythme cyclique. L'homme se limite ainsi de plus en plus aux tâches de commande et de réparation qui ne sont jamais avilissantes et qui, en général, développent l'esprit de réflexion et de décision.

Il faudra décidément que les hommes deviennent intelligents et plient leur intelligence à la méthode scientifique. L'organisation du travail est à l'heure actuelle en pleine révolution; on a compris que si les travailleurs ont pu apparaître *a priori* interchangeables ce n'est qu'au prix d'une approximation grossière. En fait, chacun d'eux a des aptitudes où il excelle et qui sont peu nombreuses à côté de la multitude des qualités qu'il a médiocres. La base de l'organisation moderne du travail est d'offrir à chaque travailleur l'initiative des activités pour lesquelles il est bien doué, et de le décharger des tâches où il est « quelconque ». Les chefs d'entreprise comprennent de mieux en mieux que le rôle essentiel n'est pas le règlement du détail de la marche de leurs affaires, mais le choix des hommes; le grand chef de service n'est pas celui qui, du matin au soir, épie et corrige ses collaborateurs, mais celui qui, aux moments requis, apporte l'impulsion décisive. La limite idéale vers laquelle tend la nouvelle organisation du travail est celle où le travail se bornerait à cette seule forme de l'action : l'initiative.

La nature du travail confié à l'homme dans sa profession s'avère ainsi, par des signes désormais incontestables, devoir, dans le proche avenir, stimuler la culture intellectuelle et l'équilibre de la personnalité, au lieu de les restreindre comme les débuts de la période transitoire ont pu le faire croire à la presque totalité des observateurs.

JEAN FOURASTIÉ, *Le grand espoir du XXe siècle.* P.U.F.

LES RAPPORTS DE TRAVAIL ET L'ACTION COLLECTIVE

L'intervention de l'État

L'État intervient par de nombreuses mesures législatives. Celles-ci sont étudiées par le ministère du Travail et leur application est contrôlée par les inspecteurs du Travail.

Protection du salarié et de son revenu

Le contrat de travail entre l'employeur et l'employé détermine librement le montant du salaire. Cependant, celui-ci doit être supérieur à un salaire minimum fixé par la loi. Le SMIG (salaire minimum interprofessionnel garanti) est devenu, après les événements de 1968, le SMIC (salaire minimum interprofessionnel de croissance), qui croît en fonction de l'augmentation du coût de la vie et de la croissance des salaires moyens dans toute la France.

Le renvoi d'un employé doit être justifié par une faute de celui-ci, sinon des indemnités sont dues.

Le salaire doit être payé en priorité en cas de difficultés financières de l'employeur.

Représentation des salariés dans l'entreprise

La loi a tenté d'organiser dans l'entreprise le dialogue entre le patron et ses employés : des délégués, depuis 1936, doivent représenter le personnel auprès de la direction, dans toutes les entreprises de plus de 10 salariés. Des comités d'entreprises, depuis 1945, doivent donner leur avis sur la gestion de l'entreprise, dans toutes celles de plus de 50 employés et disposent d'un budget qui leur permet de créer des cantines, des colonies de vacances, des caisses de secours.

Participation aux résultats et au capital

L'idée d'associer les employés à la marche de l'entreprise, en leur attribuant une véritable participation, est déjà ancienne. Elle a été reprise et systématisée par la loi de 1959, puis en 1967, mais n'a jusqu'à présent rencontré qu'un succès limité par les réticences des intéressés.

Des syndicats divisés

La liberté syndicale a été accordée en 1884. Les syndicats se sont dès lors multipliés et se groupent eux-mêmes en confédérations ou « centrales » dont le nombre et la dispersion affaiblissent la puissance, déjà réduite par le nombre assez faible des syndiqués.

Les centrales de salariés

C.G.T. : La Confédération Générale du Travail se caractérise par une opposition de principe au système économique capitaliste et par une réticence marquée envers toute collaboration entre classes sociales. Elle prend la plupart du temps des positions communes avec celles du Parti Communiste. On lui reconnaît plus de deux millions d'adhérents.

C.G.T.-F.O. : La Confédération Force Ouvrière avoue certaines affinités avec le Parti Socialiste S.F.I.O. Elle pratique une politique de présence dans les différents organismes consultatifs mis en place par l'État. Elle a environ 400 000 adhérents.

C.F.D.T. : La Confédération Française Démocratique du Travail représente la tendance majoritaire de l'ancienne C.F.T.C. (Confédération Française des Travailleurs Chrétiens) qui subsiste sous le nom de C.F.T.C. *maintenue*, après qu'une scission fut intervenue entre les deux tendances en 1964, la première affirmant son caractère non confessionnel, la dernière se réclamant des principes chrétiens et des encycliques. La C.F.T.C. est de tendance réformiste. La C.F.D.T. veut changer la structure de la société et instaurer l'autogestion dans les entreprises. Elles ont toutes deux un rôle formateur important vis-à-vis de leurs adhérents. La C.F.D.T. compte aujourd'hui près d'un million de syndiqués.

Enfin, un certain nombre de syndicats groupent certaines catégories professionnelles : ceux des enseignants, cadres, sont les plus importants.

Les centrales de chefs d'entreprises

Le **C.N.P.F.** (Conseil National du Patronat Français) groupe des syndicats de commerçants et d'industriels. Des oppositions de pensées se manifestent assez souvent dans son sein, mais il est en majorité fidèle aux principes du libéralisme classique.

Il existe également deux importantes centrales syndicales agricoles : la **F.N.S.E.A.** (Fédération Nationale des Syndicats d'Exploitants Agricoles) et le **C.N.J.A.** (Centre National des Jeunes Agriculteurs) dont la préoccupation essentielle à l'heure actuelle est l'intégration européenne.

Des conflits subsistent

Le climat d'hostilité qui existe encore en France entre les chefs d'entreprise et les employés (en particulier les ouvriers) correspond à deux conceptions de systèmes économiques et sociaux opposés. La grève apparaît aux salariés comme le meilleur recours Le droit de grève est d'ailleurs reconnu dans la Constitution de 1958, qui reprenait en cela celle de 1946. Les patrons répliquent par la fermeture de leurs entreprises.

Un conflit du travail

... A Sochaux, la rencontre organisée vendredi dernier par l'Inspecteur du Travail entre les représentants ouvriers et patronaux n'a apporté aucun résultat. Ces derniers n'ont voulu traiter que de l'adoucissement des sanctions prises il y a trois semaines contre certains grévistes.

Les syndicalistes n'ont pu obtenir l'ouverture de la discussion qu'ils réclament sur l'augmentation des salaires (0,20 F de l'heure) et la réduction du temps de travail.

Aussi ont-ils confirmé leurs consignes de débrayage lors du meeting du 1er mai, en disant aux manifestants : « Appliquez vous-mêmes les quarante heures à partir du 1er mai. »

En Avant - *Dessin de Sempé.*

Or c'est précisément à cette date que la direction a décidé de porter les horaires hebdomadaires à quarante-six heures quinze minutes, après les avoir relevés de quarante à quarante-trois heures trente au début d'avril.

Dans une lettre adressée au personnel, le 30 avril, la direction écrit notamment :

« Certains verront les 30 avril et 14 mai leur paie diminuée très sérieusement du fait des heures non travaillées et de la perte d'une ou des primes de quinzaine et de la première partie de la prime de lancement : cela représente pour certains 300 nouveaux francs de moins que pour ceux qui ont travaillé normalement.

Ces pertes pour le seul mois d'avril peuvent atteindre 3 % d'un salaire annuel.

Seule la reprise normale du travail dès lundi évitera de perdre une nouvelle prime de quinzaine et la deuxième partie de la prime de lancement, et permettra d'assurer l'accroissement de la production et des ventes, condition indispensable à une augmentation des ressources du personnel dans les mois à venir. »

LE MONDE, 5 mai 1965.

... Les militants ouvriers et la direction continuent de réaffirmer leurs points de vue dans des communiqués ou des notes. Le dernier texte directorial précise, à propos des sanctions, que lors de la réunion du 30 avril, « le directeur départemental du travail a indiqué que pour quatre des délégués ou anciens délégués la gravité des fautes commises peut le conduire à autoriser les licenciements demandés ». Avant cependant de notifier cette autorisation, il a invité la direction à voir si elle pourrait retirer ses demandes de licenciements et réembaucher également les personnes non déléguées licenciées pour des fautes de même nature...

LE MONDE, 5 mai 1965.

Différentes tentatives ont été faites par l'État pour éviter des conflits de ce genre, coûteux pour les travailleurs, les entreprises et la Nation. Depuis 1950, est rendue obligatoire une procédure de conciliation, par laquelle est recherché un accord entre les parties en présence. En cas de désaccord persistant, il est possible de recourir à l'arbitrage ou à la médiation, mais seulement si les parties le désirent.

Vers un dialogue continu

De plus en plus cependant les différents syndicats recherchent un accord excluant les risques de conflits : c'est ainsi que sont généralisées les conventions collectives, contrats entre les syndicats patronaux et syndicats d'employés portant sur des questions variées : salaires, conditions de travail, retraites, etc. Certaines grandes entreprises concluent en outre avec leurs employés des accords dont le type est donné par ceux de Renault, traditionnellement imités après leur signature.

Au niveau de la nation, les intérêts différents se trouvent confrontés au sein de nombreuses commissions (telles les commissions de modernisation du Plan) ou encore au sein du Conseil économique et social. La compétence accrue de telles institutions pourrait apporter peut-être, par la participation de tous à un Plan que nul ne récuserait, une solution globale aux tensions que connaît encore notre société.

La grave crise sociale qu'a connue la France en mai-juin 1968, parallèlement à la révolte étudiante, a placé les syndicats dans une position ambiguë : il semblait en effet qu'ils hésitassent sur la ligne à suivre.

Après le début des mouvements étudiants, une vague de grèves se déclencha, paralysant bientôt presque tout le pays.

Après un mois de lutte...

« La vague des grèves avec occupation d'usines a commencé dans l'aéronautique et l'automobile. C'est par là qu'elle finira. » Cette prédiction d'un responsable F.O. de la métallurgie est en train de se réaliser.

A l'usine Sud-Aviation de Nantes-Bourguenais - d'où partit le 14 mai le premier conflit avec occupation d'usine - les revendications particulières à l'entreprise sont pratiquement satisfaites. Le 14 juin, les 2 500 ouvriers auxquels la C.G.T. - majoritaire dans l'entreprise - a donné l'ordre de reprise, entrent dans l'usine, bavardent toute la journée et décident de poursuivre la grève « par solidarité avec les autres grévistes de la métallurgie nantaise ». A l'usine de Flins, qui fut aussi l'une des premières à imiter l'exemple des Nantais de Sud-Aviation, la reprise du travail n'a été votée que par 58 % des voix après cinq semaines de conflits.

Les négociations, cette fois, se sont révélées aussi dures, chez Peugeot et Citroën, entreprises privées, qu'à la Régie Renault où la nationalisation a éliminé le « profit capitaliste ». Pendant trente-deux heures, « avançant millimètre par millimètre », selon l'expression d'un témoin, les 49 négociateurs de Billancourt (dont 36 syndicalistes) se sont accrochés durement sur chaque point : durée du travail, droits syndicaux, etc. « Après un mois de lutte, confiait un délégué de l'usine de Cléon, nous ne pouvons nous contenter d'une simple augmentation de salaires. Nous voulons des satisfactions plus concrètes, plus durables. »

Quelles satisfactions en particulier? « Pour beaucoup d'ouvriers, de jeunes, dit M. René Youinou, dirigeant C.F.D.T., la défense de leur dignité est plus importante que les avantages matériels ou la participation. » Le comité de grève d'une importante firme de construction électrique se plaint : « Ce n'est qu'après quatre semaines de grève que nous avons rencontré le directeur général. Et il nous a reçus dans la loge du concierge. »

Souvent, les grévistes sont allés très au-delà d'une simple exigence de « droit au respect ». Au centre hospitalier régional de Bordeaux, la C.F.D.T. réclame la participation du personnel, et le directeur répond : « Puisque vous y êtes, prenez aussi ma place! » Un responsable de l'usine C.S.F. de Brest, où la C.F.D.T. est le seul syndicat de l'entreprise, explique : « Dans une entreprise démocratique, les comités ouvriers doivent avoir des pouvoirs de décision. Nous mettrons en place, dans chaque unité de production, des commissions compétentes pour tout ce qui touche directement le salarié : l'embauche, les conditions de travail, les promotions. »

L'Express, 17-23 juin 1968.

En définitive, les accords de Grenelle signés entre représentants ouvriers et patronaux accordaient non seulement des augmentations de salaires (notamment un relèvement important du Salaire Minimum interprofessionnel Garanti), mais encore la reconnaissance de la section syndicale d'entreprise, vieille revendication des syndicats ouvriers toujours repoussée par le patronat.

Ces mesures ont été suivies d'autres, dans le cadre de ce qu'on a appelé la politique contractuelle. Ainsi, les syndicats ont obtenu, dans la plupart des professions, des accords de mensualisation, permettant aux ouvriers, jusque-là payés à l'heure d'être payés au mois, ce qui leur assure une meilleure garantie de salaire.

Dans un tout autre domaine, mais qui peut être prometteur, les salariés des entreprises ont maintenant droit, en vue de leur promotion ou plus généralement pour leur permettre de développer leurs goûts et aptitudes, à une formation continue, pendant laquelle ils restent payés par leur employeur.

En dépit de ces dispositions nouvelles et des formules de *participation* qui ont été proposées aux travailleurs, on est encore loin d'avoir trouvé une solution aux antagonismes de classe.

les loisirs

LA DÉCOUVERTE DES LOISIRS

Une notion récente

L'Antiquité, où le travail considéré comme servile était laissé aux esclaves, permit à une partie de l'humanité de constituer une civilisation des loisirs ; l'homme, animal social, s'intégrait sans difficulté dans une société qui ne le cantonnait pas, pourvu qu'il appartînt à la race des maîtres, à des tâches précises et spécialisées.

Nos sociétés techniciennes, industrielles, réussirent ce tour de force que le travail fut un devoir avant même d'être un droit. Le XIXe siècle en fit une valeur essentielle, d'autant plus tyrannique que les conditions de travail étaient plus pénibles. Le loisir alors n'était et ne pouvait être que l'oisiveté, mauvaise conseillère d'après le dicton.

Du Moyen Age au XVIIe siècle, l'Église avait réussi à imposer des interruptions dans la vie laborieuse des individus : l'interruption du travail le dimanche permettait au corps une détente et à l'esprit l'effort nécessaire pour se pénétrer de religion ; l'existence de fêtes religieuses faisait place dans la vie quotidienne à des réjouissances qui n'auraient pas eu autrement droit de cité. Mais, même avant que la toute-puissance de l'expansion économique vînt briser ce cadre protecteur, il n'était pas non plus question de véritables loisirs : le désœuvrement ou la fête étaient remplis par la célébration de Dieu.

Lorsqu'en 1936, la notion de loisirs fut officiellement introduite en France, ce fut au nom du bonheur humain et au nom de rien d'autre : il ne s'agissait plus d'assurer le repos indispensable à la récupération des forces physiques ou de laisser du temps à des exigences religieuses. Un sociologue, M. Joffre Dumazedier, définit ainsi le terme : « un ensemble d'occupations auxquelles on peut s'adonner de plein gré, soit pour se reposer, soit pour se divertir, soit pour développer son information ou sa formation désintéressée, sa participation sociale, volontaire, après s'être libéré de ses obligations professionnelles, familiales et sociales. »

Une nouveauté révolutionnaire

Dans le souvenir presque mythique qu'ont, des jours du Front populaire, tous les Français qui les vécurent, l'introduction des congés annuels dans la vie de tous les travailleurs est un des éléments les plus exaltants (le repos hebdomadaire avait déjà été établi). Ceux qui jusque-là avaient rêvé de la mer ou même quelquefois seulement de la campagne, en regardant des cartes postales, purent, en bénéficiant du tarif réduit de chemin de fer pour les « congés payés » institué dès cette époque, se déplacer et voir ce dont ils ne connaissaient que l'image. C'est ainsi qu'apparaissent associés grandes vacances et loisirs. Il fallait, en effet, pour qu'ils existent pleinement, organiser la possibilité de ces loisirs : un Secrétariat d'État aux Loisirs et aux Sports fut créé. Il fallait aussi aller à l'encontre de vieilles habitudes et des grandes craintes qui se faisaient jour.

Des loisirs pour boire?

... Paresse! Ivrognerie! Ennui! Lorsque les congés payés firent apparaître pour la première fois le loisir dans les masses, ces mots furent brandis comme des épouvantails. Ceux qui s'en servirent de bonne foi confondirent repos et loisir, projetèrent, erreur constante, le passé dans l'avenir. Les brèves interruptions du travail de jadis ne pouvaient être consacrées qu'à l'inertie physique et intellectuelle, de même que les rares évasions des prolétaires hors de leur réalité de fer ne trouvaient d'issue que dans l'alcool. Dès qu'il excédait la récupération physique, le repos tombait dans le désœuvrement, ce qui permettait aux classes oisives de faire enseigner que le travail était la seule vraie recette du bonheur. Alors que le loisir est créateur d'activité, excitateur d'intelligence, accélérateur de civilisation.

Tous les spécialistes sont d'accord. Les premiers congés payés ne furent encore que l'extension du repos et le spectacle qu'ils offrirent parut souvent donner raison à ceux qui les déploraient. Le loisir ne se développa qu'ensuite et progressivement. Il engendre tous les faits si remarquables qui vengent la société moderne des gémissements séniles de ses détracteurs : la multiplication de la vente des livres, des disques, des fleurs; l'extension des sports de privilège, le yachting, l'équitation, le golf; le développement fabuleux de la maison de campagne; la plénitude des musées, des châteaux historiques, des spectacles de Son et Lumière, l'arasement des frontières européennes (elles résistent les vieilles misérables!) sous la poussée des foules élargissant leurs horizons... Il est clair que la civilisation des loisirs façonne un homme nouveau qui ne reconnaîtra pas l'esclave dont il sort. Il est clair que cet homme nouveau est adapté à une civilisation industrielle qui supprime le manœuvre, raréfie le travail musculaire, mais aspire comme une éponge l'intelligence et la capacité. Il est clair enfin que cette société a passé un pacte avec l'abondance, c'est-à-dire avec la productivité. Elle a besoin d'un enrichissement accéléré pour faire face aux besoins illimités résultant du loisir dévorant.

RAYMOND CARTIER, *Paris-Match*, n° 902, 20 août 1966.

Pourquoi une révolution?

Le loisir n'est rien en soi

... Certes, j'ai vu l'homme prendre avec plaisir du délassement. J'ai vu le poète dormir sous les palmes. J'ai vu le guerrier boire son thé chez les courtisanes. J'ai vu le charpentier goûter sur son porche la tendresse du soir. Et certes, ils semblaient pleins de joie. Mais je te l'ai dit : précisément parce qu'ils étaient las des hommes. C'est un guerrier qui écoutait les chants et regardait les danses. Un poète qui rêvait sur l'herbe. Un charpentier qui respirait l'odeur du soir. C'est d'ailleurs qu'ils étaient devenus. La part importante de la vie de chacun d'entre eux restait bien la part du travail. Car ce qui est vrai de l'architecte qui est un homme et qui s'exalte et prend sa pleine signification quand il gouverne l'ascension de son temple, et non quand il se délasse à jouer aux dés, est vrai de tous. Le temps gagné sur le travail, s'il n'est point simple loisir, détente des muscles après l'effort, ou sommeil de l'esprit après l'invention, n'est que temps mort. Et tu fais de la vie deux parts inacceptables : un travail qui n'est qu'une corvée à quoi l'on refuse le don de soi-même, un loisir qui n'est qu'une absence.

Bien fous ceux qui prétendent arracher les ciseleurs à la religion de la ciselure et les parquant dans un métier qui n'est plus nourriture pour leurs cœurs prétendent les faire accéder à l'état d'homme en leur fournissant ciselures fabriquées ailleurs comme si l'on s'habillait d'une culture comme d'un manteau. Comme s'il était des ciseleurs et des fabricants de culture.

Moi je dis que pour les ciseleurs il n'est qu'une forme de culture et c'est la culture des ciseleurs. Et qu'elle ne peut être que l'accomplissement de leur travail, l'expression des peines, des joies, des souffrances, des craintes, des grandeurs et des misères de leur travail.

Car seule est importante, et peut nourrir des poèmes véritables, la part de la vie qui t'engage, qui engage ta faim et ta soif, le pain de tes enfants et la justice qui te sera ou non rendue. Sinon il n'est que jeu et caricature de la vie et caricature de la culture.

Car tu ne deviens que contre ce qui te résiste. Et puisque rien de toi n'est exigé par le loisir et que tu pourras aussi bien l'user à dormir sous un arbre ou dans les bras d'amours faciles, puisqu'il n'y est point d'injustice qui te fasse souffrir, de menace qui te tourmente, que vas-tu faire pour exister sinon réinventer toi-même le travail?

SAINT-EXUPÉRY, *Citadelle*.
Gallimard.

Métier et loisir

... Pendant plusieurs années, j'ai été ficeleur de colis selon les normes du système Taylor dans un grand magasin de la rive droite. Puis j'ai réussi à « vivre de ma plume » et maintenant j'exerce le loisir de littérateur. Je dis bien : le loisir car il m'est impossible de distinguer mes plaisirs de mon travail. Autrefois, en revanche, le loisir était pour moi un moment bien défini. Il signifiait évasion de ma vie quotidienne. Six jours sur sept on « m'occupait » et le septième j'étais libre. Six jours à tuer le temps et un jour à le vivre.

Le vivre? Non : ce loisir-là était totalement passif. État néant, entièrement subi et aussi dépersonnalisant, quoique plus agréable, que les soixante colis qu'il me fallait ficeler à l'heure. Un souvenir m'éclaire sur ce point : lorsque ma situation changea, m'apportant ses loisirs à elle, ils devinrent aussitôt actifs et enrichissants, bien que d'abord égaux en durée et moyens financiers. Alors, tout se transforma, y compris le soleil et le brin d'herbe. J'étais entré dans le bonheur, qui est de faire le métier qu'on aime. D'organisé, mon loisir était devenu organique, personnel.

Le loisir, fût-il étendu sur plusieurs semaines dans l'année, dépendra toujours du travail. C'est la robe de mariée et le jour des noces : belle robe, belle fête, mais l'important est le monsieur qu'on épouse. « On s'était bien amusés pourtant! » soupire la mal-mariée en regardant les photos. Or, depuis plus d'un siècle, la société a commis ce crime inexpiable : infliger à des millions d'êtres un métier qu'ils ne peuvent aimer, auquel ils ne peuvent que s'habituer. L'homme est devenu l'outil de l'homme. A la guerre, il meurt d'un seul coup. Dans le travail détesté, ou même indifférent, il meurt à petit feu, chaque jour.

Ici, point d'hypocrisie : le travail qu'on ne peut aimer n'est aimable sous aucun régime. Travailler pour un patron capitaliste ou pour l'État des camarades, la différence est, certes, d'importance au sommet : au niveau des mains qui s'ennuient, elle ne compte plus. Dans le plus juste des mondes, l'homme qui ficelle des colis sera toujours un dépossédé, même si on augmente son loisir : car enfin à moins de prétendre que l'homme est damné de naissance, à moins de lui imposer à perpétuité le poids du péché originel - et encore! - « tu gagneras ton pain à la sueur de ton front » ne signifie nullement « tu haïras ton travail » - qui a le droit de lui voler une seule heure de sa vie? Qui a le droit de lui faire à volonté des jours vivants et des jours morts?

Voilà donc posé le problème capital, celui de la vocation. Les mots « travail » et « loisir » n'ont de sens que dans un monde où les vocations ne peuvent s'accomplir. Parler de loisir, c'est parler avant tout de remède au travail. Le mot loisir dénonce une société injuste, un ordre désordonné.

MORVAN LEBESQUE, *La révolution des loisirs.*
Janus, nº 7.

C'est que, dans ses loisirs, l'homme prend conscience de sa plénitude d'être humain : le monde du travail est un monde préoccupant, où les individus sont réduits à n'être que les éléments d'un ensemble technique, qui, bien que construit par eux et en principe pour eux, leur impose un comportement mécanique.

LES LOISIRS QUOTIDIENS

Loisirs chez soi

Le foyer est de plus en plus facilement un lieu de loisir. Avec l'amélioration des conditions de logement et de l'équipement ménager, en matière de distraction, la demeure familiale devient le siège d'activités variées.

Les fêtes familiales traditionnelles, bien que subsistant, disparaissent progressivement pour la plupart.

Cependant, on ne répugne pas à se recevoir.

Tableau des principales fêtes familiales

Noël.
1er janvier.
Les Rois (6 janvier).
La Chandeleur (février).
Fête des mères.

La lecture semble s'être élargie, grâce aux collections offrant des œuvres de qualité à bon marché, du type « livre de poche » et grâce à une modernisation des réseaux de prêts de livres (bibliothèques municipales, bibliothèques itinérantes dans les campagnes...).

Le violon d'Ingres, peinture, cinéma, collections, bricolage, jardinage sont des activités répandues, mais assez peu chez les jeunes.

Écouter des disques ou la radio, ou regarder la télévision, activités qui peuvent être de simples distractions familiales ou amicales (réceptions pour danser ou pour regarder la télévision), ou constituer un enrichissement, sont les occupations qui semblent retenir le plus les Français chez eux.

Loisirs dans la cité

Mais des distractions sont toujours offertes à l'extérieur. Outre les fêtes populaires, dont la plus suivie est celle du 14 Juillet - pendant laquelle, dans une atmosphère de grande gaieté, on danse dans les rues trois soirées de suite, et qui est achevée par un grand feu d'artifice -, le café constitue toujours un centre de vie sociale où l'on peut travailler (étudiants, hommes de lettres), où l'on donne des rendez-vous, où l'on discute entre amis à midi ou après la journée de travail, où plus simplement on regarde le mouvement de la rue en s'installant sur la « terrasse ».

Le café est de moins en moins l'endroit où l'on boit de l'alcool : bière, boissons gazeuses et jus de fruit ont détrôné le vin et l'absinthe de Zola.

A une fonction sociale un peu plus élaborée répond le restaurant où l'on sort pour bien manger. Les Français conservent un goût pour la cuisine, entretenu chez eux par les « petits plats » et dehors par les grands restaurants. Certains passent même des vacances gastronomiques en suivant les « étoiles » du Guide Michelin [1]. Le repas d'affaires lui-même reste traditionnellement à la

1. Le Guide Michelin attribue des « étoiles » aux restaurants selon la qualité de leur cuisine (de zéro à trois).

- Le baron de Coubertin l'a dit : « L'essentiel est de participer. »
Une famille bien française - *Dessin de Bellus.*

fois moment de travail et de dégustation pour les dirigeants d'entreprises.

Le cinéma et le théâtre qui connaissent une crise chronique résistent cependant à la concurrence de la télévision.

Les activités culturelles sont favorisées : le patrimoine artistique de la France est progressivement mis en valeur sous tous ses aspects. Les maisons de la culture, les festivals de musique ou de théâtre se multiplient en province.

La difficulté pour les jeunes de trouver pour épancher leur vitalité un lieu adapté à leurs besoins et des occupations de qualité a suscité une certaine inquiétude de la part des Pouvoirs publics : un réseau de Maisons des Jeunes et de la Culture, où les jeunes, s'ils le désirent, peuvent se réunir et se livrer à diverses activités culturelles ou purement distractives, se constitue progressivement.

Trois sports peuvent être qualifiés de sports « nationaux » : en effet la participation active des Français y est très importante : la chasse (plus de 2 millions de chasseurs), la pêche (plus de 4 millions de pêcheurs), le jeu de boules, qui a ses championnats.

Si beaucoup moins de Français pratiquent les autres sports, un très grand nombre s'y intéresse [2] et le dimanche de très nombreuses personnes se pressent dans les stades, les hippodromes, les circuits de course automobile ou cycliste, ou restent chez elles pour regarder la télévision dont une chaîne est presque entièrement consacrée au sport ce jour-là. Quelques sports concernent une partie seulement de la population, c'est-à-dire les classes supérieures : il s'agit du tennis, du golf, de l'équitation, du ski. Ce dernier sport cependant se répand aujourd'hui très rapidement, spécialement chez les jeunes à qui des conditions de séjour exceptionnelles sont faites durant les vacances scolaires. En outre, de nombreuses personnes prennent des vacances en hiver et l'habitude se répand parmi les citadins qui n'habitent pas trop loin de la montagne de passer les week-ends à faire du ski.

2. Un véritable renouveau s'est produit depuis quelques années en ce qui concerne la compétition, et les équipes françaises (notamment en ski) ont remporté des succès dans les rencontres internationales, tels les Jeux olympiques.

LES GRANDES VACANCES

Un exode volontaire

En réalité les loisirs quotidiens ou de fin de semaine, même s'ils se traduisent, grâce au départ pour la maison de campagne ou pour les champs de neige, par un dépaysement, ne parviennent pas à assurer cette rupture qu'assurent les grandes vacances.

Dans la plupart des grandes villes, et à Paris en particulier, les départs ont lieu presque simultanément : par la route ou le rail, une immense migration se produit, pendant presque un mois (les congés annuels sont maintenant fixés pour la plupart à 4 semaines : cf. chapitre « Travail »). Elle fait de Paris pendant le mois d'août une ville sans Parisiens : malgré les efforts pour promouvoir une différenciation des dates de congés, presque toute l'activité économique de la France est paralysée au mois d'août.

En revanche, les villes et stations balnéaires connaissent à leur tour l'encombrement : c'est que la migration se fait vers le midi, vers la mer, le soleil, la plage.

Taux de départ des diverses catégories sociales	(1962	et 1968)
Patrons	37 %	46,1 %
Cadres supérieurs et profes. libérales	86 %	83,3 %
Cadres moyens	73 %	73,8 %
Employés	57 %	56,2 %
Ouvriers	36 %	40,1 %
Agriculteurs	6 %	12 %

La Côte d'azur

... A mesure que la route tombe vers les golfes dans des paysages de versions latines, les vêtements et les pudeurs s'envolent. Ce n'est plus qu'une lente procession de Scandinaves en short, de Belges cuits à feu doux et de Parisiens éblouis. Les noms magiques de Juan ou de Menton, réservés avant-guerre aux titres de romans légers, s'inscrivent derrière les pare-brise les plus modestes. L'eau bleue et les coups de soleil ne sont plus le privilège des princes et des héros.

Les seules barrières qui séparent désormais les visiteurs sont celles de l'âge. Au sortir d'Aix on dirait qu'une savante machine assigne leur destination aux estivants selon la jeunesse de leurs traits et l'importance de leurs véhicules. Les plus âgés gagnent à l'est, vers l'extrémité de la carte routière, là où s'alignent les palaces et où fleurit l'excursion italienne. A quarante ans, on coupe sur Cannes avec des envies de dépenses excessives. A trente on va chercher des impressions de bohème dans les ruelles de Saint-Tropez. Quant aux jeunes, ils ont perdu patience. Pour se baigner avant tout le monde, ils ont plongé au Lavandou et se sont endormis sous une tente parmi des milliers d'autres.

BERTRAND POIROT-DELPECH, *Le Grand Dadais*. Denoël.

Des voyages lointains

Les Français ne se contentent d'ailleurs plus des rivages de leur pays. Ignorant, selon la tradition, leur géographie, ils sont devenus des découvreurs et parcourent le monde, appareil photo en bandoulière. En dehors de la France, cependant, ce sont encore les pays méditerranéens qui ont leur préférence : Espagne d'abord, Italie, Yougoslavie, Grèce puis maintenant Turquie, Pays arabes, Pays de l'Est riverains de la mer Noire : Roumanie et Bulgarie.

Une société nouvelle...

Voyageant seuls ou en famille, dans leur voiture (la France est le pays le plus motorisé d'Europe), ou même en train, les Français découvrent aujourd'hui les vacances en groupes que leurs enfants connaissent depuis longtemps, grâce aux colonies de vacances, très développées en France.

Pour les adultes, les vacances en groupes sont synonymes de retour à la nature, sous l'inspiration polynésienne : le plus populaire des clubs organisant ces vacances est le « Club Méditerranée » qui a pu associer son nom à tout ce que l'individu recherche aujourd'hui : vie simple en villages, au bord de la mer, avec la possibilité de se livrer à toute activité grâce aux installations existantes : ski nautique, voile, pêche ou plongée sous-marine ; la lecture même n'est pas oubliée, puisqu'il existe souvent une bibliothèque. Mais surtout, dans ces villages où le groupe mène une existence autonome, tout est permis, et les barrières sociales sont abolies : on fait enfin l'abandon d'un rôle attaché au métier et à la position sociale pour retrouver l'instinct communautaire et le moi primitif. Certains aspects de cette évasion ne sont pas à l'abri de toute critique.

Club et Culture

... Le « G.M. [1] » reçoit du Club à la perfection tout ce dont il peut rêver au point de vue matériel : affranchi de la moindre préoccupation servile, du moindre souci pratique, il devrait donc être libre de développer à loisir, sous les eucalyptus, les plus nobles fonctions de son intelligence. Ce n'est pas toujours le cas, on s'en serait aperçu. Le « G.M. » polissonne, se cherche des attitudes, essaie un rôle, puis un autre, et poursuit un apprentissage irritant sans doute, mais nécessaire. Il se rode la culture-vacances, avec la roulette-Club, ça grince.

Au Club, on sait à quel point l'homme des loisirs, au-delà de la vieille ataraxie [2] polynésienne, a besoin d'expériences variées pour dépasser son petit cirque. Les excursions lointaines dans les pays quasi intacts où va le Club auraient dû apporter ces évasions, ces confrontations positives. Mais là encore, cette maturité merveilleuse individuellement acquise par le marcheur à pied se fait attendre. Les gens ne sont pas mûrs.

Près du parking j'ai rencontré un soir trois jeunes « G.M. » sympathiques qui sortaient exténués et heureux d'une voiture de location. Ils revenaient d'un voyage de trois jours dans le grand Sud marocain, et la merveilleuse route des casbahs fortifiées qui traverse un pays passionnant : « Ouh, ce qu'il a fait chaud! - Et qu'est-ce que vous avez vu de beau? - Rien, y avait rien à voir. Mais on a rencontré d'autres Français, on a chanté en chœur « Nini peau d'chien » et tout ça, qu'est-ce qu'on s'est marré! »

Alors les excursions en car, Marrakech en troupeau, la pellicule grillée, c'est encore plus difficile. Les vitres du car et l'air du Club qu'on emporte font office de cordon sanitaire et stérilisent la vérité du dehors. Dans quelques pays comme la Grèce, une formule originale a été mise à l'essai : les « randonnées » en autocar privé, en petits groupes, avec logement chez l'habitant. Le jour où les « G.M. » accepteront, exigeront des randonnées dont les étapes n'auront pas été prévues à l'avance, ce sera gagné...

J.-F. HELD, *Nouvel Observateur*, 3 août 1966.

... impliquant une véritable organisation

L'action de l'État est compartimentée entre différents départements ministériels qui, à un titre ou à un autre, sont amenés à s'occuper des loisirs.

Elle ne doit pas devenir contraignante, car elle irait à l'encontre de la liberté essentielle des loisirs. Cependant, elle est nécessaire pour fixer un cadre à l'industrie du loisir qui serait livrée sans cela à la toute-puissance des biens de consommation, ce que personne ne souhaite. En effet, la notion de loisir apparaît volontairement liée dans notre pays à la culture et à l'éducation permanente : ce doit être un moyen de promotion humaine.

1. G.M. : Gentil Membre = client du Club.
2. Ataraxie : absence de troubles, tranquillité totale.

Pique-nique sur l'Acropole.
En Avant - *Dessin de Sempé.*

la vie culturelle

l'enseignement

LA CONCEPTION DE L'ENSEIGNEMENT

Des principes démocratiques

Les principes qui gouvernent l'organisation de l'enseignement en France ont été pour la plupart dégagés dès la Révolution.

L'instruction est publique, c'est-à-dire commune à tous les citoyens, cela entraîne qu'elle est gratuite (les professeurs sont à tous les degrés rémunérés par l'État) ; elle est obligatoire : cette obligation a été plus ou moins large au cours des âges (depuis 1969 elle s'étend de 6 à 16 ans; mais, dans les faits, et malgré l'absence d'obligation, les enfants vont à l'école bien plus tôt : près des trois quarts des enfants de plus de trois ans sont accueillis à l'école maternelle).

L'enseignement enfin est laïque : il respecte la liberté de conscience et aucun dogme politique ou religieux ne saurait être inculqué aux enfants par l'école publique.

Cette neutralité n'a été imposée qu'après de vives controverses qui retentissaient jusque dans l'arène politique : l'Église catholique en effet s'y est violemment opposée en réclamant une instruction religieuse dans l'école.

La liberté de l'enseignement, affirmée par la loi Falloux de 1850, permit à l'Église d'ouvrir ses propres écoles (cf. chapitre « Vie religieuse »).

Enseignement public et enseignement privé

S'il est permis à des particuliers ou à des associations légalement formées d'ouvrir soit des cours isolés, soit des établissements de haut enseignement qui ne peuvent d'ailleurs pas adopter le nom d'Université [1], il leur est interdit de décerner les diplômes et grades d'État.

La conséquence la plus remarquable d'une telle interdiction est que, si la liberté de l'enseignement ainsi accordée par la loi permet toutes les initiatives en matière d'éducation et, à condition de ne rien enseigner qui soit contraire à la Constitution, à la morale et aux lois, laisse l'enseignement privé entièrement maître de ses programmes, de ses méthodes et de ses horaires, en fait, le monopole de la collation des grades l'oblige à s'aligner sur les programmes, les méthodes et les horaires de l'enseignement public.

1. Il en est de même pour les établissements d'enseignement secondaire privés; la loi leur interdit de s'appeler lycée.

Par exemple, l'accès aux études supérieures est subordonné à la possession du grade de bachelier de l'enseignement secondaire qui est uniquement décerné par l'État à la suite d'un examen organisé par lui, sur un programme établi par lui.

Bon gré, mal gré, la préparation à cet examen commande l'orientation générale de l'enseignement dans les établissements qui en assument la charge. Ces établissements, s'ils sont privés, sont bien, en droit, maîtres de leurs programmes comme de leurs méthodes; et tels d'entre eux peuvent imiter des méthodes didactiques ou éducatives en usage dans certains pays, d'autres introduire dans leur enseignement des préoccupations d'ordre religieux. Mais en pratique, tenus, pour donner satisfaction à leur clientèle, de préparer aux diplômes d'État, ils sont obligés de suivre, au moins dans leurs grandes lignes, les programmes officiels et, le plus souvent aussi, les méthodes de l'enseignement public.

Un tel système, spécial à la France, concilie jusqu'à un certain point les devoirs de l'État et la liberté des familles. Dans la mesure où il considère comme un devoir envers les citoyens de donner à chacun les moyens de s'instruire, l'État s'oblige à instituer et à entretenir des établissements d'enseignement ouverts à tous. Mais dès lors qu'au lieu de se fonder sur cette obligation pour établir à son profit le monopole de l'enseignement, il laisse à tout père de famille la liberté de faire instruire ses enfants par des établissements privés, sur l'organisation desquels ne s'exerce pas son autorité, les devoirs de l'État trouvent leur limite dans cette liberté : ils ne sauraient aller au-delà des charges qu'il assume par l'institution d'établissements publics fonctionnant d'après les principes laïques selon lesquels la nation s'est elle-même organisée, c'est-à-dire, des établissements étrangers à toute confession religieuse.

J.-B. PIOBETTA, *Institutions universitaires en France. Que Sais-je?* P.U.F.

La querelle scolaire, en particulier, presque totalement oubliée, s'est ravivée lors du vote de la loi Debré en 1959, loi qui instituait une aide financière de l'État aux écoles privées.

Une tête bien faite mais aussi bien pleine

Le but de l'enseignement français est toujours marqué par la tradition humaniste classique, tôt dégagée. Montaigne déjà, se réclamant du libre examen, demandait pour l'étudiant « qu'il ne loge rien dans sa tête par simple autorité et à crédit ». La forme est soigneusement cultivée et souvent préférée au fond. Toutefois le choix des matières et des méthodes d'enseignement paraît quelquefois viser à une connaissance encyclopédique, peu adaptée aux temps modernes.

Enseigner à penser

Il est exact que nous visons moins que d'autres peuples à développer parmi nos élèves l'instinct créateur. La singularité de la culture française est qu'elle s'efforce d'apprendre aux jeunes non à savoir, mais à penser. Les meilleurs de nos maîtres, qu'ils appartiennent au droit, à la médecine, aux sciences, ont pour ambition de stimuler leur auditoire, de le conduire à la réflexion. Aux lettres le souci de la clarté, de la lumière dans l'exposition, de la rectitude dans le panorama est une règle sacro-sainte. La facture du plan joue un rôle essentiel, montre d'emblée si le candidat est apte à la manœuvre des idées. Après une phase d'érudition maladive, dont le règne semble révolu, nos facultés littéraires sont revenues progressivement à la tradition nationale d'art et de virtuosité. La philosophie, je veux dire : le tout philosophique, déborde de nouveau largement sur le champ du technique et du spécialisé.

Espérons que la réforme qui est à l'étude accentuera ce trait de détachement intellectuel et qu'elle permettra de s'orienter plus décisivement dans le sens d'une recherche désintéressée. C'est là qu'est la solution et non dans je ne sais quelle imitation des Anglo-Saxons nous invitant, comme on a dit, à « former le caractère ». La formation du caractère n'est pas dans le pli de notre génie. Laissons-la à des peuples qui sont faits pour elle et restons fidèles à notre prédestination, qui est de cultiver l'entendement.

R. LAS VERGNAS, *Hommes et Mondes*.

Des méthodes nouvelles

La France s'ouvre progressivement, mais avec précaution, aux méthodes nouvelles : sans sacrifier sa mission culturelle traditionnelle, elle cherche à utiliser les techniques d'aujourd'hui.

Les méthodes actives

Depuis un demi-siècle, la pédagogie a évolué vers une activité plus grande et plus libre de l'enfant. L'éducation s'est peu à peu définie comme une découverte; elle s'est efforcée d'offrir à l'enfant les moyens les plus divers pour participer à cette découverte.

Quand le document visuel pénètre dans la classe, il en devient tout naturellement un instrument décisif. Certes, il n'est parfois utilisé que comme une illustration; on s'efforce de choisir l'image la plus simple, la plus typique, car elle est aussi la plus facile à utiliser. Mais le document visuel est souvent complexe; de plus, on constate vite que l'image la plus dépouillée exige encore d'être interprétée. On est ainsi amené à aborder de front le vrai problème que pose tout document : celui de son « exploitation ». Au lieu de s'efforcer d'appauvrir son contenu en le limitant à l'illustration concrète d'une idée abstraite, on va partir au contraire de sa richesse et de sa diversité, attentivement observées, pour en dresser un bilan détaillé avant de procéder à son analyse. Le document audiovisuel sert ainsi de base à des activités pédagogiques vivantes : il n'apporte pas la « preuve » de la vérité de faits enseignés, il permet au contraire de dégager ces faits par l'observation et par la réflexion. La démarche est inverse de la précédente; elle va du concret à l'abstrait. En outre, elle n'est rien moins que passive; c'est à l'élève, guidé par le maître, que revient le travail d'observation, de description, de comparaison, analyses diverses, dont les convergences seront les bases d'un savoir sans cesse confronté à la réalité ou à ses images.

La vue, s'il s'agit de documents visuels, l'ouïe, s'il s'agit de documents sonores, sont aussi utilement sollicitées. Les sensations, les impressions précèdent, comme il est naturel, les opérations mentales. Les documents audiovisuels frappent tout d'abord la sensibilité : l'exploitation qui en est faite ensuite détermine les attitudes actives extrêmement profitables.

J. CHEVALLIER, *Tendances*, N° 28, avril 1964.

L'ORGANISATION DE L'ENSEIGNEMENT

Une administration centralisée

Tous les établissements publics d'enseignement, à l'exception de quelques-uns (grandes écoles spécialisées en particulier), sont administrés par le ministère de l'Éducation nationale ; vingt-deux circonscriptions territoriales - les académies - découpent la France. Elles sont dirigées par un recteur, nommé par le Gouvernement. Des inspecteurs (inspecteurs généraux auprès du ministre, inspecteurs d'Académie auprès du recteur, implantés dans chaque département) assurent l'application des textes légaux.

Cependant, si les programmes et les méthodes sont unifiés, les professeurs disposent d'une large liberté d'appréciation dans leur manière de faire leurs cours; cette liberté est totale dans l'enseignement supérieur. D'ailleurs, différents conseils et commissions composés de représentants du ministère ou du corps enseignant, auxquels viennent s'adjoindre pour certains organismes des élus locaux, assument, par leur pouvoir consultatif, la présence d'une gestion collégiale.

A la suite des événements de mai-juin 1968, le processus de décentralisation, jusque-là timide, a été accéléré.

La révolte des étudiants n'était d'ailleurs pas seulement dirigée contre un État centralisé à l'extrême, mais, encore plus directement et immédiatement, contre ce qu'ils dénonçaient comme un « mandarinat », c'est-à-dire le pouvoir du professeur titulaire de chaire. Leur participation aux décisions d'ordre pédagogique, administratif ou financier, a été assurée de fait en mai et juin. La loi d'orientation universitaire a donné à cette participation un cadre légal.

L'explosion scolaire et la course aux diplômes

Grâce au renouveau démographique de l'après-guerre, grâce également à l'amélioration du niveau de vie qui permet aux familles d'assurer l'entretien des enfants jusqu'à un âge plus élevé (il existe des bourses d'enseignement attribuées aux enfants dont les parents ont des ressources modestes), les différents degrés de l'enseignement ont connu un afflux considérable et un programme très important de construction de classes et de recrutement des maîtres a dû être décidé.

évolution des effectifs dans l'enseignement français

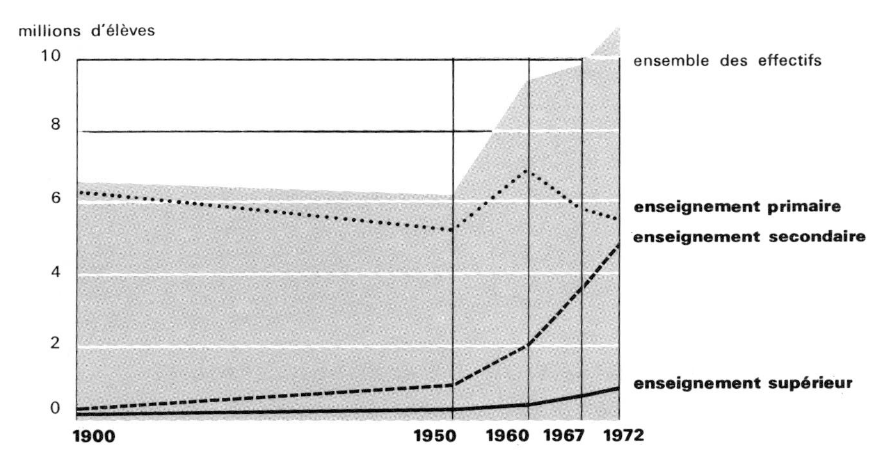

Les besoins les plus pressants sont aujourd'hui satisfaits. Cependant, en même temps que tous les enfants accédaient aux études secondaires, une transformation des mentalités se produisait.

Le baccalauréat, un droit?

La bourgeoisie est gourmande de titres (qu'elle méprise d'autre part), elle en veut pour tous ses enfants, et la presse suit le mouvement, emportée par une force irrésistible. La démagogie a remplacé la pédagogie.

On parle de surcharge des programmes : un programme n'est chargé que s'il est effectivement exigé à l'examen. S'il est purement platonique, on peut le charger tant qu'on voudra, on ne risque pas grand-chose. Or, actuellement, si l'on exigeait des candidats la connaissance de seulement 50 % du programme, il n'y aurait que 10 % de reçus.

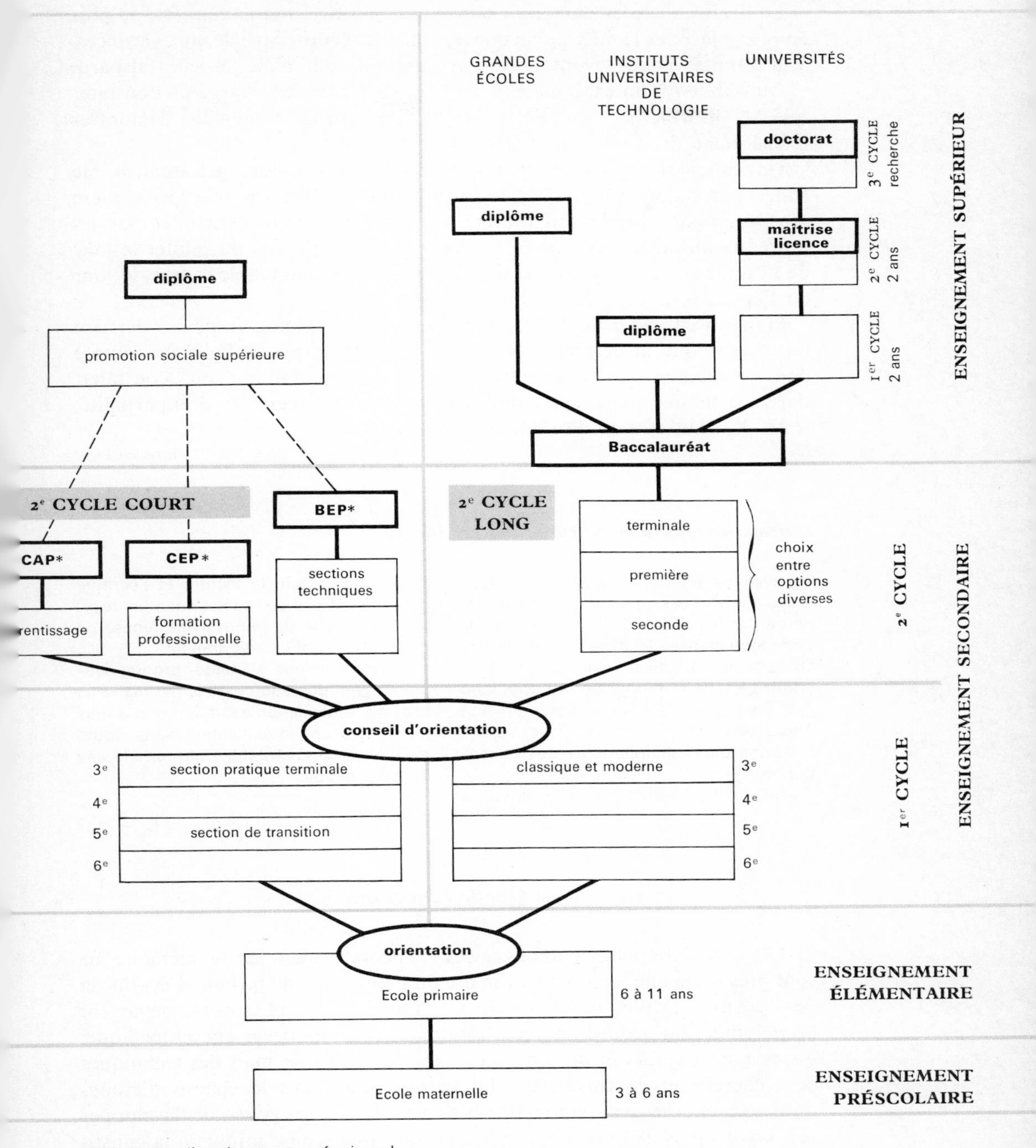

* BEP Brevet d'enseignement professionnel
* CEP Certificat d'éducation professionnelle
* CAP Certificat d'aptitude professionnelle

Le droit au succès dans les examens (de passage, terminaux) est, de plus en plus, placé sur le même plan que le droit à la Sécurité Sociale, aux vacances, à la retraite. Toute loyauté dans l'acceptation de la règle du jeu a disparu.

On oublie qu'un examinateur n'est qu'un technicien chargé de constater que M. ou Mlle X... sait décliner rosa, dire bonjour en anglais, démontrer le théorème de Thalès ou piloter un avion.

Un candidat au brevet de pilote d'avion à réaction, précisément, ne songe pas à faire valoir qu'il a douze enfants à nourrir, une vieille mère sensible, pour obtenir son brevet, non plus qu'à faire demander par les journaux qu'on lui décerne ce brevet, même s'il n'a pas pu piloter le jour de l'examen, arguant qu'il est extrêmement impressionnable et que, le jour de l'épreuve, il perd régulièrement ses moyens.

Mais un candidat au baccalauréat (et toute l'opinion française derrière lui) estime que la dernière des choses qui doit entrer en ligne de compte dans cet examen, c'est le but en vue duquel il a été institué, à savoir : constater, dans les moins mauvaises conditions possible de secret et d'impartialité, si M. X... sait ou non dire bonjour en anglais.

J.-F. REVEL, *Contrecensures*.
Pauvert.

Culture de masse ou culture pour les élites?

Le système éducatif français avait reçu deux tâches essentielles : recruter et perpétuer les élites de la nation d'une part, alphabétiser la masse d'autre part. De fait, alors qu'au moment de la Révolution plus de la moitié de la population était illettrée, en 1872 la proportion n'était plus que de 20 %, en 1910 de 4,2 %, et de nos jours l'analphabétisme est exceptionnel.

Mais l'élite, bientôt, ne suffit plus à sa tâche, tandis que la lecture et l'écriture paraissaient des conquêtes bien limitées; l'évolution sociale imposa une remise en cause de l'école traditionnelle.

L'enseignement s'adapte progressivement, avec des soubresauts parfois, à sa mission nouvelle qui est d'apporter à tous les jeunes une qualification sans doute mais aussi une véritable culture, adaptée à notre temps.

« *Quelle éducation?* »

... L'accumulation des connaissances, l'encombrement de la mémoire ne sont plus d'aucune ressource à l'heure où l'étendue et le rythme d'évolution des sciences, quelles qu'elles soient : humaines ou physiques, dépassent les possibilités d'acquisition; ce n'est donc pas d'un bagage encyclopédique, qui restera toujours insuffisant, qu'il faut doter l'élève, mais des techniques de recherche et de travail qui lui permettront, dans le champ d'études qu'il aura choisies en fonction de ses aptitudes et de ses goûts, de développer son savoir, puis de l'entretenir par une constante remise à jour; à la constitution d'une table désormais inutile de référence, il faut substituer l'exercice de méthodes d'approche qui entraînent l'enfant et l'adolescent à développer ses facultés de discernement et d'imagination. Sur le plan des qualités individuelles, l'homme neuf que réclame la société d'aujourd'hui, et qui doit non seulement faire preuve de compétence technique, mais affirmer vigueur physique et force de caractère tout en restant disponible aux différentes formes de la culture, ne peut être non plus éduqué suivant les normes de jadis : l'importance qu'ont prise les relations humaines et leur complexité oblige à éveiller très tôt chez l'enfant le sens de sa responsabilité sociale tout en favorisant le plein épanouissement de ses qualités personnelles. Habituer l'enfant à comprendre le milieu dans lequel il vit, le préparer à y prendre sa place et à agir sur lui par la maîtrise raisonnée de ses pensées comme de ses actes, tel apparaît un des rôles essentiels de l'éducation d'aujourd'hui et de demain.

Car si l'évolution du monde et les transformations de la civilisation commandent un nouveau type d'homme, cet homme doit, en retour, contribuer à façonner la société qui succèdera à la nôtre. Comme l'histoire de l'enseignement est liée de façon étroite à l'histoire du développement des sciences, l'histoire de l'éducation est liée de même façon à l'histoire des conditions de vie. L'école qui s'adapte au mouvement du temps, prépare aussi les temps futurs. Reflet des exigences présentes, elle est l'instrument qui forme les générations de l'avenir. Elle ne peut se satisfaire de s'ajuster aux nécessités de l'époque, il lui faut frayer les voies, creuser la route. A cette nécessité - et à cet effort - doit s'appliquer l'intelligence de tous.

JOSEPH MAJAULT, *La révolution de l'enseignement*
Laffont-Gonthier.

La réforme

La nécessité d'une réforme était depuis longtemps devenue évidente. Dès 1959, intervenaient les premières mesures. Elles ont été suivies de beaucoup d'autres et l'application progressive du plan d'ensemble n'a pas été sans susciter des inquiétudes dans l'opinion, déconcertée par un projet dont les grandes lignes ne se découvraient pas immédiatement.

En 1968, l'ensemble du système, du primaire au supérieur, est mis en place, et l'on distingue mieux les deux moyens utilisés pour adapter l'éducation nationale aux exigences de son temps :

- l'orientation des jeunes, possible à tout moment, mais systématiquement effectuée pendant les quatre années du premier cycle de l'enseignement secondaire (de la 6e à la 3e incluse) ;

- la différenciation des études, selon des critères nombreux, pris en considération au moment de l'orientation. Ces critères peuvent être la finalité professionnelle, la méthode pédagogique employée [1]...

Les programmes s'ouvrent à des disciplines nouvelles ; ainsi, une initiation économique et sociale est introduite dans

1. Au niveau secondaire, de nouveaux baccalauréats, des brevets d'études professionnelles sont créés. Au niveau supérieur, on a crée des instituts universitaires de technologie, (I.U.T.) assurant en deux ans la formation des cadres moyens; la loi d'orientation de son côté a permis une plus grande diversité dans l'enseignement supérieur grâce aux unités d'enseignement et de recherche (U.E.R.), cellules fondamentales des nouvelles universités.

une section à partir de la classe de seconde jusqu'au baccalauréat.

La réforme mérite son nom : il ne s'agit pas d'une révolution mais d'une transformation dont les conséquences doivent toutefois, à mesure qu'elles se révèlent, modifier du tout au tout la mission traditionnelle de l'enseignement français en équilibrant savoir désintéressé et connaissances pratiques afin de mieux répondre aux besoins pressants du pays. Ainsi devrait être respectée la devise choisie pour cette réforme, « assurer la promotion de tous par la sélection des meilleurs ».

Mais faut-il parler d'une réforme ou de plusieurs ? L'agitation étudiante, peut-être révolution, des mois de mai et juin 1968, a plongé l'enseignement supérieur dans une série de mutations dont il est difficile de discerner l'aboutissement, bien que les nouvelles universités soient maintenant constituées.

La formation professionnelle

La formation universitaire ne débouche pas directement sur l'exercice d'un métier précis. Une formation professionnelle proprement dite est assurée depuis bien longtemps dans les entreprises, ou encore, sur un plan parfois plus théorique, par les organismes professionnels. Mais l'évolution de la société rend plus nécessaire l'accès à un enseignement dans le cours même de l'exercice d'un métier. Le développement technique impose de plus en plus un « recyclage » périodique. La transformation des structures et des activités oblige de son côté les travailleurs à la mobilité géographique et professionnelle. Enfin, la recherche d'une promotion par les individus leur impose un effort d'information.

Pour toutes ces raisons, la formation professionnelle est désormais considérée comme une nécessité nationale.

la création artistique

LE MONDE ARTISTIQUE

Une situation matérielle précaire

Paris attire de très nombreux peintres ou sculpteurs de la province ou de l'étranger. Dans le deuxième quart du XXe siècle, ils vivent surtout sur la « rive gauche », et fréquentent les cafés de Montparnasse qui sont entrés dans l'histoire de l'art (La Coupole, La Rotonde, par exemple). Montmartre, aujourd'hui, passée sa grande époque, ne connaît plus guère qu'une peinture alimentaire liée au tourisme et gravitant autour de la place du Tertre.

Aujourd'hui, une Cité des Arts est édifiée devant la Seine, face à l'île Saint-Louis, et accueille des artistes de tous les pays et de toutes les disciplines.

Les conditions matérielles de la vie à Paris restent cependant difficiles et certains artistes, suivant des exemples célèbres (Picasso notamment), repeuplent en Haute Provence des villages désertés par les paysans. La proximité du marché international que constitue la Côte d'Azur, le climat, leur offrent des possibilités de création intéressantes.

Il faut vendre

Pour la plupart des artistes, qui ne disposent que rarement d'une fortune personnelle ou d'un revenu annexe, il faut vendre des œuvres pour survivre. Le marché de la peinture, spéculatif, et souvent soumis à des modes, tend à provoquer des confusions entre le domaine commercial et celui de la création artistique. On cherche à « percer », même s'il faut parfois avoir recours à une mise en scène plutôt qu'à un travail lentement mûri et approfondi.

Les valeurs artistiques en souffrent et le public accuse souvent les peintres autrefois regardés comme des bohèmes d'être des mystificateurs assoiffés d'argent.

Les grandes expositions et les galeries célèbres

Salons périodiques
- Comparaison
- Salon de Mai
- Salon d'Automne
- Biennale de Paris
- Peintres témoins de leur temps (Galliera)

Grandes expositions au
- Louvre
- Orangerie des Tuileries
- Grand et Petit Palais
- Musée d'Art moderne de Paris
- Musée des Arts décoratifs

Situation de la jeune peinture à Paris.

Les jeunes peintres ne sont pas des exceptions à la règle de la société actuelle; mais ils cristallisent toutes les tares, toutes les facilités, toutes les impuissances de cette société, dont ils pourraient dénoncer les travers, ou illuminer les perspectives spirituelles, et qu'ils passent leur temps à subir, sans aucune intervention de leur esprit créateur. Ils ont accepté un jeu sordide : celui que crée le réseau des marchands de tableaux autour de leurs œuvres, celui des tabous qui ont été imposés par leurs aînés et qui les empêchent d'obéir à ce principe de nécessité intérieure qui est la seule loi de la création artistique. Aussi bien, choisirai-je aujourd'hui le geste de celui qui en a assez, et qui jette la pierre dans la mare aux grenouilles.

Peintres abstraits, ou para-surréalistes, semblent tous vouloir, avec bonne ou mauvaise conscience, s'acheminer vers une semblable reconnaissance officielle de leur talent. Ils la convoitent, soignent leur publicité, organisent leurs relations, comme de futurs dictateurs organisent leur coup d'état. Alors que les surréalistes d'avant-guerre méprisaient tous les publics, provoquaient des scandales antisociaux, antipatriotiques, antiréactionnaires, la plupart des jeunes peintres (qui se réclament souvent de leurs aînés pour justifier leur mode d'expression) pratiquent la politique de l'opportunisme. La peur de la misère a vaincu la révolte. De plus, pressés d'entrer vivants dans l'histoire de l'art, ils énoncent eux-mêmes leurs origines spirituelles, définissent leur apport, justifient rationnellement leurs écarts ou leurs trouvailles. Ainsi deviennent-ils leurs propres exégètes, leurs propres historiens.

ALAIN JOUFFROY, *Une révolution du regard.*
Gallimard.

LES GRANDES TENDANCES PICTURALES

On constate ici une continuité avec les tendances de l'avant-guerre : un certain nombre de peintres qui ont marqué leur époque produisent encore (Chagall, par exemple) ; les œuvres d'autres peintres, décédés, ont toujours de l'influence (Villon, Braque, Picasso...) ; enfin des écoles déjà anciennes se maintiennent.

Le renouveau figuratif

Les figuratifs de la « réalité poétique » ou du « retour au sujet », s'inspirant de Dunoyer de Segonzac, tiennent à réhabiliter si besoin est la description picturale de la nature sensible : seule la Création accessible à l'homme les intéresse, mais leur transcription peut s'accompagner de modifications poétiques. Des noms, comme ceux de Desnoyer, Brayer, Chapelain-Midy, Poncelet, illustrent cette tendance.

Les expressionnistes, s'inspirant des principes philosophiques ou simplement de thèmes littéraires à la mode, et sensibles à une angoisse qu'avait fort bien exprimée l'existentialisme, dénoncent avec des styles différents les menaces ou la réalisation des menaces qui pèsent sur notre monde; c'est en imposant la violence de couleurs crues que Lorjou s'exprime dans ses allégories; c'est en limitant ses moyens à des couleurs à peine suggérées, mais que cerne un dessin anguleux, aux traits profondément marqués, que témoigne Buffet. Lurçat, que l'on trouve à la frontière incertaine entre le surréalisme et l'expressionnisme, a redonné vie à la tapisserie dans une débauche de couleurs.

Les surréalistes, poursuivant l'application d'une doctrine, dépassant le seul domaine de la peinture, apportent toujours au public, chacun à leur manière, leur vision mystérieuse ou inquiétante de choses et d'êtres réels ou imaginaires; Max Ernst, baroque et délirant, André Masson, calligraphe, Carzou, aérien mais acéré, assurent la survie glorieuse du genre. Leur apport est complété par les déserts glacés d'Yves Tanguy et les rêves de femmes-objets de Leonor Fini.

Des tendances nouvelles se manifestent aujourd'hui et modifient l'aspect traditionnel de la peinture concrète. Mode passagère ou courant fécond, le « pop'art » affirme la valeur esthétique de la réalité quotidienne et édifie à l'aide des objets les plus banals des œuvres souvent à la fois peinture et sculpture, soit par l'accumulation ou la déformation d'objets de consommation courante, soit par la modification des dimensions habituelles de ce que l'on voit tous les jours.

L'opposition des abstraits

Pour ces différentes tendances, le point de départ était le monde concret. Les doctrinaires de l'art abstrait, eux, partent du matériau qu'ils utilisent : considérant l'évolution de la société et des techniques (notamment photographie et cinéma), ils constatent que la toile est simplement une surface plane à la disposition du peintre : il peut la remplir de formes ou de couleurs sans autre référence à ce qui l'entoure, dans la plus grande liberté créatrice.

L'abstraction géométrique représente l'expression de la doctrine pure. Reconstruite logiquement à partir de quelques axiomes, à la manière des mathématiques, comme le voulaient Kandinsky et Mondrian, cette forme de peinture se reconnaît des précurseurs qui, à partir du concret (Villon, Delaunay), avaient poursuivi un chemin différent; illustrée par Herbin, elle est poursuivie aujourd'hui par Vasarely et les tenants de l' « op'art », qui cherchent les altérations de la perception sous l'influence d'une juxtaposition donnée des couleurs ou des formes.

Des groupes de recherche (groupe de recherche d'art visuel de Paris fondé en 1964) ont été constitués et aboutissent à une juxtaposition de l' « op'art » avec l'art cinétique (cf. « Sculpture »).

Le naturalisme abstrait (ou abstraction naturaliste) accepte le contact avec la nature d'où l'artiste peut tirer des sensations dignes d'expression picturale. Celle-ci peut être proche de la représentation figurative, mais ne se reconnaît comme véritable moyen d'expression que le moyen abstrait. Les peintres de cette tendance, comme Bazaine, Singier, Manessier, se trouvent attirés par l'art sacré. Très souvent le vitrail leur permet d'affirmer leur goût pour les jeux de lumière et les transparences de couleur. Veira da Silva, peut-être plus sèchement, fait vibrer sa toile par une construction aérienne de couleurs claires.

A cette tendance, il conviendrait de rattacher Jean Dubuffet, dont l'art très personnel ne se laisse pas aisément classer : naïf par certains côtés, proche du « pop'art » par d'autres, il est pourtant plus abstrait que concret.

Les peintres qui se rattachent à l'abstraction lyrique, plus encore que dans le naturalisme abstrait, se laissent aller à leur inspiration personnelle et insistent sur la traduction du mouvement intérieur de création : De Staël, Soulages, Hartung surtout ont cherché leur accomplissement dans cette voie.

L'abstraction lyrique débouche sur l' « action painting ». Cette tendance, représentée en France par Mathieu, exige le contact le plus direct entre le peintre mû par son inspiration et sa toile ; tous les moyens techniques de peindre sont utilisés : ce peut être aussi bien projection de couleur ou écrasement de tubes de peinture que maniement spontané du pinceau : toute réflexion pendant l'acte de peindre est exclue, la rapidité est essentielle pour conserver la pureté de l'expression.

LA SCULPTURE

Si, en sculpture comme en peinture, s'est produit une lutte entre l'abstraction et l'expression figurative, cette dernière n'est pratiquement représentée que par des tendances anciennes.

L'influence cubiste se retrouve dans l'art de Zadkine, ou de Brancusi, l'héritage surréaliste peut être discerné chez Calder ou Arp, la marque expressionniste dans les œuvres de Giacometti ou de Germaine Richier. Mais les oppositions sont moindres qu'en peinture : les courants abstraits représentés par Étienne Martin, Robert Jacobsen, par exemple, ne sont pas entièrement irréductibles aux autres.

Plus nouveau, l'art cinétique, qui s'attache à rendre les sculptures mouvantes, retrouve certaines recherches picturales propres au pop'art ou à l'op'art : Nicolas Schöffer utilise la lumière et les projections de ses appareils sur des écrans, Tinguely s'attache à la vision directe de ses œuvres en mouvement.

LA MUSIQUE

Un héritage international

La France, comme tous les autres pays de l'Europe occidentale, a été soumise à l'influence des grands musiciens qui ont transformé les notions sur lesquelles reposait la musique de leur temps ; après la rupture avec les romantiques et le *langage tonal* consacrée par le Français Debussy, l'Autrichien Schoenberg concevait et appliquait le système sériel, le Russe Stravinsky répandait la *polytonalité* et le Hongrois Bartok affirmait les *recherches modales*.

Une activité de plus en plus dynamique

Le « Groupe des Six » (Arthur Honegger, Darius Milhaud, Georges Auric, Francis Poulenc, Louis Durey, Germaine Tailleferre), créé en 1920, n'a pas de doctrine établie, mais rejette des œuvres passées le « nuage wagnérien », la « brume debussyste » en particulier. Il permet surtout aux brillantes personnalités qui le composent de s'affirmer.

La « Jeune France », fondée en 1935, met en rapport Olivier Messiaen et André Jolivet, tous deux préoccupés d'élargir les horizons de la musique occidentale par la prise en considération soit des sons qui se trouvent dans la nature, soit des musiques africaines ou asiatiques.

Chef de file des jeunes *dodécaphonistes* français, Pierre Boulez mène la musique sérielle à des raffinements nouveaux.

Vers une modification de la création musicale

Les recherches d'Edgar Varèse dans le domaine des rythmes et des timbres se systématisent aujourd'hui dans la musique concrète et la musique électronique. Il s'agit de supprimer les instruments de musique : des sonorités nouvelles avaient été recherchées par la création d'instruments entièrement nouveaux, mais les progrès de l'électronique rendent ces instruments eux-mêmes inutiles ou insuffisants : la musique concrète créée par Pierre Schaeffer grâce aux installations de la radio est construite à partir de bruits variés enregistrés sur bande magnétique ; la musique électronique, elle, est entièrement créée artificiellement : en effet, la synthèse des sons les plus complexes peut être assurée aujourd'hui. Dans ce domaine encore, des recherches sont poursuivies par l'O.R.T.F.

La chanson : qualité et médiocrité

Une longue tradition où se mêlent curieusement éléments populaires et aristocratiques permet à la chanson française de s'allier à la poésie et à une musicalité très sûre : Éluard, Aragon inspirent un auteur tour à tour tendre et polémique, Léo Ferré. Georges Brassens poursuit une carrière bougonne et souriante par laquelle il renoue avec des thèmes intemporels, mais marqués de son anarchisme. Jacques Brel ridiculise avec violence certaines attitudes sociales, mais sait se faire lyrique. Jean Ferrat se range parmi les chanteurs « engagés ». Barbara défend la chanson d'amour ou à thème affectif. Anne Sylvestre illustre avec bonheur un courant « troubadour » en chantant des chansons d'aujourd'hui inspirées de celles d'autrefois. Guy Béart manie à la fois la tendresse et l'ironie.

Face à ces chanteurs qui, pour être presque artisans, n'en bénéficient pas moins d'une large diffusion, existent des chanteurs-industriels, produits de l'extension des moyens de communication de masse. Leur art charrie le pire et le meilleur, mais stagne le plus souvent dans la médiocrité. Leur vie a l'éclat de celle des vedettes de cinéma et la durée des modes le plus souvent. Quelques noms subsistent cependant, qui ont réussi à survivre à toutes les révolutions, du rock au hip, en passant par le yé-yé, comme ceux de Johnny Halliday, Richard Anthony et Françoise Hardy.

Quelques « grands » enfin appartiennent aux deux mondes : en choisissant avec soin paroles et musique, Gilbert Bécaud et Charles Aznavour, par exemple, ont acquis une solide célébrité.

Mireille Mathieu, après Édith Piaf disparue, s'efforce de conquérir les cœurs populaires tandis que personne ne semble venir remplacer Maurice Chevalier qu'on avait pu croire éternel.

ARCHITECTURE ET URBANISME

L'architecture française, après avoir longtemps manifesté sa vitalité, ne semble pas avoir réussi à s'adapter au XXe siècle. La crise est dénoncée, aussi bien au niveau de l'enseignement qu'à celui de la création.

Malgré de grands noms et de grandes réalisations (Maison de la Radio, Palais du C.N.I.T. à La Défense, par exemple), l'urbanisation n'a pu être maîtrisée, pas plus sous la forme qu'elle a prise entre les deux guerres de la banlieue pavillonnaire, que sous sa forme plus récente du grand ensemble.

Il est apparu nécessaire de trouver de nouvelles méthodes synthétiques, faisant appel à des disciplines diverses : l'urbanisme envisage l'environnement de l'homme dans toute sa complexité. C'est dans cet état d'esprit que sont réalisés les grands aménagements comme ceux de la côte du Languedoc-Roussillon, ou celui de Toulouse-Le Mirail.

La réforme de l'architecture française

... En un siècle, il y a eu une transformation totale des conceptions architecturales. Ce qui compte le plus, enseignait-on aux Beaux-Arts, il n'y a pas si longtemps, c'est une belle façade. Aujourd'hui, comptent autant, et même davantage, l'utilisation de l'espace, parce qu'il est rare, l'habitabilité.

Les architectes français sont-ils préparés à construire des villes faites pour être « vécues », et pas seulement regardées? Sont-ils informés des nouvelles techniques, des nouveaux matériaux? La vraie remise en cause de la profession commence au stade de son enseignement.

... La réforme de l'enseignement, qui vient d'entrer dans sa première phase d'application, prend l'aspect d'une révolution.

... Pour M. Max Querrien, la réforme a trois volets, le premier étant sociologique : « Il n'y a, dit-il, d'architecture légitime que si elle répond aux besoins - profonds et complètement analysés - d'une société consciente et active. » Il s'élève contre ce qu'il appelle « l'impérialisme architectural » ou « architecture de palais », uniquement faite pour impressionner.

Et il croit à l'éducation publique comme y croit M. Jean Fayeton. Selon celui-ci, dans les pays sans traditions, et qui n'ont pas souffert de la guerre, là où il y a eu construction et non reconstruction, l'architecture moderne s'est manifestée plus librement. Au Brésil, au Mexique, au Venezuela, en Suède, en Finlande, on a innové, moins en raison de techniques nouvelles que d'une nouvelle sensibilité de l'espace.

... En France, cette sensibilité commence à exister. La génération qui a vingt ans aujourd'hui aura l'esprit de son temps. Et quand les Français seront fiers de montrer, dans leur ville, une construction nouvelle plutôt que la cathédrale gothique ou l'église romane de l'endroit, alors ce sera gagné...

L'EXPRESS, 8-14 mai 1967.

LE CINÉMA

Le cinéma en crise?

La fréquentation des salles de cinéma est en régression constante. On accuse tantôt la télévision, tantôt l'automobile d'offrir des distractions concurrentes, mais aucune raison certaine n'a pu être avancée pour expliquer la désaffection du public. Cependant la hausse du prix des salles a été telle que les recettes globales n'ont pas diminué. Rares sont les producteurs, pourtant nombreux, pourtant peu puissants, qui ont fait faillite.

Le caractère artisanal et presque aventureux de la production explique peut-être la diversité et la richesse du cinéma français.

Un cinéma plein de richesse

Il est bien difficile de parler d'écoles à propos des films français. La « nouvelle vague », dépourvue de fondement doctrinal, sinon le commun refus des « histoires » bien bâties, n'a été que l'irruption dans le circuit cinématographique de jeunes réalisateurs tenus jusque-là à l'écart, mais aux tempéraments bien différents. La personnalité des créateurs se manifeste dans les réalisations les plus marquantes. Bresson [1] poursuit une quête de l'absolu dans des films où les personnages sont marqués par la présence ou l'absence de la grâce. Chabrol [2] persévère dans le maniérisme. Truffaut [3] illustre avec talent un intimisme psychologique où la révolte fait place à une inquiète résignation. Vadim [4] poursuit dans la voie de films bourgeois, baroques, sensuels, mais toujours à la mode. Louis Malle [5] a exploré diverses directions : film d'amour, film psychologique, film d'aventures, film expérimental. Jean-Luc Godard apporte un style particulier, dont l'influence a déjà été grande. Alain Resnais cherche à créer avec des moyens nouveaux, qui tournent parfois au procédé, un nouvel univers cinématographique [6].

Pierrot le Fou

Aucune nuance lorsque l'on parle de Jean-Luc Godard. On est pour ou contre, d'un bloc, avec fanatisme. Ferveur ou sarcasme. Vénération ou exaspération. Une fois de plus l'auteur de Pierrot le Fou irrite ceux qu'il ne fascine pas.

Essayons de garder la mesure. Tâchons de faire calmement la part du bon et du moins bon.

La qualité la moins contestable de Jean-Luc Godard est une liberté que ceux qui ne l'aiment pas appellent désinvolture. Fraîcheur du regard et du ton qui a été beaucoup imitée. Jean-Paul Belmondo qu'il a découvert sinon même inventé et que nous avions retrouvé dans « Une femme est

1. *Journal d'un curé de campagne, Le procès de Jeanne d'Arc, Au hasard Balthazar, Une femme douce.*
2. *Le beau Serge, Les cousins, A double tour, Landru, Sur la route de Corinthe, Que la bête meure, le Boucher, Les noces rouges.*
3. *Les quatre cents coups, Jules et Jim, Tirez sur le pianiste, La peau douce, Baisers volés, Domicile conjugal, La nuit américaine.*
4. *Et Dieu créa la femme, Et mourir de plaisir, La Curée, Barbarella.*
5. *Les amants, Feu follet, Viva Maria, Zazie dans le métro.*
6. *Hiroshima mon amour, L'année dernière à Marienbad.*

une femme », après en avoir eu la révélation dans « A bout de souffle », Jean-Paul Belmondo que nous n'aimons jamais autant que lorsque Godard le dirige, comme de nouveau dans Pierrot le Fou, incarne cette nonchalance créatrice, cette manière dégagée, élégante et cynique d'aller aux êtres et aux choses, de laisser venir le monde à soi, de le refuser et de l'accepter tout à la fois, comme un boxeur qui ne prendrait pas la peine d'esquiver et encaisserait les coups sans broncher et avec le sourire.

Anna Karina qui n'apparaissait pas encore dans « A bout de souffle » est dans Pierrot le Fou comme dans la plupart des films de Jean-Luc Godard l'opposé et le complément féminin de ce héros impertinent, assuré et tranquille, dont nous devinions combien il était pourtant vulnérable, dans la mesure où Jean-Luc Godard l'avait créé à sa ressemblance. Nous en avons ici une preuve éclatante et troublante : la vraie force, la dureté n'est pas chez ce mauvais garçon au cœur tendre, mais chez cette petite bonne femme aux yeux de qui rien n'existe que par elle et pour elle. Jeune, jolie, conquise parce que conquérante et n'ayant pas encore été blessée, puis désarmée, puis effacée par le temps.

L'ouverture de Jean-Luc Godard à ce qu'il voit, qu'il entend, qu'il sent et qu'il enregistre de plein fouet, sans préparation, cette disponibilité, cette spontanéité ne vont pas sans quelque recherche plus sensible dans ses nouveaux films que dans ses anciens. Souci de composition auquel nous devons par exemple, dans Pierrot le Fou, la belle et presque trop raffinée séquence du début, dans ce salon où les conversations sont faites de slogans publicitaires; ou cette promenade nocturne en voiture où les jeux des rayons sur les pare-brise ont été non pas reproduits, mais recréés.

A son habitude, Jean-Luc Godard semble abandonner ses personnages à leur inspiration du moment...

CLAUDE MAURIAC, *Le Figaro littéraire*, 11 novembre 1965.

Le film comique, à côté de productions médiocres, est défendu par de grands réalisateurs : Jacques Tati [1], Pierre Étaix [2] mais aussi Philippe de Broca [3] et Robert Dhéry [4].

Des tentatives originales ont été effectuées pour trouver des moyens d'expression nouveaux : Jacques Demy [5] et le compositeur Michel Legrand se sont successivement essayés au drame chanté (*Les parapluies de Cherbourg*) et au film musical à l'américaine (*Les demoiselles de Rochefort*).

Il est certain que les succès restent fréquemment les films comiques, tels ceux de Gérard Oury [6], ou les films policiers, tels ceux de Melville [7], auxquels viennent s'ajouter les films produits à l'étranger et appartenant à des genres peu ou mal représentés chez les réalisateurs français : westerns américains ou maintenant italiens ou films historiques. Cependant les films politiques sont maintenant goûtés par le public (Godard, Michel Drach et surtout Costa-Gravas [8]).

1. *Jour de fête, Les vacances de monsieur Hulot, Mon oncle, Playtime, Trafic.*
2. *Le soupirant, Tant qu'on a la santé.*
3. *Le farceur, Un monsieur de compagnie, L'homme de Rio.*
4. *La belle américaine, Allez France.*
5. Après le film qui l'a fait découvrir, *Lola.*
6. *La Grande Vadrouille, Le Corniaud.*
7. *Le Doulos, Le Samouraï, le Cercle rouge.*
8. *Z, L'Aveu, État de siège.*

LES INDUSTRIES DE MODE

A la frontière entre l'industrie et la création d'art, la mode a trouvé à Paris le lieu de son épanouissement. Chaque année (collections d'été au printemps et d'hiver en automne), les grands couturiers présentent leurs créations au public. Aux anciens noms, comme Balmain, Chanel, Dior, se sont ajoutés des couturiers plus nouveaux, comme Yves Saint-Laurent, quelquefois révolutionnaires, comme Courrèges ou Paco Rabanne.

La mode des minijupes qui s'est imposée en 1966-67 a inspiré à Françoise Giroud les réflexions suivantes :

La fin d'une époque

On sait l'affectation qu'il y a à ne point suivre la mode. Dans toute société, le solitaire est scandaleux. Il n'y a donc rien que de très banal dans cet alignement progressif des ourlets au niveau le plus élevé et des talons au niveau le plus bas.

L'intéressant, c'est ce que traduit cette mode et la façon dont elle s'est propagée.

Économiquement, c'est la première fois dans l'histoire du costume qu'une mode est imposée aux classes riches au lieu d'émaner d'elles. La jupe ultra-courte n'est pas descendue dans la rue. Elle y est née, à Londres. L'Amérique ne l'a pas adoptée, mais les couturiers français, qui ont des antennes, s'en sont aussitôt saisis. L'architecte qui sommeille en chacun d'eux a tenté d'équilibrer les volumes nouveaux de ces constructions fragiles. C'est dans cet équilibre que réside l'art de la couture. Le reste est affaire de décorateur.

Une nouvelle lutte de classes, qui n'exclut pas l'autre, s'est alors déclenchée : celle des classes d'âge. Elle exprime un fait nouveau : l'étalon, le modèle auquel plus ou moins consciemment on se réfère pour lui ressembler - ou pour le dénigrer quand c'est impossible - ce n'est plus le modèle riche, c'est le modèle jeune. Les attributs classiques du costume de la bourgeoisie cossue - certaines fourrures, certains bijoux, certains cuirs - sont devenus d'énormes rides qui rejettent hors du temps et qui ne suscitent, en tout cas, aucun mimétisme.

Ce n'est pas la fin d'une mode, c'est la fin d'une époque. Aujourd'hui, plus les femmes sont riches, plus elles s'habillent « pauvre », du moins quand elles savent s'habiller.

FRANÇOISE GIROUD, *L'Express*, 13-19 février 1967.

La mode n'est plus l'apanage des femmes : les hommes à leur tour découvrent le plaisir d'être élégants. Les couturiers l'ont bien compris et certains d'entre eux ont fait de la mode masculine une activité essentielle.

La haute couture masculine

Le coup de génie de Pierre Cardin, c'est d'avoir étendu la magie de la griffe haute couture au domaine du vêtement masculin. « Chez moi, dit-il, en parlant de sa maison de la place Beauvau, un homme peut entrer nu et sortir entièrement habillé. Et avec une valise. J'habille de A à Z. »

Grâce à quoi, cet homme de 45 ans, fils d'émigrés italiens, qui fut apprenti tailleur à Saint-Étienne, puis coupeur chez Paquin, Schiaparelli, Dior, est aujourd'hui le plus riche de tous les couturiers français.

Extraordinaire aventure, née du hasard. Au rez-de-chaussée de l'hôtel que Pierre Cardin-Couture occupe depuis 1953, 118, rue du Faubourg-Saint-Honoré, se trouvait une boutique à vendre : celle d'un vieux chemisier, Derby. Il voulut l'acheter pour la transformer en boutique-couture. Mais pour des raisons compliquées de bail commercial, l'opération eût été déraisonnable. « Alors, raconte-t-il, j'ai eu l'idée, qui me parut folle, d'ailleurs, de la laisser réservée aux hommes. J'avais la prétention de savoir ce qu'est un homme élégant. Je l'ai toujours été. Mais je me suis dit : si je fais du classique, ce sera raté. Personne ne viendra. Il faut que je provoque. J'ai donc lancé les cravates à fleurs. Tout le monde en a parlé. Personne ne les a achetées. Le plus drôle, c'est que ce stock vieux de trois ans, nous l'avons entièrement écoulé l'an dernier en vendant pour 490 millions (il parle en anciens francs) de cravates à fleurs.

J'ai décidé de présenter une collection. Dans les salons de ma maison de couture, avec des mannequins professionnels, de quoi cela aurait-il eu l'air ? J'ai loué une salle à l'hôtel Crillon et j'ai téléphoné aux recteurs de toutes les écoles. Sciences Po, Beaux-Arts, Médecine, H.E.C. Et je leur ai dit : « Envoyez-moi des étudiants pour passer ma collection, je leur donnerai quelque chose. » Il s'en est présenté deux cents. Ils avaient pris ça à la rigolade. Moi, j'avais peur d'être grotesque, mais je me suis dit : « Si c'est raté, tant pis. Il faut savoir prendre des risques, il faut oser être le premier. »

L'EXPRESS, 26 février - 3 mars 1968.

courants de pensée et vie littéraire

Permanence du roman des années 30

La littérature qui s'affirme entre les deux grandes guerres mondiales survit aujourd'hui à la fois parce qu'elle appartient au patrimoine culturel du pays et parce que certains de ses maîtres sont encore vivants. Les œuvres riches et proches des plus grands sont toujours présentes, même si leur auteur n'est plus. Il faut citer Martin du Gard, Jules Romains, Georges Duhamel, Mauriac, André Maurois, André Chamson, Giraudoux, ou, moins classiques, plus déchirés, Bernanos, Montherlant. Saint-Exupéry, malgré la brièveté de sa vie littéraire partagée entre l'avant-guerre et la guerre, laisse une œuvre dense et forte. Céline occupe une place à part, se signalant par la violence de sa révolte. Ses imprécations atteignent un souffle épique.

La littérature actuelle, héritière de cette époque, est cependant marquée par le tournant qu'a provoqué la Deuxième Guerre mondiale dans l'évolution intellectuelle du pays.

Une philosophie dominante

Dès avant la guerre de 1939-45, la disparition de l'absolue certitude scientifique dans certains domaines de la recherche, la découverte des insuffisances du concept de causalité conduisaient à l'inquiétude devant un monde dont la cohérence semblait échapper à l'homme. Déjà se manifestaient les prémices des courants philosophiques actuels. Cependant la découverte de ce que pouvait être la guerre totale, pendant le conflit mondial, apportant la révélation d'une sorte de mal incarné, fut décisive : « La guerre et l'occupation, en nous précipitant dans un monde en fusion, nous ont fait, par force, redécouvrir l'absolu au sein de la relativité même », explique Jean-Paul Sartre. Liée à la révolte devant un monde apparemment absurde, la philosophie existentialiste connaît un immense succès.

L'existence dévoilée

... Donc, j'étais tout à l'heure au Jardin public. La racine du marronnier s'enfonçait dans la terre, juste au-dessous de mon banc. Je ne me rappelais plus que c'était une racine. Les mots s'étaient évanouis, et, avec eux, la signification des choses, leurs modes d'emploi, les faibles repères que les hommes ont tracés à leur surface. J'étais assis, un peu voûté, la tête basse, seul en face de cette masse noire et noueuse, entièrement brute et qui me faisait peur. Et puis j'ai eu cette illumination.

Ça m'a coupé le souffle. Jamais, avant ces derniers jours, je n'avais pressenti ce que voulait dire « exister ». J'étais comme les autres, comme ceux qui se promènent au bord de la mer, dans leurs habits de printemps. Je disais, comme eux, « la mer *est* verte »; « ce point blanc là-haut *c'est* une mouette », mais je ne sentais pas que ça existait, que la mouette était une « mouette-existante »; à l'ordinaire l'existence se cache. Elle est là, autour de nous, en nous, elle est *nous*, on ne peut pas dire deux mots sans parler d'elle et, finalement, on ne la touche pas. Quand je croyais y penser, il faut croire que je ne pensais rien, j'avais la tête vide ou tout juste un mot dans la tête, le mot « être ». Ou alors je pensais... comment dire? Je pensais *l'appartenance*, je me disais que la mer appartenait à la classe des objets verts ou que le vert faisait partie des qualités de la mer. Même quand je regardais les choses, j'étais à cent lieues de songer qu'elles existaient : elles m'apparaissaient comme un décor. Je les prenais dans mes mains, elles me servaient d'outils, je prévoyais leurs résistances. Mais tout ça se passait à la surface. Si on m'avait demandé ce que c'était que l'existence, j'aurais répondu de bonne foi que ça n'était rien, tout juste une forme vide qui venait s'ajouter aux choses du dehors sans rien changer à leur nature. Et puis voilà : tout d'un coup c'était là, c'était clair comme le jour, l'existence s'était soudain dévoilée. Elle avait perdu son allure inoffensive de catégorie abstraite : c'était la pâte même des choses, cette racine était pétrie dans de l'existence. Ou plutôt la racine, les grilles du jardin, le banc, le gazon rare de la pelouse, tout ça s'était évanoui; la diversité des choses, leur individualité n'était qu'une apparence, un vernis. Ce vernis avait fondu, il restait des masses monstrueuses et molles, en désordre - nues, d'une effrayante et obscène nudité.

JEAN-PAUL SARTRE, *La nausée*.
Paris, Gallimard.

Une certaine permanence de courants anciens se manifeste cependant : ainsi le marxisme français évolue-t-il perpétuellement, non sans discussions parfois violentes opposant les orthodoxes aux multiples courants que représentent ceux qui ne sont plus « dans la ligne », comme Henri Lefebvre, ou plus récemment Garaudy.

Par ailleurs, des tendances nouvelles, à vocation conquérante, apparaissent. Ainsi le structuralisme semble aujourd'hui se développer dans tous les domaines (sociologie, linguistique) avec des hommes dans les feux de l'actualité : Lévi-Strauss, Foucault, Lacan, Althüsser.

Une littérature engagée

Jamais la littérature n'a été à ce point imprégnée de philosophie. Au lendemain de la guerre, « avec Sartre et Simone de Beauvoir, ce sont les professionnels et même les professeurs de la philosophie qui conquièrent le roman » (R. Kanters, *France d'aujourd'hui*, Hatier). La fiction cède le pas au témoignage. Seule intéresse la condition humaine, que le nouveau héros cherche à incarner dans sa totalité, mais au message somme toute optimiste des « années 30 », que l'on trouve dans les œuvres d'André Malraux ou de Saint-Exupéry, se substitue la terrible dénonciation de l'absurde par Camus.

La Résistance et la Libération mettent en valeur des écrivains « de gauche », déjà mûrs (Aragon) ou dont le talent est apparu plus récemment (Roger Vailland).

A partir de 1950 cependant, l'homme n'est plus directement l'objet des réflexions des écrivains. La littérature se penche sur elle-même, et le centre de ses préoccupations devient le langage.

Des conceptions nouvelles

Certains auteurs attachaient déjà plus d'importance au langage et à ses incertitudes qu'à l'histoire qu'ils racontaient, avec une tendance à la fiction (Boris Vian), ou à la recherche plus théorique (Raymond Queneau [1]), mais dans un sens très personnel qui empêche de les rattacher à une école littéraire.

Ils se rapprochent plutôt d'auteurs de théâtre « d'avant-garde » à qui l'analyse et la dislocation du langage et de ses significations permettent de représenter l'absurde.

Comme le théâtre, le « nouveau roman » refuse les significations. Illustré par Nathalie Sarraute, Michel Butor, il reçoit une véritable doctrine grâce à Alain Robbe-Grillet, qui cependant refuse le monolithisme.

Le nouveau roman

... Si j'emploie volontiers, dans bien des pages, le terme de Nouveau Roman, ce n'est pas pour désigner une école, ni même un groupe défini et constitué d'écrivains qui travailleraient dans le même sens; il n'y a là qu'une appellation commode englobant tous ceux qui cherchent de nouvelles formes romanesques, capables d'exprimer (ou de créer) de nouvelles relations entre l'homme et le monde, tous ceux qui sont décidés à inventer le roman, c'est-à-dire à inventer l'homme. Ils savent, ceux-là, que la répétition systématique des formes du passé est non seulement absurde et vaine, mais qu'elle peut même devenir nuisible : en nous fermant les yeux sur notre situation réelle dans le monde présent, elle nous empêche en fin de compte de construire le monde et l'homme de demain.

... Comment l'écriture romanesque aurait-elle pu demeurer immobile, figée, lorsque tout évoluait autour d'elle - assez vite même - au cours des cent cinquante dernières années? Flaubert écrivait le nouveau roman de 1860, Proust le nouveau roman de 1910, l'écrivain doit accepter avec orgueil de porter sa propre date, sachant qu'il n'y a pas de chef-d'œuvre dans l'éternité, mais seulement des œuvres dans l'histoire; et qu'elles ne se survivent que dans la mesure où elles ont laissé derrière elles le passé, et annoncé l'avenir.

ALAIN ROBBE-GRILLET, *Pour un nouveau roman.*
Édit. de Minuit.

Une voie pour le roman futur sur les ruines du roman passé

A la place de cet univers de « significations » (psychologiques, sociales, fonctionnelles), il faudrait donc essayer de construire un monde plus solide, plus immédiat. Que ce soit d'abord par leur présence que les objets et les gestes s'imposent, et que cette présence continue ensuite à dominer, par-dessus toute théorie explicative qui tenterait de les enfermer dans un quel-

1. Créateur de langage, Raymond Queneau est tour à tour romancier, essayiste et poète.

conque système de référence, sentimental, sociologique, freudien, métaphysique ou autre.

Dans les constructions romanesques futures, gestes et objets seront là avant d'être quelque chose; et ils seront encore là après, durs, inaltérables, présents pour toujours et comme se moquant de leur propre sens, ce sens qui cherche en vain à les réduire au rôle d'ustensiles précaires, de tissu provisoire et honteux à quoi seule aurait donné forme - et de façon délibérée - la vérité humaine supérieure qui s'y est exprimée, pour aussitôt rejeter cet auxiliaire gênant dans l'oubli, dans les ténèbres.

Désormais, au contraire, les objets peu à peu perdront leur inconstance et leurs secrets, renonceront à leur faux mystère, à cette intériorité suspecte qu'un essayiste a nommée « le cœur romantique des choses ». Celles-ci ne seront plus le vague reflet de l'âme vague du héros, l'image de ses tourments, l'ombre de ses désirs. Ou plutôt s'il arrive encore aux choses de servir un instant de support aux passions humaines, ce ne sera que temporairement, et elles n'accepteront la tyrannie des significations qu'en apparence - comme par dérision - pour mieux montrer à quel point elles restent étrangères à l'homme.

Quant aux personnages du roman, ils pourront eux-mêmes être riches de multiples interprétations possibles; ils pourront, selon les préoccupations de chacun, donner lieu à tous les commentaires, psychologiques, psychiatriques, religieux ou politiques. On s'apercevra vite de leur indifférence à l'égard de ces prétendues richesses. Alors que le héros traditionnel est constamment sollicité, accaparé, détruit par ces interprétations que l'auteur propose, rejeté sans cesse dans un ailleurs immatériel et instable, toujours plus lointain, toujours plus flou, le héros futur, au contraire, demeurera là. Et ce sont les commentaires qui resteront ailleurs; en face de sa présence irréfutable, ils apparaîtront comme inutiles, superflus, voire malhonnêtes.

ALAIN ROBBE-GRILLET, *Pour un nouveau roman.*
Édit. de Minuit.

Le foisonnement des œuvres atteste une liberté presque totale. L'écrivain se lance dans des expériences de plus en plus complexes, de plus en plus nouvelles. Tout est possible. Plongé dans son laboratoire, à la conquête de son art, il lui arrive d'oublier qu'il écrit pour un public.

Un monde en marge de la société

Il n'y a donc rien d'étonnant à ce que parfois la recherche littéraire prenne un caractère ésotérique.

Littérature de chapelle et littérature de masse

Il semble que la séparation entre la littérature de création - qu'on admire de loin mais qu'on ne lit guère - et l'autre - qu'on lit beaucoup (Delly ou les romans policiers) mais qui ne vaut pas grand-chose - soit plus accusée aujourd'hui qu'elle ne l'a jamais été. Il fut un temps où les plus grands de nos écrivains - Chateaubriand, Hugo et, si l'on veut, Béranger et George Sand - étaient des auteurs populaires. M. Thierry Maulnier prétend que c'est justement la preuve qu'ils ne valaient rien : on nous permettra d'en douter.

Depuis la seconde moitié du XIXe siècle, l'homme de lettres a perdu le contact avec son public, comme l'Église catholique a perdu celui des masses populaires, et comme elle, il essaie, un peu tard, de regagner le terrain perdu. La diffusion de l'instruction, les loisirs, la grande presse, la radio, le film, et maintenant la télévision, sont en train de provoquer la constitution d'un immense public populaire : pourrons-nous au moins lui offrir l'équivalent des romans de Hugo ou d'Erckmann-Chatrian? On voit chaque année des écrivains « littéraires » se mettre à écrire (souvent sous un pseudonyme, comme s'ils avaient honte de ce commerce de gros) des best-sellers, à base d'intrigues simples, de faits historiques connus, narrés en un style accessible. Mené avec conscience, et sans trop de concessions au public, un tel travail pourrait être fructueux : c'est celui qu'avait tenté Romain Rolland avec « Colas Breugnon ». A une condition pourtant : c'est de ne rien aliéner de ce qui fait la dignité de la littérature. L'accueil fait à des romanciers anglo-saxons comme Hemingway, Graham Greene ou Morris West, à la trilogie combattante de Jean Lartéguy (des « Centurions » aux « Prétoriens »), ou, à un degré inférieur, aux romans épicés de Cécil Saint-Laurent, comme aux « Rois Maudits » de Maurice Druon, prouve que le succès récompenserait sans nul doute un tel effort.

PIERRE DE BOISDEFFRE, *Métamorphose de la littérature.* Alsatia.

L'écrivain se trouve d'ailleurs, par les conditions de son existence, réellement isolé de son public, et cela explique dans une large mesure l'hermétisme de certaines œuvres.

Le milieu littéraire

Ce qui frappe d'abord : son extraordinaire concentration géographique et sociale. Il existe en France, qui pèse sur toute notre vie littéraire, un phénomène inconnu dans les autres grandes capitales. New York, Londres, Milan (ne parlons pas de Rome) ignorent le milieu littéraire. Écrivains et techniciens du livre, ailleurs, ne subissent pas la terrible loi de la centralisation française. Tous les éditeurs sont installés à Paris, et même, presque tous, dans trois arrondissements de Paris. Toutes les grandes revues également, à l'exception des Cahiers du Sud. Les critiques influents exercent leur magistère dans les feuilles parisiennes. Les écrivains eux-mêmes ont subi cette attraction impitoyable. Une enquête portant sur 170 auteurs contemporains d'expression française (28 morts et 142 vivants) révèle que si 55 sont nés à Paris, 16 seulement en vivent résolument éloignés (ne considérons pas une maison de week-end à Montfort-l'Amaury comme un « éloignement résolu »...). Cause ou conséquence de cette concentration : c'est à Paris que s'est créé un marché du travail parallèle, un marché du « second métier », indispensable à l'écrivain français à qui, si souvent, ses seules ressources littéraires ne permettent pas de vivre. De sorte que les nécessités du pain quotidien doublent et renforcent les nécessités (supposées) de la réputation. Il faut être là. Il faut en être. La gloire aussi bien que les sinécures attendent l'écrivain à Paris. Cette fascination s'exerce même au-delà des frontières : de Bruxelles, de Suisse, d'Italie, d'Angleterre, de New York affluent les littérateurs. Ils croient ne pouvoir vivre nulle part mieux, plus efficacement qu'à Paris. Les plus riches d'entre eux constituent des colonies cosmopolites et nomadisent de Saint-Germain-des-Prés en Haute Provence, entre deux fugues à Klosters ou à Positano.

Tout le monde, dans cette petite république, se connaît. Antagonismes politiques, choix d'école, mœurs sexuelles inconciliables : tout ce qui pourrait séparer est moins fort que ce qui unit. Et ce qui unit, c'est la volonté et la nécessité d'être ensemble, de bavarder, de boire, de sortir, d'aller à la campagne, de partir en vacances, de déjeuner, de murmurer ensemble. Peu à peu, pour ceux qui subissent passivement cette situation, se substitue à une vue large et normale du monde une vue-miroir, incroyablement spécieuse et étroite. Habitudes, modèles, inspirations, répugnances : tout est bientôt puisé dans le fond commun.

FRANÇOIS NOURRISSIER, *Écrivains d'aujourd'hui*. Grasset.

Le goût de la critique

Les conditions de la production littéraire actuelle expliquent la nécessité et l'importance du tribunal que constitue la critique. Ce besoin contemporain ne fait d'ailleurs que renouer avec un goût traditionnel pour le jugement littéraire que les salons du XVIIe siècle avaient brillamment illustré.

L'action de la critique a ses temps forts, en particulier au moment où sont attribués les grands prix littéraires en novembre et décembre (Fémina, Goncourt, Interallié, Renaudot).

Les discussions qui ont lieu, à la fois sur la valeur des œuvres examinées et sur les méthodes d'analyse à employer, sont, à l'époque présente, particulièrement virulentes et fréquentes. A une critique de type classique s'oppose une critique inspirée de la psychanalyse ou de la linguistique, comme celle de Roland Barthes ou de Maurice Blanchot.

Une poésie toujours vivante

La disparition de Paul Valéry, poète et penseur devenu « officiel » à la fin de sa vie, a modifié le climat de recherche intellectuelle rigoureuse qu'il donnait à la poésie française. Celle-ci, à l'exception peut-être de Saint-John Perse, se laisse aller à plus de sensibilité et de passion (Éluard, Pierre Emmanuel) ou même explore l'inconscient (Michaux). Certains poètes connaissent une grande popularité : ainsi Aragon et Prévert.

Le théâtre, phénomène parisien

Comme il en est de la littérature, mais peut-être plus nettement encore parce qu'une pièce ne voyage que si elle trouve une scène pour l'accueillir, la vie théâtrale est surtout parisienne. Pendant les trois derniers mois de l'année, l'époque des créations, le succès d'une pièce et peut-être d'un auteur est assuré par les spectateurs des 40 théâtres que compte approximativement la capitale et qui forment la presque totalité des théâtres français.

Certes, quelques compagnies de renom sous la direction de grands metteurs en scène (Planchon, Bourseiller) ont réussi à s'établir hors de la capitale et à trouver un public enthousiaste, certes quelques festivals en province (celui d'Avignon par exemple, sous la direction de Jean Vilar) acquièrent une célébrité nationale et même internationale, mais à l'heure actuelle, le phénomène parisien semble bien assuré de se poursuivre, sauf peut-être si la politique d'implantation de maisons de la culture et de maisons de jeunes dans toute la France se révélait fructueuse.

L'examen des tendances fait apparaître le maintien des grands classiques auxquels viennent s'adjoindre quelques contemporains, comme Montherlant, joués dans un certain nombre de théâtres, mais plus spécialement à la Comédie-Française [1].

On remarque également la permanence du théâtre dit de boulevard, avec des pièces qui ne visent qu'à la distraction.

D'autres scènes se consacrent à des pièces de qualité. Elles accueillent soit des auteurs de l'entre-deux-guerres (Giraudoux), soit des auteurs plus récents mais déjà presque classiques (écrivains ou philosophes tels Camus et Sartre, ou seulement auteurs de théâtre comme Jean Anouilh, chez qui dominent l'amertume ou la dérision), soit enfin des auteurs dits « d'avant-garde » comme Ionesco, Beckett, Jean Genêt, Arrabal ou Armand Gatti.

1. Il existe à Paris trois théâtres subventionnés (outre les scènes consacrées à l'art lyrique), c'est-à-dire aidés financièrement par l'État, aux fonctions différentes : la Comédie-Française est consacrée au répertoire traditionnel; le Théâtre de France (longtemps sous la direction de Jean-Louis Barrault) tend à jouer des pièces d'avant-garde; le Théâtre National Populaire (fondé par Jean Vilar et actuellement dirigé par Georges Wilson) dispose aujourd'hui de deux scènes et affiche une vocation pour un théâtre populaire mais de grande qualité (Aristophane y côtoie Brecht : le public dit populaire goûte aussi bien la comédie athénienne du IVe siècle avant Jésus-Christ que le théâtre allemand contemporain).

l'information

VISAGES DE LA PRESSE

La liberté d'opinion

Après bien des aléas, c'est sous la IIIe République qu'a été établie la liberté de la presse. Déjà, pourtant, la Déclaration des Droits de l'Homme et du Citoyen proclamait : « La libre communication des pensées et des opinions est un des droits les plus précieux de l'homme : tout citoyen peut donc parler, écrire, imprimer librement, sauf à répondre de l'abus de cette liberté dans les cas déterminés par la loi. »

Pour faire paraître un journal, il suffit d'effectuer une déclaration préalable au Parquet, en précisant le nom des responsables de la publication envisagée. Pour chaque numéro, qui comprend le nom de l'imprimeur et du directeur, un dépôt de quelques exemplaires doit être effectué auprès de certaines administrations (bibliothèques publiques, ministère de l'Intérieur...).

Les périodes troublées, en particulier le temps de guerre, voient s'instaurer temporairement des régimes de censure ou de saisie, mais les Français sont particulièrement attachés à la notion de liberté d'opinion et ne supportent pas le maintien de ces exceptions au-delà des événements qui peuvent les justifier.

Cependant, la liberté ne saurait se concevoir sans une contrepartie : c'est-à-dire d'une part des devoirs qui s'expriment par le droit de réponse et de rectification des personnes mises en cause, d'autre part une responsabilité qui peut être engagée devant les tribunaux.

Le droit de réponse et de rectification

... Suivant la loi du 29 juillet 1881, le droit de rectification permet à tout dépositaire de l'autorité publique d'obtenir l'insertion en tête d'un journal ou d'un périodique d'une rectification au sujet des actions de sa fonction qui auraient été inexactement rapportées. Le droit de réponse permet à toute personne nommée ou désignée dans un article de journal de faire insérer une réponse d'une longueur déterminée à la même place et dans les mêmes caractères que l'article. Ce dernier droit est général et absolu : il peut être exercé même si l'article ne contient aucune inexactitude ou imputation diffamatoire. Celui qui l'exerce est seul juge de l'utilité de la forme et de la teneur de la réponse, qui ne peut être refusée que si elle est contraire à l'intérêt légitime des tiers ou à l'honneur du journaliste.

Le droit de rectification et le droit de réponse s'appliquent seulement à la presse imprimée. Divers projets de loi ont été déposés pour étendre à la radiodiffusion le droit de réponse.

Ce procédé en effet permet dans de nombreux cas de réparer le dommage causé sans pour autant restreindre la liberté, l'étendue de l'information. Au contraire, il la sert en favorisant la controverse et la diversité des sources...

FERNAND TERROU, *L'Information.* Coll. *Que Sais-je ?* P.U.F.

Problèmes des quotidiens

Depuis 1946, le nombre des quotidiens a diminué de moitié : il n'existe plus aujourd'hui que cent titres environ pour toute la France. C'est que le rétablissement de la paix avait été en même temps celui de la liberté d'opinion. Mais l'euphorie de la Libération ne dura pas longtemps : seuls les journaux qui surent se plier aux règles commerciales subsistent ; l'indépendance totale des premiers rédacteurs a été remplacée par l'influence grandissante de groupes financiers puissants qui commanditent un ensemble de publications.

L'argent et la presse

... Il serait naïf de croire que la domination de la Maison Hachette sur le groupe Franpar (*France-Soir*, *Paris-Presse*, *Le Journal du Dimanche*, *France-Dimanche*, *Le Nouveau Candide*, *Elle*) n'entraîne aucune conséquence sur le contenu des journaux. Mais une autre forme de naïveté consiste à imaginer que de puissants personnages de l'économie et de la finance imposent quotidiennement leur volonté au directeur du journal. On n'a pas dit grand-chose quand on révèle que M. Jean Prouvost, industriel de la laine, propriétaire de *Paris-Match*, « contrôle » *Le Figaro :* la structure juridique de ce journal est telle que M. Pierre Brisson, son directeur, jouit d'une tranquillité à peu près absolue, même si on n'y trouve pas de campagne en faveur du coton ou pour la nationalisation de l'industrie textile. A *L'Aurore* que « contrôle », par un système compliqué de sociétés superposées, M. Marcel Boussac, industriel du coton, la situation est moins nette, mais M. Robert Lazurick ne se voit pas imposer quotidiennement l'orientation du journal qu'il dirige.

Les consignes que l'argent fait peser sur la presse consistent beaucoup plus en interdits, en sujets à ne pas évoquer qu'en instructions sur ce qu'il faut dire.

ALFRED GROSSER, *La politique en France*. A. Colin.

Si la prise de position du journal n'est pas imposée par les financiers, il s'agit pour ceux-ci de rechercher le meilleur rendement commercial : les quotidiens se sont progressivement déchargés de toute position politique apparente pour n'être le plus souvent que des organes d'information ou même de « sensation ».

Les quotidiens parisiens les plus diffusés, qui n'atteignent pourtant qu'un tirage moyen (environ 1 million d'exemplaires), *France-Soir* et *Le Parisien Libéré,*

tirages quotidiens en 1972

SUD-OUEST	plus de 400 000 exemplaires
la Montagne	plus de 100 000
l'Indépendant	moins de 100 000

font la plus large place au fait divers souligné par de gros titres. Ils constituent la « presse à sensation ». La « presse de qualité », représentée par des journaux comme *Le Monde* ou *Le Figaro* [1], atteint des tirages qui dépassent le demi-million.

Quant à la presse de province, l'essentiel de son contenu consiste en la présentation des nouvelles locales. Le tirage est quelquefois supérieur à celui de la presse parisienne.

1. Tendances politiques : **Le Monde**, Centre gauche; **Le Figaro**, Centre droit.

L'extension des quotidiens régionaux

... Le fait le plus important de la vie de la presse française d'après-guerre est l'expansion continue de la presse de province, au détriment partiel de celle de Paris. Avant 1939, les grands quotidiens de Paris avaient une édition à l'intention de la province, lue avec intérêt et fidélité. Cependant, quelques-uns de leurs animateurs soustraits à la routine de chaque jour discernaient déjà les progrès certains des régionaux. Je me souviens d'avoir entendu, en 1935, Jacques de Marsillac, rédacteur en chef du quotidien *Le Journal*, l'un des « Cinq Grands » de la capitale, évoquer la nécessité, pour son organe, de se résoudre à n'être qu'un quotidien pour Paris.

Durant l'entre-deux-guerres, les journaux de province avaient un tirage global de 4 millions d'exemplaires, qu'ils ont doublé depuis 1960. Il est digne de remarque que ce résultat est, pour une part, le fruit de l'extension de l'aire de diffusion des principaux quotidiens qui, de l'échelle du département, sont passés à celle de la région. Cela a nécessité des moyens financiers considérables, des coalitions d'intérêts dont les victimes furent, naturellement, les organes de second rang, attachés à une ville de moindre importance et qui, dans beaucoup de cas, se sont résolus à devenir hebdomadaires pour ne point disparaître entièrement. Autres éléments décisifs du succès des grands régionaux : une modernisation de la présentation, rivalisant avec celle des confrères parisiens, amélioration patiente de la qualité rédactionnelle. Des esprits chagrins critiquent la nouvelle règle qui, dans ces journaux, donne pleine priorité à la vie régionale. Le secrétaire général de l'un d'eux, homme jeune, d'excellente formation intellectuelle, m'expliquait l'importance de la « locale » dans le succès de son quotidien. Par coquetterie d'esprit, plus que par souci de prestige, ce journal continue de publier des commentaires politiques parisiens, des chroniques signées de beaux noms littéraires, des enquêtes de grands reporters connus. Il accorde aux arts et aux lettres leur exacte part. Mais les deux ou trois pages résumant - avec un grand soin d'exactitude - la France et le monde sont balancées par le double ou même le triple de pages de nouvelles concernant les chefs-lieux de département, d'arrondissements, de cantons. Pas d'accident, dans la relation duquel le gendarme ne soit cité. Pas de succès scolaire, de remise de décoration, sans quelques lignes flatteuses. Les sapeurs-pompiers ont une place réservée dans les chroniques, les fanfares également. On s'intéresse à la sauvegarde des monuments historiques et au rendement des terres, à la construction des usines. Tout cela très vivant, avec beaucoup de noms.

GEORGES-R. MANUE, *La Revue des Deux-Mondes*, 1er février 1966.

Diversité des périodiques

La presse périodique (15 000 titres) est peut-être la plus moderne par certains côtés : c'est parmi les hebdomadaires, en effet, que la présentation a le plus évolué avec l'utilisation du format « tabloïd » par *L'Express* d'abord, puis par une série

En Avant - *Dessin de Sempé.*

d'autres publications contenant des informations assez denses et mesurées, sous une forme attrayante.

Plusieurs catégories de périodiques sont prospères : la presse féminine, la presse du cœur, la presse des jeunes en particulier.

C'est dans les catégories constituées par la presse politique ou générale et par la presse littéraire qu'apparaissent un grand nombre de publications artisanales, à tirage réduit, parfois même œuvre d'un seul (ainsi au début du siècle les *Cahiers de la Quinzaine* étaient l'œuvre de Péguy à lui seul ou presque), enrichissantes par la diversité et parfois la qualité des idées ou des opinions émises.

L'État dispose d'un monopole en matière de radio et de télévision

Depuis 1964, l'Office de la Radiodiffusion Télévision Française (O.R.T.F.), héritier de la R.T.F., exerce le monopole d'émission prévu au profit de l'État depuis la fin de la Deuxième Guerre mondiale (entre les deux guerres en effet, l'émission était permise à certains postes privés sur le territoire français) et diffuse des émissions

4 5 6 10 11

de radio (F.I.P., France Culture, France-Inter, France Musique) et de télévision (3 chaînes).
L'Office de la Radiodiffusion Télévision Française dispose d'un statut plus libéral que les organismes qui l'avaient précédé : il est placé sous la tutelle du ministre de l'Information, mais une relative autonomie lui est concédée. Cependant, il est toujours suspecté par le public d'être systématiquement favorable au Gouvernement.

Il va de soi que les émissions de l'O.R.T.F. ne sont pas les seules que peuvent capter les récepteurs des Français. C'est ainsi que près des frontières se sont installés divers sièges d'organismes d'émission, dits « postes périphériques » : Europe n° 1, Radio Télé Luxembourg, Radio Télé Monte-Carlo et Radio-des-Vallées-d'Andorre, qui vivent de la publicité, et ont trouvé une audience en présentant des programmes de musique presque continue, interrompue par des informations présentées de façon dynamique. Certains présentateurs réussissent à atteindre la popularité.

Une structure identique se retrouve pour la télévision, les émissions des postes périphériques concurrençant les trois programmes diffusés par l'O.R.T.F.

La publicité, d'abord interdite dans les émissions de l'O.R.T.F., a été introduite sous forme de publicité pour des produits : café, petits pois, etc., puis, à partir de 1968, sous forme de publicité proprement dite, c'est-à-dire pour des entreprises nommément désignées.

LA PRESSE ET SON PUBLIC

Tout Français est lecteur, auditeur ou spectateur

L'ensemble des tirages des quotidiens français est d'environ 11 millions d'exemplaires par jour, ce qui représente un taux de 270 exemplaires par 1 000 habitants : la France se trouve ainsi au 19e rang mondial. Le tirage des périodiques est de 50 millions environ par semaine. Deux personnes sur trois achètent régulièrement un journal, mais l'intérêt pour son contenu est variable.

Niveaux d'intérêt

L'achat d'un journal n'a pas en lui-même une signification claire. Ce geste peut recouvrer des comportements très différents. Entre le monsieur qui parcourt distraitement son journal pour occuper un trajet en métro, et celui qui lit consciencieusement un quotidien d'information, peut-être même le découpe pour conserver les articles les plus intéressants, la différence est considérable. Ainsi, au-delà des statistiques sur la vente des journaux, il faut essayer de saisir l'attitude concrète des lecteurs sans se cacher les difficultés pratiques d'une telle étude.

Le temps passé à la lecture fournit un premier indice. D'après certaines enquêtes, il peut varier de quelques minutes à une heure et plus. 56 % des lecteurs consacreraient une durée allant d'une demi-heure à une heure chaque jour à leur journal; 33 % plus d'une heure; 11 % moins de quinze minutes. Encore ces chiffres semblent-ils un peu optimistes. De plus, ils ne fournissent que des indications assez frustes. Car pendant ce temps, que lisent les intéressés?

L'attention portée aux différentes rubriques est très variable. Dans la presse de province, ce sont les nouvelles locales qui suscitent l'intérêt le plus grand. Viennent tout de suite après les bandes dessinées, les dessins humoristiques et les échos. L'éditorial, selon la personnalité de son auteur, peut être lui aussi bien placé. Reportages, enquêtes, feuilletons et sports se partagent ensuite l'attention des lecteurs. Cet ordre de préférence n'est pas propre à la France; il se retrouve dans de nombreux pays. Il ne correspond pas nécessairement à l'ordre de lecture; plusieurs lecteurs procèdent d'abord à la revue des gros titres et à un coup d'œil sur la politique.

EDMOND MARC, Dossiers de *Tendances*, n° 26, juin 1967.

Le nombre de récepteurs de radiodiffusion est plus grand que le nombre des foyers. L'écoute est irrégulière dans le temps, mais il n'est pas rare que les femmes qui restent chez elles laissent toute la journée leur poste récepteur en fonctionnement.

Au nom de la liberté et de la vérité

Traditionnellement méfiants, les Français admettent mal que les journalistes, en supposant même qu'ils soient cultivés et compétents, puissent être désintéressés et avoir pour seul but de proclamer la vérité. C'est ainsi que la presse paraît toujours suspecte, soit d'être vendue aux puissances d'argent, soit d'être asservie par le Pouvoir. Mais c'est plutôt « celle des autres » que celle qu'on lit...

Une certaine méfiance

Par ailleurs, ce que l'on appelle la civilisation de masse est souvent analysé en France comme une dégénérescence de la véritable et traditionnelle culture humaniste. Les moyens d'information modernes, plus encore radiodiffusion et télévision que presse écrite, sont alors dénoncés comme symboles et instruments d'inculture. (Il est encore de bon ton dans certains milieux de ne pas posséder de récepteur de télévision ou d'affecter de ne pas s'en servir.) De fait, l'information qui cherche plus à distraire qu'à informer réellement introduit des possibilités de désordre dans la pensée et de perversion dans la langue. Cependant le rôle que peuvent jouer radio et télévision n'est pas mésestimé, soit pour offrir des enseignements particuliers (que diffusent Radio-Sorbonne ou la télévision dite « scolaire »), soit pour susciter une curiosité intellectuelle nouvelle à l'égard de réalités mondiales ou de problèmes ignorés auparavant par le grand public.

En guise de conclusion

La France des stéréotypes, vieux pays agricole « à l'heure de son clocher », où l'on faisait de « l'épargne plutôt que des enfants », et qui pourtant avait su, dit-on, rester « mère des arts et des lettres », la France de la tradition, la France de toujours, est engagée dans une profonde mutation qui affecte tous les domaines de son existence, de son activité : le progrès accéléré des techniques, l'expansion démographique et économique, la rénovation de son appareil politique et administratif, lui proposent le plus profond et le plus passionnant défi qu'elle ait connu.

Sans récuser aucun des systèmes de vie qui sont représentés au grand étalage des nations, elle s'est donné pour tâche de définir les lignes d'un humanisme accordé à son temps. Petite parcelle du continent européen, infime territoire sur la carte du globe, elle accepte de fondre ses forces dans un ensemble plus vaste au nom de la solidarité de la culture européenne, et s'applique à être présente au monde et attentive à son évolution au nom de la solidarité de la culture universelle.

Si elle participe à tout ce qui conduit à un dépassement de soi-même, la France n'en abandonne pas pour autant l'espoir et le désir de contribuer pour sa part, peut-être parce qu'elle place avant toute chose le respect de l'homme, au long et difficile dialogue qu'a entrepris l'humanité avec elle-même.

TABLE DES MATIÈRES

DONNÉES GÉNÉRALES

VIE RELIGIEUSE

VIE POLITIQUE

VIE CULTURELLE

Imp. TARDY QUERCY AUVERGNE, Bourges. Dépôt légal : 3e trimestre 1973. Éditeur N° 2535. Imprimeur N° 7386.
Imprimé en France